LA DAME DU RITZ

MELANIE BENJAMIN

LA DAME DU RITZ

roman

Traduit de l'anglais (États-Unis)
par Christel Gaillard-Paris

ALBIN MICHEL

Ce livre est un ouvrage de fiction. À l'exception des situations et personnes historiques, utilisées à des fins de fiction, les noms, les personnages et les événements relatés sont le fruit de l'imagination de l'auteur. Toute ressemblance avec des faits avérés, des lieux existants ou des personnes réelles, vivantes ou décédées, serait purement fortuite.

Édition originale américaine parue sous le titre :
MISTRESS OF THE RITZ

Pour Ben, qui a dû l'attendre.

Lily

Blanche est morte.

La mort est parfois une bénédiction. Pour elle, je pense que c'est le cas. Parce qu'elle fut si vivante et pleine d'entrain ; et c'est d'ailleurs l'image que je garde d'elle. J'ai tant de souvenirs de Blanche – Blanche fredonnant un chant de marin, un verre de champagne posé en équilibre sur le dos de sa main, Blanche apprenant à une prostituée comment danser le charleston, Blanche pleine d'indulgence pour quelqu'un qui ne le méritait pas, Blanche, le dos tourné, boudeuse, tapant du pied comme une enfant capricieuse.

Blanche qui s'oppose violemment, courageusement – follement inconsciente – à ceux qu'il n'aurait pas fallu défier.

Mais mon souvenir d'elle le plus vif est celui de la première fois où je l'ai vue dans le lieu qui lui était le plus approprié : au Ritz. Son Ritz adoré.

Le jour où les nazis ont franchi pour la première fois les portes de l'hôtel, en 1940, Blanche n'était pas là ; elle était encore sur le chemin du retour, depuis le sud de la France. Mais elle m'a raconté ce qui s'est passé.

Elle m'a raconté comment les employés et les clients du Ritz les avaient d'abord entendus ; le grondement des tanks et des véhicules militaires sur la vaste place devant l'hôtel, tandis qu'ils prenaient position autour de la colonne, Napoléon les regardant avec horreur du haut de son perchoir. Puis le bruit métallique des bottes des Allemands sur les pavés, d'abord assourdi mais de plus en plus fort à mesure qu'ils approchaient. Tous se tordaient les mains, se regardant, et si certains d'entre eux avaient couru jusqu'à l'entrée de service, ils n'étaient pas allés bien loin.

Madame Ritz elle-même, petite, brave, dans sa plus belle robe noire, tout droit sortie de l'époque édouardienne, attendait dans l'entrée de ce qui était chez elle, le plus grand hôtel de Paris. Ses mains couvertes de bijoux, serrées l'une contre l'autre, tremblaient ; elle avait jeté un coup d'œil au portrait de feu son mari plus d'une fois, comme si cette peinture si ressemblante pouvait lui dire quoi faire.

Certains des employés étaient là depuis le début, en 1898. Ils se souvenaient de la première fois où ces mêmes portes s'étaient ouvertes en grand ; les hôtes resplendissants, joyeux, s'étaient aventurés, les yeux brillants, émerveillés, à l'intérieur de ce qu'on appelait l'entrée – pas de hall pour le nouvel hôtel de monsieur Ritz ; il ne souhaitait pas que le commun des mortels en ternisse les grandes portes dorées. Les princes et duchesses, les nantis parmi les nantis ; Marcel Proust, Sarah Bernhardt. Et tandis que depuis les cuisines ne cessaient de monter des plateaux chargés des mets les plus raffinés d'Auguste Escoffier – des meringues à la crème parfumée à la vanille, décorées de pétales en sucre de fleurs de lavande et de violettes ; des tournedos Rossini, de savoureux pâtés, et même des pêches Melba, en l'honneur de Dame Nellie Melba qui avait accepté de chanter plus tard dans la soirée – et que les musiciens avaient commencé à jouer sous les lustres étincelants, les employés avaient rajusté leurs uniformes tout neufs, en souriant, impatients de rem-

plir leurs rôles. Courir d'un endroit à l'autre, porter, apporter, cirer, épousseter, laver, couper, plier, soulager, calmer, réparer, choyer, gâter. Participer à tout ça les enthousiasmait – l'ouverture d'un nouveau grand hôtel, le seul au monde à disposer de salles de bains privées, de téléphones dans chaque chambre, et éclairé non plus au gaz mais entièrement à l'électricité.

L'hôtel Ritz, place Vendôme.

Mais ce jour-là, les employés ne souriaient pas. Certains ne s'étaient pas cachés pour pleurer au moment où les Allemands étaient entrés en trombe par les grandes portes, souillant les tapis de leurs bottes noires boueuses, leurs armes en bandoulière ou dans leurs étuis. Les soldats n'avaient pas enlevé leurs casquettes, ces casquettes impérieuses avec un aigle pour insigne. Leurs uniformes – vert-de-gris, de la couleur des haricots – étaient affreux, agressifs et détonnaient avec l'or, le marbre et le cristal de la grande entrée, les somptueuses tapisseries sur les murs et le bleu régalien du tapis du grand escalier.

Leurs brassards rouge sang – avec cette araignée noire menaçante que dessinait la svastika – faisaient froid dans le dos.

Les Allemands étaient là. Exactement comme on l'avait dit ; après avoir écrasé l'armée française aussi facilement que l'une des exquises pâtes feuilletées de monsieur Escoffier et triomphé du jeu d'enfant qu'avait finalement représenté le franchissement de la ligne Maginot. Et après que les alliés anglais avaient abandonné la France à son sort, traversant la Manche depuis Dunkerque. Les Allemands étaient là. En France ; à Paris.

Au Ritz, place Vendôme.

1

Blanche

Juin 1940

Ses chaussures.

Croyez-le ou non, ce sont ses chaussures qui la préoccupent. De toutes les choses dont elle devrait s'inquiéter en ce jour terrible, seules ses chaussures l'inquiètent.

Mais à sa décharge, étant donné qui elle est et où elle se rend, ses chaussures sont un problème, en effet. Elles sont sales, couvertes de boue séchée, les talons éculés. Et la seule chose à laquelle elle est capable de penser tandis que son mari l'aide à descendre du train, c'est comment Coco Chanel, cette harpie, réagira quand elle la verra. Comment ils réagiront, tous autant qu'ils sont, quand elle arrivera au Ritz avec des chaussures sales, aux talons éculés, ses bas pratiquement en lambeaux sur ses mollets si bien dessinés. Et si elle ne peut rien faire pour ses bas – même Blanche Auzello n'imaginerait pas un seul instant devoir changer ses bas en public –, elle désespère de trouver un banc afin de pouvoir fouiller dans ses valises et dégoter une autre paire de chaussures. Mais avant même d'exprimer ce souhait, elle et son époux sont happés par une foule de gens déboussolés – mais bon sang, qui sont-ils ? Des Français ? Des Allemands ? Des réfugiés ? – qui déboulent de la gare du

Nord, pressés, terrifiés de voir ce que Paris est devenu en leur absence.

Blanche et son mari sont mêlés à cette populace ; de la terre et des cendres collées par la sueur sous leurs mentons, derrière leurs oreilles et leurs genoux, dans les plis de leurs coudes crevassés, leurs visages à la peau grasse maculée de suie. Ils n'ont pas changé de vêtements depuis plusieurs jours ; Claude avait rangé son uniforme de capitaine avant qu'ils ne quittent sa garnison. « Pour le ressortir plus tard », avait-il affirmé à Blanche, pour la rassurer – ou, plus probablement, avait-elle pressenti, pour se rassurer lui-même. « Quand nous nous battrons de nouveau. Comme ce sera certainement le cas. »

Mais personne ne sait quand ce moment viendra, ni s'il viendra jamais, maintenant que les Allemands ont envahi la France.

En sortant de la gare, le couple finit par s'extraire de la foule et peut ainsi reprendre son souffle et tenter de ne pas perdre les bagages qui leur glissent des mains ; quand ils avaient fait leurs valises, neuf mois plus tôt, ils n'avaient encore aucune idée de la durée de leur séjour. Par réflexe, ils cherchent des yeux un taxi à l'extérieur de la gare, là où se tient habituellement une file de véhicules, mais il n'y en a aucun ; rien qu'une carriole attelée au cheval le plus triste que Blanche ait jamais vu.

Claude jette un coup d'œil à la pauvre bête, remarquant à quel point elle respire lourdement, la bave aux lèvres, les côtes si saillantes qu'on aurait dit que la chair en gardait l'empreinte, et il secoue la tête. « Cet animal ne passera pas la journée. »

« Eh ! Vous, là-bas ! » lance Blanche, en avançant vers l'homme assis dans la carriole, un homme avec de petits yeux et un sourire édenté.

« Oui, *Madame**[1] ? Dix francs. Dix, et je vous emmène où vous voudrez dans Paris ! J'ai le seul cheval et la seule carriole à vingt kilomètres à la ronde !

– Libérez cet animal immédiatement. Espèce de salaud, ce cheval est sur le point de s'effondrer, vous ne le voyez pas ? Il faut le rentrer à l'écurie et le nourrir.

– Espèce de folle », marmonne l'homme. Et d'un geste, il désigne la rue grouillante de piétons. « Vous ne comprenez donc pas ? Quand les Allemands sont arrivés, ils ont réquisitionné toutes les bêtes en bonne santé. Ce canasson est ma seule source de revenus.

– Peu importe. Je vous donne vingt francs si vous laissez cet animal s'allonger un moment.

– S'il s'allonge, il ne se relèvera pas. » L'homme jette un coup d'œil à la pauvre bête, qui titube sur ses jambes frêles, et se contente de hausser les épaules. « J'imagine qu'il ne me reste plus que trois ou quatre courses à faire avant qu'il ne crève. Et moi aussi.

– Je vais m'en occuper, espèce… »

Mais Claude a rejoint sa femme et l'entraîne plus loin, tandis qu'elle continue à s'époumoner en direction du malheureux cheval et de son propriétaire.

« Chut, Blanche, chut. Arrête. Tu ne peux pas empêcher le malheur d'être partout dans Paris, ma chérie. Surtout maintenant.

– Tu crois ça ! »

Mais elle laisse son époux l'arracher à cette scène. Car une chose est certaine, les Auzello sont encore loin du Ritz.

« J'aurais dû envoyer un télégramme pour que quelqu'un vienne nous attendre », dit Claude, en s'essuyant le front à

1. Les mots ou expressions en italique suivis d'un astérisque sont en français dans le texte original. (*Toutes les notes sont de la traductrice.*)

l'aide de son mouchoir sale auquel il jette un coup d'œil en grimaçant. Le mari de Blanche rêve d'un mouchoir propre tout comme elle rêve de chaussures propres. « Mais… »

Blanche hoche la tête. Tous les poteaux télégraphiques et téléphoniques qui reliaient Paris au reste du monde avaient été coupés pendant l'invasion allemande.

« *Monsieur** ! *Madame** ! » Deux jeunes garçons entreprenants surgissent devant eux, leur proposant de porter leurs bagages pour trois francs ; Claude accepte. Ils se mettent donc en route dans les rues de Paris, habituellement encombrées, à la suite des deux garnements. Blanche ne peut empêcher les souvenirs d'affluer, ceux de la première fois où elle avait essayé de circuler autour de l'Arc de triomphe : avec toutes ces avenues qui, à l'époque, avaient été pleines de véhicules klaxonnant et roulant dans tous les sens. Mais aujourd'hui, l'absence totale de circulation la stupéfie.

« Les Allemands ont réquisitionné toutes les voitures », explique l'un des deux garçons, un grand gaillard pâle, aux cheveux blonds, avec une dent de devant cassée et l'insolence des jeunes qui en savent plus que leurs aînés. « Pour l'armée.

– Je préférerais faire sauter ma voiture plutôt que de la donner aux *Boches** », marmonne Claude.

Blanche est sur le point de lui rappeler qu'ils n'ont pas de voiture, mais elle se retient ; elle a compris que ce n'est pas le moment d'insister sur ce point.

Tandis que le petit groupe hétéroclite se traîne, elle prend conscience d'une chose : le silence. *Partout*. Pas seulement celui de la foule de citoyens abasourdis qui titubent en sortant de la gare et se répandent dans la ville comme une flaque d'eau boueuse. Car s'il y avait bien une constante à Paris, c'était le bruit des conversations ; autour des tables de café où s'entassait d'ordinaire une clientèle sans cesse renouvelée, discutant de la pluie et du beau temps ; les trottoirs bondés, avec ces Parisiens qui parlaient politique, débattaient de la coupe d'un costume ou des mérites de différents fromagers, – peu importe le sujet –, s'arrêtant pour défendre leurs arguments, enfonçant un doigt dans la poitrine de leurs compagnons. Les Parisiens, Blanche ne le sait que trop bien, adorent bavarder.

Aujourd'hui, les cafés sont vides. Les trottoirs aussi. Pas d'écoliers bruyants en blouse grise dans les squares désertés. Pas de vendeurs ambulants qui chantent en poussant leurs charrettes ; pas de commerçants qui marchandent avec leurs fournisseurs.

Elle sent des regards posés sur elle ; elle en est sûre. Malgré la douceur d'un jour cruellement ensoleillé, elle frissonne et glisse la main sous le bras de son mari.

« Regarde », chuchote-t-il en levant la tête. Blanche obéit ; les fenêtres, sous les toits mansardés, sont pleines de gens cachés derrière des rideaux pour épier furtivement ce qui se passe dans la rue. Elle est attirée par un miroitement qui renvoie la lumière, tout en haut sur les toits.

Des soldats nazis, avec des armes au métal poli, les yeux baissés vers eux.

Elle se met à trembler.

Jusqu'à présent, ils n'avaient pas rencontré de soldats. Les Allemands n'étaient pas arrivés à Nîmes, où Claude avait été en garnison dès le début de la « drôle de guerre ». Même dans le train pour Paris alors que tout le monde était terrifié à l'idée d'être mitraillé par des bombardiers comme l'avaient été tant de gens qui fuyaient ; et même si à chaque arrêt prévu – ou imprévu –, les conversations restaient en suspens, tandis qu'ils retenaient leur souffle, avec la crainte d'entendre des mots allemands, des bottes allemandes, des coups de feu allemands –, les Auzello n'avaient pas croisé un seul nazi.

Mais maintenant qu'ils sont là, chez eux, ils ont affaire à eux. Bon sang, c'est vraiment arrivé. Les nazis ont vraiment conquis Paris.

Blanche prend une profonde inspiration – ses côtes sont douloureuses, son estomac gronde, elle ne se souvient pas de quand date leur dernier repas – et avance, dans ses chaussures abîmées. Ils finissent par arriver sur les pavés de la place Vendôme, elle aussi désertée par les Parisiens, mais grouillante de soldats.

Blanche a le souffle coupé, Claude aussi. Car des tanks allemands ont envahi la place, encerclant la statue de Napoléon. Un immense drapeau nazi flotte au-dessus de plusieurs portes, y compris celles du Ritz. Le Ritz adoré de son mari. *Leur* Ritz.

Et en haut de l'escalier qui mène aux grandes portes d'entrée se tiennent deux soldats. Armés.

Les deux garçons laissent tomber les bagages dans un bruit fracassant et détalent comme des lapins. Claude se ressaisit et prend les choses en main.

« Peut-être ferions-nous mieux d'aller à l'appartement », dit-il, en s'épongeant de nouveau le front à l'aide de son mouchoir sale. Pour la première fois de la journée – pour la première fois depuis que Blanche le connaît –, son mari paraît hésitant. Et c'est alors qu'elle comprend que tout a changé, il n'y a pas de doute possible.

« C'est absurde », réplique Blanche, qui a soudain la rage au ventre, une colère étrange qui ne lui ressemble pas, celle d'une femme courageuse qui n'a rien à cacher aux nazis. À sa plus grande surprise, sans parler de celle de Claude, elle se saisit des bagages et avance droit sur les deux soldats. « Nous entrons par la grande porte, Claude Auzello. Parce que c'est *toi* le directeur du Ritz. »

Claude commence par protester mais, pour une fois, ne discute pas ; il redevient silencieux tandis qu'ils s'approchent des deux sentinelles ; chacune fait deux pas dans leur direction mais – Dieu merci – sans lever son arme.

« Monsieur Claude Auzello, directeur du Ritz », annonce Blanche dans son meilleur allemand, un allemand dont l'assurance tranquille la stupéfait tout autant qu'elle stupéfait son époux. D'après lui, son épouse d'origine américaine parle français avec un accent à couper au couteau et c'est donc d'autant plus étonnant de l'entendre parler un allemand parfait.

De toute façon, les Auzello n'ont cessé de se surprendre l'un l'autre depuis leur première rencontre.

« Je suis madame Auzello. Nous voulons parler immédiatement à un officier. *Mach schnell* – dépêchez-vous ! »

Les soldats ont l'air déconcertés ; l'un des deux entre en courant dans l'hôtel. Claude murmure : « *Mon Dieu**, Blanche. » À la manière qu'il a d'agripper fermement ses sacs, elle devine qu'il se retient de se signer comme les Français catholiques en ont l'exaspérante habitude.

Blanche – malgré ses jambes flageolantes – se tient bien droite, impérieuse même, et quand l'officier, un homme de petite taille au visage rougeaud, apparaît devant elle, elle sait exactement ce qu'elle va lui dire.

Car elle est Blanche Ross Auzello, américaine, parisienne – parmi d'autres choses, tant d'autres choses, passées, présentes, futures, qu'il lui faudra cacher à partir de maintenant ; n'en a-t-elle d'ailleurs pas déjà caché beaucoup au cours de ces vingt dernières années ? Il ne fait donc aucun doute qu'elle est douée pour ça, tromper, duper. Comme, elle doit bien le reconnaître, l'est aussi son mari.

Et c'est peut-être la chose qui les lie l'un à l'autre encore plus étroitement qu'elle ne les sépare.

« Herr Auzello ! Frau Auzello ! C'est un plaisir de vous rencontrer. » Le commandant qui déboule en trombe pour les accueillir a une voix à la fois lénifiante et gutturale, une voix allemande, mais son français est impeccable. Il s'incline devant Claude et se penche pour embrasser la main de Blanche qu'elle cache juste à temps derrière son dos.

Une main qui, soudain, s'est mise à trembler.

« Le Ritz est heureux de vous accueillir à nouveau. Nous avons tellement entendu parler de vous. Je suis ici pour expliquer que la direction a été relogée de l'autre côté. » L'officier nazi indique d'un mouvement de tête la rue Cambon, qui longe l'arrière de l'hôtel. « Nous – les Allemands – avons pris nos quartiers de ce côté, place Vendôme, grâce à l'hospitalité de votre personnel. Tous les autres clients sont du côté de la rue Cambon. Et nous avons pris la liberté de déménager vos effets personnels de votre bureau à un autre, dans la galerie au-dessus de la petite entrée à l'arrière de l'hôtel. Vous trouverez l'ensemble de votre personnel presque au complet et qui attend vos instructions.

– Très bien, très bien », s'entend répondre Blanche – comme si elle rencontrait un officier nazi tous les jours. Elle ne peut alors s'empêcher d'être émerveillée par sa propre performance. Bon sang, une invasion allemande lui donnerait-elle enfin l'occasion de devenir le genre d'actrice qu'elle a toujours rêvé d'être ? « Je n'en attendais pas moins. Maintenant, pouvez-vous demander à vos hommes de s'occuper de nos bagages ? »

Elle se retourne pour adresser un sourire rassurant à Claude, dont le visage, elle s'en étonne, a pâli sous le hâle du soleil du Midi. Tandis que deux soldats entreprennent de rassembler leurs bagages, elle remarque que Claude resserre son étreinte sur sa sacoche quand ils s'en approchent, les phalanges blanchies de ses doigts, les muscles noueux de son cou palpitant sous l'effort. Mais quand elle lui lance un regard interrogateur, le visage de son époux reste lisse et imperturbable.

Ils suivent les deux soldats et tournent à gauche de la place vers l'étroite, mais invraisemblablement chic, rue Cambon. Une fois de plus, Blanche sent des regards qui les épient. Elle tend la main pour étreindre celle de Claude ; il s'en empare fermement. Aussi étroitement liés, ils ne pourront pas faiblir. Pour elle, c'est une certitude. En cet incroyable moment qui dépasse l'imagination, quand rien n'est comme il devrait être, c'est la seule chose dont elle est sûre.

Ce moment où les soldats nazis escortent les Auzello jusqu'à la porte à l'arrière du Ritz.

Ils pénètrent à la suite des deux soldats dans la plus petite entrée et, rapidement, le vestibule grand comme un mouchoir de poche se remplit de visages familiers, accablés de chagrin, pâles mais souriants, soulagés de voir les Auzello de retour. Blanche sourit, elle aussi, et adresse de petits signes de tête à chacun des employés, mais ils ne cessent pas pour autant de bavarder. Blanche devine que son mari n'éprouve pas l'émotion habituelle des retrouvailles, le plaisir d'être accueilli par le personnel qu'il avait quitté près d'un an auparavant – sa famille, ses enfants au sens propre. D'ordinaire, son époux l'aurait déjà laissée pour être mis au courant de ce qui s'était passé en leur absence et ouvrir une bouteille de porto dans son bureau en écoutant toutes les histoires qui n'attendaient que son retour pour être racontées : la jeune fleuriste partie pour épouser celui qu'elle aime ; le fournisseur de beurre qui a changé car le précédent est mort et ses enfants ont vendu la laiterie.

Aujourd'hui, Blanche sait qu'il a compris que les histoires qu'on lui raconterait n'auraient rien d'anecdotique : des membres du personnel disparus dans le chaos de l'invasion, des jeunes garçons d'étage mourant sur les champs de bataille, ou encore la jolie jeune fleuriste – qui s'appelle Chabat – et qui ne s'est finalement pas mariée, n'ayant pu obtenir un visa pour l'Angleterre. Des histoires expliquant comment les nazis veulent que les choses se passent dans *son* hôtel – oui, son mari considère cet hôtel comme le sien, même si les héritiers de César Ritz en sont les véritables propriétaires. En cela, Claude est arrogant et si Blanche est honnête – ce qu'elle s'autorise à être au moins une fois par jour –, c'est l'une des choses qu'elle admire le plus chez lui.

Claude est subitement très pressé de monter dans leur suite. Blanche se met à courir pour le rattraper, lui, et aussi les soldats aux bottes noires avec leurs semelles à bouts ferrés qui s'attaquent férocement aux tapis moelleux. Elle se surprend alors à se demander avec inquiétude – elle ne cesse décidément jamais d'être la femme du directeur du Ritz ! – si ces tapis, habitués à d'élégants talons en cuir, vont résister longtemps à un tel traitement. Et elle repense à ses chaussures, souillant ces tapis elles aussi ; alors, pour la première fois depuis très longtemps, elle se sent inférieure à son environnement habituel.

Blanche a pris l'habitude, au fil des ans, de s'habiller pour le Ritz. L'atmosphère du lieu vous incitait à porter vos plus beaux vêtements, à vous redresser sur votre chaise, à parler plus doucement, à parer votre cou de vos plus beaux bijoux, à toujours jeter un dernier coup d'œil dans le miroir avant de vous aventurer sur les sols en marbre lustrés de l'hôtel. Ceux dont le travail était de frotter et faire briller battaient en retraite dans des réserves ou des recoins cachés dès qu'ils voyaient un hôte arriver, et l'on avait donc l'impression d'être dans un château magique entretenu avec amour par des lutins qui ne venaient que la nuit.

Mais à cet instant, elle prend conscience du drapeau nazi dans les énormes pots plantés de palmiers ; et du silence complet dans lequel sont plongés les couloirs et petits salons somptueux – comme si une oreille indiscrète se pressait derrière chaque porte en bois poli. Elle en oublie de nouveau ses chaussures.

Les Auzello sont conduits à leur ancienne suite, commodément située du côté de la rue Cambon. Leurs bagages y ont été soigneusement déposés mais il est hors de question que Blanche donne un pourboire à un nazi ; c'est à peine si elle salue d'un hochement de tête les soldats au moment où ils quittent les lieux. Claude et Blanche se détournent l'un de l'autre, comme si, après être partis si longtemps, il leur était tout simplement trop difficile de s'imaginer être de retour – un retour cauchemardesque. Et donc, tels deux touristes, chacun se met à arpenter les pièces, passant les lieux en revue. Blanche est étonnée de voir que tout est recouvert de poussière – ce qui, auparavant, aurait été inimaginable. De petites déchirures sont apparues dans le papier peint doré – des bombes avaient-elles été lâchées près d'ici, juste avant l'Occupation ? Une odeur de renfermé flotte dans l'air, comme si la petite suite – tout au moins d'après les standards du Ritz – avait retenu sa respiration en les attendant. Elle ouvre une fenêtre ; et, juste en dessous, quelques soldats nazis bavardent en riant, aussi joyeux que des écoliers en vacances.

« Pourquoi, avant d'arriver ici, t'es-tu comporté comme un gosse coupable ? » Elle s'éloigne de la fenêtre en frissonnant et se tourne enfin vers Claude, toujours agrippé à sa sacoche.

« J'ai… » commence-t-il en riant nerveusement tandis que sa petite moustache parfaitement taillée tressaille et qu'il cligne des yeux – des yeux légèrement globuleux. « Oh, Blanchette, un peu de bon sens ! J'ai certains documents avec moi. » Il tapote sa sacoche. « Des documents *illégaux*. Des titres de circulation vierges et des papiers de démobilisation. Je les ai volés à la garnison, afin de les utiliser ici à Paris – pour ceux qui en auraient besoin. J'aurais pu finir en prison si les nazis les avaient trouvés.

– Mon Dieu, Claude ! » C'est au tour de Blanche de soudain pâlir ; elle s'écroule sur une chaise, imaginant la scène. « Oh, Claude. Tu aurais dû m'en parler quand nous avons quitté Nîmes.

– Non. » Claude secoue la tête, tripote le col de sa chemise. « Non, Blanche. Il y a des choses que tu ne dois pas savoir. Pour ton bien. » Et il redevient lui-même, le mari de Blanche ; son mari si exagérément *français*, avec ses règles, ses convictions, ses sermons. Ils sont mariés depuis dix-sept ans, et il essaie encore de transformer une jeune Américaine délurée et rebelle en une docile petite épouse française.

« Oh, Claude, encore cette vieille rengaine. Après tout ce que nous avons vécu depuis un an ? Après ce qui s'est passé *aujourd'hui* ?

– Je ne vois pas de quoi tu parles, Blanche », répond-il, de ce ton suffisant – qui, d'habitude, a le don de la rendre furieuse.

Elle se souvient alors, avec une pointe de culpabilité, que certaines déchirures dans le papier peint étaient déjà là avant qu'ils partent – le résultat de vases ou de bougeoirs volant à travers les pièces ; le résultat de leurs nombreuses disputes au sujet de la véritable nature du mariage. Plus particulièrement le leur.

Mais aujourd'hui, Blanche est trop fatiguée et déroutée pour se battre. Et soudain, elle est assoiffée. Depuis quand n'a-t-elle pas bu un verre ? Plusieurs jours. Elle rit, d'un rire trop aigrelet pour ses oreilles bourdonnantes. Une invasion allemande a une drôle de façon de vous déshydrater.

« Bon, nous y voilà », dit-elle. Et, à son plus grand étonnement, elle doit sécher une larme inattendue au coin de ses yeux. « J'imagine que nous en avons bien profité, mais que c'est fini.

– Que veux-tu dire ? » demande Claude qui, tout en cherchant un endroit où cacher ses papiers de contrebande, fronce les sourcils.

« Je veux dire que rien n'a changé après tout. Après tout ce temps passé à Nîmes, quand nous... quand nous étions presque un vrai couple marié. Paris peut être sous la férule des Allemands, mais tu continues à me mentir.

– Non. Non, tu n'y es pas du tout », dit Claude d'une voix triste qui surprend Blanche.

Il pose sa sacoche sur une table, comme si elle était devenue trop lourde pour lui. Son visage s'adoucit et devient presque jeune et docile, capable de sourire, de rire, comme il le faisait quand ils s'étaient rencontrés la première fois. Pendant quelques minutes, il a l'air contrit, et Blanche se penche vers lui, les mains croisées sur son cœur comme une jeune fille. Une jeune fille impertinente mais pleine d'espoir.

Toutefois, Claude ne prend pas la peine d'expliquer exactement de quoi il s'agit et Blanche hausse les épaules – la seule chose, d'après son mari, qu'elle fait aussi bien, si ce n'est mieux, qu'une femme française – et commence à déballer leurs bagages.

« Bon. » Claude s'étire, courbe son dos qui craque de manière inquiétante. Et son visage habituellement si lisse paraît tellement las que, malgré sa déception, elle a envie, brièvement, de lui faire couler un bain et de le mettre au lit en le bordant. « Je dois rejoindre madame Ritz et voir ce qui se passe là-bas, du côté où sont apparemment installés les Allemands. Des nazis dans le palace de César Ritz, *mon Dieu** ! Il doit se retourner dans sa tombe. »

« File, file. Tu ne seras bon à rien tant que tu n'auras pas exploré chaque centimètre carré de ton Ritz adoré. Je te connais, Claude Auzello. Mais ne devrait-on pas aller à l'appartement après ? Pour voir si tout va bien ? »

Pour la première fois depuis leur arrivée, Blanche se rappelle leur appartement spacieux avenue Montaigne, non loin de la tour Eiffel. La destination des Auzello avait toujours été, depuis le moment où ils avaient quitté Nîmes dans le chaos de la retraite, le Ritz. C'était leur point de repère. Ils ont cependant autre part où aller – un endroit à l'abri des nazis. En pensant aux soldats qui rôdent partout dans le Ritz, Blanche n'a plus qu'une envie : fuir, se cacher – une réaction presque épidermique. L'usurpatrice intrépide qui s'était tenue devant l'hôtel donnant des ordres aux nazis comme s'ils n'étaient que de simples paysans avait cédé la place à… une femme.

Une femme terrorisée, sans véritable foyer – une étrangère dans un pays occupé par un ennemi terrifiant –, complètement dépendante d'un mari qui, le plus souvent, la déçoit.

Presque autant qu'elle le déçoit.

« Je ne pense pas », dit Claude avec ce ton agaçant de supériorité, et Blanche, dans son état actuel, en est soulagée. « S'il y a des rationnements ou des pénuries, c'est mieux que nous restions ici, au Ritz. Je suis sûr que les Allemands vont se débrouiller pour avoir le meilleur de tout ce dont on a besoin, et peut-être pourrons-nous profiter des miettes. » Claude, après un moment d'hésitation, s'approche de sa femme. Il la prend dans ses bras et lui murmure à l'oreille : « Tu as été courageuse aujourd'hui, ma Blanchette. » Il lui parle d'une voix si douce que Blanche ne peut s'empêcher de frissonner ; elle se blottit contre sa poitrine. « Très courageuse. Mais peut-être est-il préférable que tu fasses preuve d'un peu moins de témérité ? En attendant de… En attendant de voir. »

Elle hoche la tête ; il a raison. Oh, il a toujours raison, son Claude… sauf pour une chose. Une chose très importante. Malgré tout, elle se laisse aller contre lui. Son mari n'est pas grand, il n'est ni costaud ni musclé. Mais il parvient à faire en sorte qu'elle se sente protégée, comme c'est le cas depuis le début ; un homme si sûr de lui, si ennuyeusement honnête et correct qu'il en était d'ailleurs exaspérant, pouvait faire ça. Même avec ses petites mains et sa gorge aussi souple et fine que celle d'un danseur. Aussi se raccroche-t-elle à lui ; après tout, il est tout ce qu'il lui reste. Elle aurait pu repartir en Amérique quand le monde avait commencé à dérailler. Elle aurait pu rejoindre un ancien amant dans un autre pays, un pays où elle serait probablement en sécurité, en marge de ce cirque grotesque. Mais non, elle était ici, en France, avec cet homme-là, son époux.

Un jour, il faudrait qu'elle réfléchisse et se demande

pourquoi. Mais pas aujourd'hui ; elle a déjà trop réfléchi. Et elle a sacrément besoin d'un verre.

À peine Claude l'a-t-il quittée, avec la promesse de ne pas être long – une promesse qu'il ne tiendra pas, tous deux le savent –, que Blanche décide de se regarder longuement dans le miroir ; elle n'a pas encore vu son reflet aujourd'hui. Les cheveux blonds – teints. Le rubis à sa main droite – faux ; elle avait mis sa vraie bague au clou depuis longtemps, et ne l'avait jamais dit à Claude qui en aurait désapprouvé la raison. La fine croix en or pendue à la chaîne autour de son cou, cadeau de mariage de son mari – une blague, avait-elle alors pensé, en se rendant vite compte qu'il n'en était rien, c'était tout le contraire ; de même que le passeport dans son sac, froissé à force de le traîner partout avec elle. Tout ça est une plaisanterie, quand on y pense, se dit-elle avec amertume.

Tout n'est plus que plaisanterie, désormais. Une farce. Du chiqué, un simulacre.

Cette nouvelle réalité – ce nouveau cauchemar – dans laquelle elle se trouve aujourd'hui plongée est… si éloignée – à des années-lumière, des temps *ancestraux* – de Paris, du Ritz et de l'homme qu'elle avait rencontrés quand elle avait quitté les États-Unis pour la première fois. C'était il y a dix-sept ans. Dans une autre vie.

Un rêve lointain. Plusieurs rêves, en fait. Et qui ne s'étaient jamais concrétisés.

Comme tous les rêves – Blanche Auzello ne le sait que trop bien.

2

Claude

1923

Il était une fois, avant que les nazis arrivent…

« Hé, vous ! Venez par ici, voulez-vous ? Hé, monsieur, hé ! »

Le jeune homme leva les yeux de son registre, sourcils froncés. Comme on pouvait s'y attendre, la personne qui criait depuis les portes d'entrée du Claridge était une Américaine. La voix était forte, stridente, *impétueuse*. Les Américains parlaient comme si le monde entier avait eu envie d'entendre ce qu'ils disaient ; ils étaient tout sauf discrets.

Mais c'étaient ces mêmes Américains qui payaient son salaire et il s'efforça donc de ne plus froncer les sourcils.

Paris – *son* Paris – était envahi par ces nouveaux venus, des vociférateurs. Naturellement, c'était à cause de la Grande Guerre. Ces soldats américains arrogants, qui se vantaient d'avoir sauvé la situation à la fin de la guerre – bien qu'ils n'aient débarqué qu'à la tombée du jour et non à l'aube –, avaient décidé qu'il leur fallait mieux connaître le Gai Paris qu'ils n'avaient qu'entraperçu quand ils étaient en permission. Ils étaient donc revenus en nombre, avec leurs épouses, et ils prenaient d'assaut les brasseries, commandant des cafés avec leurs repas – ridicule ! – et buvant de l'absinthe jusqu'à plus soif. Parlant, ne cessant jamais de parler, même aux inconnus. « Bonjour », avait lancé l'un d'entre eux, encore hier, à notre jeune homme, en s'asseyant à côté de lui dans un café, tout en faisant remarquer combien les chaises étaient petites. « Je m'appelle Bud. Et toi, comment tu t'appelles ? »

Le jeune homme n'avait évidemment pas répondu. À quoi jouait-on ? Il ne comprendrait jamais cette manie des Américains d'annoncer leur présence partout où ils allaient. Pourquoi devait-on s'en soucier ?

Les Parisiens voulaient par-dessus tout qu'on les laisse tranquilles. Qu'on les laisse avec leur chagrin, car c'étaient *eux* que la mort avait frappés, c'étaient eux qui avaient subi des pertes. Ils en voulaient tout particulièrement aux jeunes Américains car en France, en 1923, il ne restait guère d'hommes de moins de soixante ans.

Mais les Américains n'en avaient cure ; ils souriaient, de grands sourires aux dents blanches, et agitaient leurs énormes paluches pleines de francs en se réjouissant de ce que tout soit si bon marché. En réalité, ce qu'ils voulaient dire était : nous ne sommes pas vraiment des alliés ; et surtout nous valons mieux que vous.

Toutefois, notre jeune homme – qui s'appelait Claude Auzello – ravalait sa colère et son dégoût, car ses revenus dépendaient essentiellement de ces joyeux étrangers qui continuaient à débarquer par bateaux entiers au Havre, suivant la Seine jusqu'à Paris – telles des ordures apportées par les flots.

« Je peux faire quelque chose pour vous ? » Il traversa le hall à grandes enjambées pour rejoindre cette Américaine bruyante qui l'appelait.

« Ouais. Merci, monsieur… ?

– Auzello. Monsieur Auzello. Je suis là pour satisfaire tous vos besoins. »

S'inclinant légèrement, il montra du doigt le badge en laiton avec son nom accroché au revers de sa veste, dévoilant ainsi sa position haut placée dans la hiérarchie du Claridge : *directeur adjoint*.

« Eh bien, n'est-ce pas épatant ? » La femme – la trentaine, devina Claude d'un coup d'œil expert, une bonne trentaine plus exactement –, provocante, s'adressait à lui en battant des cils. La poudre creusait les rides de son visage, et le rouge sur ses lèvres de poupée était bien trop vif pour son teint. Elle était blonde – d'un blond naturel, sembla-t-il à Claude. Grande, avec de larges épaules et, enveloppée de fourrures et parée de bijoux comme elle l'était, elle ressemblait à un sapin de Noël défraîchi.

« Oh, Pearl, tu avais raison. C'est fini, *pour de bon* ! »

Une autre Américaine arrogante ! Étouffant un soupir, Claude se tourna vers elle pour la saluer, les commissures des lèvres prêtes à se relever en un sourire professionnel. Mais la vue de cette femme empêcha ce sourire de s'épanouir ; quelque chose céda dans sa poitrine et, pour la première fois de sa vie, il se demanda, lui, Claude Auzello, s'il ne venait pas d'être victime de la flèche de Cupidon.

Car la femme qui avançait vers lui, la main tendue avec cette assurance propre aux Américains, était la plus belle qu'il ait jamais vue. Elle était blonde, elle aussi – les cheveux teints cependant, soupçonna Claude ; quelle importance, ça lui allait si bien. Elle avait de grands yeux bruns pétillants, et cette combinaison – blonde avec des yeux bruns – était celle à laquelle Claude n'avait jamais été capable de résister.

Plus que cette palette de couleurs, ce fut son sourire, si éblouissant, si spontané, qui le saisit. Elle était plus jeune que sa compagne d'au moins dix ans ; la rosée était encore fraîche sur cette *American beauty*. Elle était grande, elle aussi – les Américaines étaient toutes tellement grandes –, et Claude dut rejeter très légèrement la tête en arrière afin de croiser son regard sémillant.

« Est-ce la première fois que vous venez chez nous, *mademoiselle** ?

– C'est la première fois que je quitte New York. Je n'arrive pas à croire que je suis vraiment ici ! »

Elle était si charmante ! Sans prétendre à la sophistication, comme c'était souvent le cas chez la plupart de ceux qui venaient à Paris pour la première fois. Cette jeune femme était tout simplement ravie et ne le cachait pas.

« Par conséquent, je veillerai personnellement à vous faire visiter Paris », répliqua-t-il, sans prendre le temps de réfléchir.

En tant que directeur adjoint du Claridge, Claude Auzello était habitué à faire visiter Paris à de très belles femmes ; il considérait que c'était l'une des prérogatives de sa fonction. En fait, s'il était vraiment honnête, il aurait dû avouer qu'il y avait eu un léger… malentendu… entre lui et l'une de ces très belles femmes pas plus tard que le mois dernier ; un malentendu qui avait conduit cette femme à quitter l'hôtel en annonçant à tout le monde que Claude était responsable de ses dépenses. Alors qu'il s'agissait tout au plus d'une transaction commerciale, qui n'avait d'ailleurs jamais été discutée au cours de dîners aux chandelles chez Maxim's quand cette femme avait donné la preuve qu'elle n'était pas insensible au champagne ni à la débauche de compliments que Claude savait adresser aux femmes.

Bien évidemment – et à juste titre –, il avait été réprimandé par le directeur de l'hôtel qui lui avait demandé d'être plus discret à l'avenir.

Discrétion ! Oui, comme si c'était facile pour un Français, surtout pour un homme qui, durant la guerre, s'en était sorti indemne. L'urgence d'une vessie pleine avait sauvé la vie de Claude, petit détail qu'il n'aimait pas évoquer. Il avait dû quitter son poste de garde pour se soulager et, pendant qu'il était dans les buissons, sa guérite avait été frappée de plein fouet par un obus d'artillerie. Pour ça, il avait été décoré – il en allait ainsi des hasards de la vie ! Et donc, au contraire de la plupart de ses amis d'enfance, il profitait d'un Paris qui, quand on était parmi les hommes valides restants, offrait un large choix de très belles femmes. « Claude », lui avait dit son père après leur première embrassade émue tout de suite après sa démobilisation. « Claude, mon garçon. La France t'appartient, la Nation te remercie. Ne gaspille pas cette chance ! »

Et il ne la gaspillait pas, *cher papa**. Loin de là.

« Puis-je vous demander à quels noms les réservations ont été faites ? demanda Claude d'une voix douce.

– Pearl White, répondit la plus âgée des deux Américaines.

– Je m'appelle Blanche. Euh… Ross, Blanche Ross », dit la plus jeune avec un sourire timide et une légère hésitation, comme si elle utilisait ce nom pour la première fois.

Elles le suivirent à la réception où il vérifia leurs passeports, marquant une légère pause avant de rendre celui de la charmante *Mademoiselle** Ross.

« Bien. Tout est en ordre », dit Claude avec un sourire, en s'adressant à la charmante Mademoiselle Ross. Il leur fit signer le registre – la signature de Mademoiselle Ross était plutôt flamboyante, débordant sur deux lignes – et prépara deux clés. Alors qu'il lui en tendait une, il fit en sorte que ses doigts touchent le bout des gants de la jeune femme, s'autorisant à s'y attarder, avant de lui embrasser le dessus de la main – il ne put tout simplement pas s'en empêcher –, se réjouissant de la voir tressaillir de surprise.

« C'est ainsi que nous accueillons les très belles femmes en France. » Claude tapota du bout des doigts sa moustache, un accessoire utile – son visage ne reflétant pas la même maturité que sa personnalité.

« Oh, vous êtes très *fresh*, n'est-ce pas ? » Mademoiselle Ross lui sourit à nouveau, ses joues délicieusement teintées de rose. Elle était maquillée comme une Américaine : les lèvres peintes d'un trait de rouge trop épais, un faux grain de beauté dessiné au crayon sur la joue. Ses cheveux dorés étaient coupés court, au carré, et elle portait une de ces robes à la mode, sans bustier, coupe droite dite « à la garçonne » –, si ce n'était que, dans le cas de Mademoiselle Ross, son ample poitrine tendait son corsage d'une façon on ne peut plus séduisante.

« *Fresh*[1] ? » Ce fut au tour de Claude d'être surpris, car il était fier de maîtriser l'anglais. Mais dans ce contexte, le mot lui était inconnu. « Comme une pêche ?

– Plutôt comme un *masher*[2]. »

Claude secoua la tête, confus ; il rougit pour le plus grand plaisir de la jeune femme qui le taquinait.

« *A rake*[3].

– Vous me comparez à un outil de jardinage ?

– Plutôt à un type comme Valentino – vous connaissez ? »

Ah… Le visage de Claude s'illumina. Oui, bien sûr,

---

1. Les mots en anglais et italique sont utilisés par l'auteur pour leur double sens. *To be fresh* : signifie à la fois frais et être cavalier, culotté.
2. Presse-purée mais aussi homme à femmes, séducteur.
3. Signifie à la fois un râteau et un débauché, un séducteur.

il avait vu plusieurs films avec Rudolph Valentino. Monsieur Valentino était un homme drôle avec de grandes dents et des yeux ronds et, pourtant, les femmes le trouvaient irrésistible. C'était donc un compliment !

« Rudy n'est pas un homme à femmes », fit remarquer l'autre Américaine… Pearl, sur un ton dédaigneux. « Il est pédé. Tout le monde le sait à Hollywood. »

Claude se raidit : un langage pareil chez une femme !

« Vous pouvez la croire », lui assura Blanche en lui posant une main, chaude, sur le bras – Claude n'oublia alors pas de tendre ses muscles sous sa jaquette grise à rayures. « Pearl est une star de cinéma, elle aussi. Vous l'avez vue, non ? *Les Périls de Pauline* ? C'est elle, Pauline ! En chair et en os ! »

Il n'avait jamais entendu parler de Pearl White – Pauline – mais, bien évidemment, il prétendit le contraire. Comment cette femme vulgaire – elle était d'ailleurs en train de mettre la main dans son corsage pour rajuster l'un de ses seins, en plein milieu du hall du Claridge – pouvait-elle être une star de cinéma ? Claude Auzello était dubitatif.

« Bien sûr, répondit-il à la charmante Mademoiselle Ross. Je vois beaucoup de films américains, ils sont très populaires en France. *Mademoiselle** Gloria Swanson a résidé ici, au Claridge, plusieurs fois. » Tout fier, il se redressa ; car ce furent de grands moments : Mademoiselle Swanson était tellement *glamour*, et plusieurs photos d'elle prises dans le hall de l'hôtel avaient été publiées dans les journaux.

« Gloria ? lâcha Pearl, avec dédain. Cette crevette. Rien de plus qu'un fil à linge, si vous voulez mon avis.

– Moi aussi, je vais faire du cinéma », confia Blanche, baissant la tête avec modestie. Ses joues rosirent comme si elle était elle-même incapable d'y croire. « C'est la raison pour laquelle nous sommes à Paris. Pour faire des films !

– Ah… » laissa échapper Claude.

Il était déçu. Une star de cinéma ? Non, c'était impossible ; alors que c'était une fierté pour le Claridge de recevoir des vedettes de cinéma, ces femmes – ou plus particulièrement celles qui aspiraient à devenir célèbres – n'étaient, pour des raisons purement personnelles, pas assez bien pour le directeur adjoint qui avait de plus grandes ambitions. Les stars de cinéma recherchaient la publicité et avaient tendance à faire des tas de choses inconsidérées que Claude trouvait de mauvais goût – comme se baigner dans des fontaines ou se déshabiller dans les night-clubs.

Cependant, les seins de Mademoiselle Ross se soulevaient de manière de plus en plus séduisante en même temps que sa respiration s'était accélérée.

« Mais je n'ai pas besoin de commencer dès maintenant. J'étais censée rencontrer quelqu'un, mais mon… mon ami… ne viendra que dans une semaine. » Mademoiselle Ross agita un télégramme tout froissé, barbouillé de larmes, avant de le fourrer dans la poche de son manteau, comme si elle en avait honte.

« Une semaine ? » Voilà qui était une bonne nouvelle. Une semaine, c'était parfait – une durée limitée. Pas d'ambiguïté, pas de soupirs ni de battements de cils de dernière minute, ni d'hésitations du genre « Je pourrais peut-être prolonger mon séjour… ».

« Permettez-moi de vous faire visiter Paris », proposa de nouveau Claude, surmontant son aversion pour l'industrie du cinéma ou, tout au moins, pour l'une de ses membres. « C'est votre première fois ici et rien ne me plairait autant.

– Eh bien, je ne suis pas sûre…

– Oh, vas-y, Blanche. Amuse-toi en attendant qu'il arrive ! »

Ah ! Il y avait donc bien un « il ». Qui était absent pour une semaine.

Claude sourit à nouveau.

« Eh bien, chic alors, ce serait formidable, acquiesça Mademoiselle Ross avec un sourire radieux. Je meurs d'envie de découvrir Paris.

– Alors commençons ! »

D'un claquement de doigts – un geste théâtral dont il n'avait pas l'habitude, mais qu'il ne put réprimer – Claude appela des garçons d'étage pour rassembler les tonnes de malles et de bagages à main que les nouvelles venues avaient apportés. Il ne comprendrait jamais pourquoi les Américaines voyageaient avec autant de bagages ; d'autant plus que leurs vêtements étaient affreux, et qu'elles auraient pu acheter des modèles beaucoup plus raffinés, à très bon prix, ici à Paris.

Claude rajusta sa cravate ; d'un signe, il demanda aux femmes de le suivre, et leur fit traverser le hall du Claridge avec fierté : les lustres avaient été époussetés le matin même, les poubelles étaient vidées toutes les heures, et les interrupteurs en cuivre étaient polis toutes les deux heures. Il leur montra où était le salon des dames avant de s'arrêter brièvement au bar américain où se pressaient des clients bruyants écoutant une chanteuse susurrer une chanson idiote, les adieux à une personne d'un genre indéterminé appelée « Tootsie ». Puis il appuya sur la sonnette pour appeler l'ascenseur doré, et dit au jeune liftier de les emmener jusqu'au dernier étage.

Une fois arrivé, il conduisit les femmes le long d'un couloir recouvert de tapis – sur lesquels on passait l'aspirateur deux fois par jour et il fut content d'en voir encore les traces – jusqu'à ce qu'il atteignît leur suite. En ouvrant la porte avec son passe-partout doré, il recula pour les laisser entrer en premier.

« Oh mon Dieu, Pearl ! » Blanche battit des mains en sautant de joie. Elle était tellement charmante que Claude eut envie de la prendre dans ses bras sur-le-champ ; il avait envie d'embrasser une telle exubérance, de la presser contre sa propre chair tout aussi exubérante. Il avala difficilement sa salive et alluma toutes les lampes afin de montrer la suite dans toute sa splendeur. Avec un détachement professionnel, il ouvrit la porte de la salle de bains et expliqua comment fonctionnaient les robinets – évitant le bidet sur lequel il n'était pas convenable, pour un gentleman, de s'attarder. Claude leur montra aussi – Pearl White était plus blasée que son amie, qui s'extasiait d'une façon adorable – tous les boutons lumineux à la tête des deux lits, servant à faire appel à tous les services : les femmes de chambre, le cireur de chaussures, la blanchisserie, le room-service.

« Et… *voilà** ! » D'un geste théâtral, il ouvrit les tentures ouvragées pour dévoiler la vue sur les Champs-Élysées.

Comme d'habitude, le spectacle était bruyant, chaotique ; les voitures qui klaxonnaient, les touristes qui criaient, riaient, prenaient des photos avec leurs appareils au boîtier encombrant. Les terrasses des cafés envahies par des gens coincés à des tables et sur des chaises minuscules, les boutiques de souvenirs avec des tours Eiffel miniatures, de tout petits drapeaux français bleu blanc rouge et des bérets bon marché, les chiens qui aboyaient, les restaurateurs agitant des menus pour les touristes qui passaient. Claude n'aimait guère les Champs pour ces mêmes raisons et se serait excusé pour cet aspect trivial de l'avenue si Blanche n'avait pas commencé à pousser de petits cris de plaisir.

« Oh ! Oh, c'est formidable ! Ça ressemble à Times

Square, n'est-ce pas, Pearl ? Mais en mieux ! Regarde... c'est la tour Eiffel ?

– *Oui**, mademoiselle.

– Et là-bas, qu'est-ce que c'est ?

– L'Arc de triomphe, construit pour perpétuer le souvenir des victoires des armées napoléoniennes à Austerlitz.

– Et ça ? »

La charmante Américaine délurée se penchait dangereusement à la fenêtre qu'elle venait d'ouvrir. Claude se précipita pour l'attraper par la taille – par crainte pour sa sécurité, se mentit-il, en entourant de ses bras ce torse svelte ; il sentit la chair ferme contre lui, et absorba la chaleur de ce jeune corps mû par un enthousiasme si innocent que son cœur fit une chose extraordinaire.

Le cœur de Claude Auzello – ce moteur robuste, jusqu'ici fiable et, par conséquent, sans fantaisie – émit un petit bruit étrange, presque comme le *pop* d'un bouchon de champagne. Un son audible à ses seules oreilles qu'il sentit rougir tant il fut embarrassé. Plus brutalement qu'il ne l'aurait voulu, Claude tira Mademoiselle Ross en arrière et la relâcha sans plus de cérémonie. Reprenant son souffle, tremblant presque – il faillit sortir son mouchoir pour essuyer son front soudain en sueur, mais se souvint qu'il était de service –, il rajusta sa cravate. Sans raison par ailleurs, car elle était, évidemment, parfaitement en place. Cette cravate, aurait-on dit, était plus fiable que son cœur.

« C'est la place de la Concorde, *Mademoiselle** Ross.

– Oh, appelez-moi Blanche. Si nous devons passer la semaine ensemble, nous devrions nous appeler par nos prénoms, qu'en pensez-vous ?

– Si vous voulez », acquiesça-t-il, sur un ton plus sec et formel qu'il ne l'aurait souhaité. Mais il se méfiait de sa voix. « Je m'appelle Claude, Ma... Blanche.

– Très bien.

– Je viendrai vous chercher à dix-neuf heures, si ça vous va. Il y a un restaurant charmant à Montmartre qui, je pense, pourrait vous plaire. Nous pourrions y aller en marchant, il fait si beau.

– Formidable, Claude, c'est formidable !

– Et moi, qu'est-ce que je suis censée faire ? » demanda Pearl en faisant la moue – une moue ridicule pour une femme au visage aussi marqué.

« Oh, mon Dieu, Pearl ! J'avais oublié ! » Blanche se tourna vers Claude et lui jeta un regard implorant de ses grands yeux bruns.

« Oh, peu importe. » Pearl se mit à rire à gorge déployée. « Je te fais marcher, Blanche. J'ai déjà un rendez-vous de prévu. »

Claude ne pensa pas avoir rêvé le soulagement qui se lisait sur le visage de Blanche, et il ne put donc pas s'empêcher de sourire en les saluant – et en embrassant une fois encore la main de Mademoiselle Ross. Il referma la porte derrière lui et retourna à ses obligations. En dépit de la demoiselle charmante dont il pouvait encore sentir la taille souple dans ses bras, il devait s'occuper d'autres clients. Il lui fallait aussi donner des instructions au responsable de nuit concernant une douzaine de petits problèmes qui étaient apparus, avec une régularité presque mécanique, au cours de la journée. À la blanchisserie, l'une des essoreuses était en panne. Des draps avaient été livrés sans qu'aucune commande ait été passée au fournisseur. Le chef du restaurant s'était aperçu qu'il n'avait pas de soles pour le dîner et menaçait de démissionner – pour la troisième fois dans la semaine. Deux des serveurs n'étaient pas venus et devaient donc être remplacés au pied levé par deux commis de salle. Mrs Carter, dans la suite présidentielle, s'était plainte de bruits de pas au plafond, bien que – comme on le lui avait fait remarquer à plusieurs reprises – elle soit au dernier étage.

Claude s'attela donc à toutes ces tâches avec son efficacité habituelle, cette même efficacité avec laquelle il avait accompli son devoir pendant la guerre. Bien que les circonstances de sa survie fussent embarrassantes, il s'était comporté de manière admirable. Claude n'était pas du genre à faire preuve de fausse modestie ; il savait qu'il était né pour commander et non pour obéir. Il avait été nommé capitaine à la tête d'un bataillon et avait vu plusieurs de ses hommes mourir ; il les avait tenus dans ses bras quand ils avaient rendu leur dernier souffle. Il avait plongé ses mains – ces mêmes mains impeccables qu'il survolait maintenant du regard, appréciant leur blancheur, la manucure à laquelle il avait eu recours la veille – dans le sang, la merde et les boyaux. Il avait senti des éclats d'os pointer à travers la chair.

Et pour avoir survécu – un réflexe, rien de plus, vous continuez juste à respirer quand ceux qui sont autour de vous ne le peuvent plus – il avait été décoré de la *Légion d'honneur**.

Il ne s'attendait pas à une telle distinction pour simplement avoir fait son devoir.

Avoir son hôtel à lui, c'était là son ambition. Mais il était encore jeune – seulement vingt-cinq ans – et patient. Et donc, pour l'instant, il était directeur adjoint du Claridge, un hôtel convenable, oui ; plusieurs stars de cinéma y séjournaient, ainsi que quelques têtes couronnées. C'était peut-être un peu trop agité et vulgaire pour son goût – ouvrant directement sur les Champs-Élysées et ses trop nombreux passants et, à l'arrière, donnant sur une petite rue avec des clubs de jazz : cette musique remuante, nerveuse, qu'il détestait. En attendant, le Claridge lui allait. Plus tard, toutefois… D'ici là, il devait faire son chemin, connaître toutes les facettes du métier, avant de ne serait-ce que penser à devenir propriétaire d'un hôtel. Pour ce faire, Claude avait des vues sur un tout autre établissement.

Un hôtel d'une catégorie à part : le Ritz – oh, rien que de prononcer ce nom l'excitait. Une excitation proche de celle que la belle blonde qui répondait au nom de Blanche Ross provoquait en lui.

Il jeta un coup d'œil à l'emploi du temps des employés affiché dans son bureau. Il fut très content de constater que le propriétaire du Claridge, monsieur Marquet, était parti en voyage d'affaires pour deux semaines ; il pourrait ainsi s'organiser en fonction de la jeune femme. Une histoire d'amour éclair – un dîner à Montmartre, la promenade habituelle le long de la Seine, un déjeuner dans les jardins du Palais-Royal, un pique-nique au Bois. Il lui achèterait même une petite toile à l'un des peintres près de Notre-Dame – ce qui ne manquait jamais de faire son effet.

Tous les jours dans sa chambre, des fleurs fraîches, provenant directement du marché aux Fleurs, sur l'île de la Cité, où Claude avait un compte, et une réputation.

Et à la fin de la semaine : *Au revoir, Mademoiselle Ross**.

Une fois encore, son cœur parut bizarrement s'exclamer – qu'était-ce donc ? Claude posa ses doigts sur son poignet et respira lentement, prenant son pouls. Devait-il avaler un anti-acide ? Avait-il mangé quelque chose de redoutable au déjeuner ?

Haussant les épaules, il décrocha le téléphone pour appeler le charmant petit restaurant de Montmartre.

Un restaurant réputé, dans le milieu de l'hôtellerie, pour sa *discrétion**.

3

Blanche

Juin 1940

Blanche se détourne du miroir, dégoûtée par son visage crasseux, la poussière dans ses cheveux (sans parler des racines décolorées), ses yeux rougis par les escarbilles du trajet en train, les taches sur ses vêtements, ses bas filés, le talon cassé de sa chaussure. Bien qu'elle meure d'envie de boire un verre, elle se fait d'abord couler un bain et, tandis que la baignoire se remplit, elle sort une robe Schiaparelli de son sac de voyage et l'accroche au-dessus de la vapeur d'eau bouillante afin de la défroisser. Elle sait bien qu'elle peut appeler le service blanchisserie pour la faire repasser (bon sang ! Ici au Ritz, elle peut même appeler quelqu'un pour qu'on aille lui en acheter une neuve), mais elle n'a qu'une hâte, se débarrasser de cette peau sale, de cette peau de réfugiée, et revenir à elle-même, au Ritz.

Elle vide son vanity-case de tous ses produits de maquillage et aligne les différents pots et boîtes, presque tous vides après plusieurs mois loin de chez elle. Elle se dit qu'elle devrait descendre pour aller voir si ses (vrais) bijoux sont toujours dans le petit coffre-fort du bureau de Claude, avant de se rappeler que ce bureau n'est plus celui de son époux ; ses bijoux ont donc probablement disparu.

*C'est la vie**.

Après avoir pris un bain – pas aussi longtemps qu'elle l'aurait souhaité, mais assez pour chasser les premières couches de saleté –, elle s'habille, vaporise ce qui lui reste de parfum derrière ses oreilles et sort une paire de chaussures.

Des escarpins en satin dessinés sur mesure chez Hellstern & Sons – des chaussures neuves ; elle ne les a jamais portées lors de son séjour à Nîmes. (Mon Dieu, à quoi avait-elle pensé quand elle avait fait ses valises comme si elle partait pour la tournée des grands-ducs alors qu'il s'agissait d'accompagner son mari, soldat, dans une petite garnison au milieu de nulle part ?) Ils sont d'une élégante teinte vert pomme et, en soupirant, elle y glisse ses pieds gonflés, fatigués. Elle se souvient de la première fois où Claude l'avait emmenée à la boutique pour qu'on prenne ses mesures et, quand tout avait été terminé, combien elle avait été excitée en voyant la forme en bois avec son nom gravé dessus – *Madame** Auzello.

C'était la première fois qu'elle voyait une chose portant son nouveau nom – français – de femme mariée. C'était le premier achat qu'elle avait fait en disant, très fière : « Mettez ça sur le compte de monsieur Auzello. » Elle s'était alors sentie si *européenne* ; si sophistiquée, émancipée même. Quand en fait, la réalité, comme elle allait le découvrir, était très différente. À l'époque, avoir acheté des chaussures faites sur mesure sur le compte client de son mari parisien lui avait paru un acte de défi, de rébellion. S'il lui avait fallu retourner dans sa famille, dans le rôle de la plus jeune des filles, non mariée, elle aurait dû se contenter d'aller chez Lord & Taylor, comme elle le faisait une fois par an, pour se constituer une garde-robe tout ce qu'il y avait de plus simple. En attendant que sa carrière cinématographique décolle…

Ce qui n'avait jamais été vraiment le cas. Et pourtant, c'est ce qui l'avait menée jusqu'à Paris, et à Claude et son compte client chez Hellstern & Sons. Et cette première fois où elle avait glissé un pied dans une chaussure dessinée pour elle, elle avait convaincu Claude de l'emmener danser à Montmartre – il y avait consenti avec réticence ; elle s'était alors sentie intimement parisienne, et ce fut comme une renaissance. *Madame** Auzello, la vraie.

À l'époque, être madame Auzello était un rêve devenu réalité.

Parfois, Blanche se demande ce qu'aurait été sa vie si, cette semaine-là, elle n'avait pas permis à un certain petit monsieur français prétentieux de la promener partout dans Paris en lui expliquant tout tel un conférencier et, aux moments les plus inattendus, lui prenant la main et l'embrassant avec plus de passion que sa petite moustache impeccable ne l'aurait laissé deviner. Il lui avait acheté des brassées de roses à des fleuristes de rue, des petites toiles romantiques des bords de Seine à des peintres sans le sou, lui avait fait partager ces petites choses insolites qu'aucun guide touristique ne mentionnait jamais – comme ce pavé en forme de cœur, posé par un maçon devant les Invalides, en hommage à sa bien-aimée, des siècles auparavant. Où aurait-elle atterri, s'il ne lui avait pas dévoilé, en lui montrant ce Paris secret, un cœur étonnamment tendre ?

Claude Auzello n'était pas prévu quand elle avait préparé ses malles, fait ses adieux joyeux à ses parents, accablés de chagrin, et quand, dans le port de New York, elle avait gravi la passerelle du bateau à destination de la France. Non, elle n'avait d'ailleurs pas fait ses bagages en fonction d'un Claude Auzello : elle avait fait ses bagages pour quelqu'un qui n'avait rien à voir.

Et, plus encore, elle n'avait certainement pas fait ses bagages pour descendre au Ritz.

Aujourd'hui, elle inspecte son pied habillé de satin immaculé et pense : je suis propre, je suis à la mode, je suis *chez moi*. Le Ritz et Blanche ont conclu un accord – depuis longtemps déjà.

Elle était sage dans l'enceinte de ces murs dorés ; elle se comportait comme une vraie dame, elle faisait honneur à son mari, elle était même un atout pour lui. Mais en retour ?

Ces murs dorés la protégeaient – même, et peut-être surtout, d'elle-même. Car au Ritz, rien de mal ne pouvait vous arriver ; l'hôtel était destiné à s'accorder à tous les caprices, même les plus ridicules. Vous aviez envie d'un petit bouquet de fleurs fraîches à renifler pendant que vous preniez un bain dans l'immense baignoire aux robinets dorés en forme de cygnes ? Le Ritz y pourvoyait. Vous vouliez que votre chien parte en promenade pendant que vous preniez le thé dans le jardin planté de palmiers, et que son repas – cuisiné par le même chef que celui qui préparait le vôtre – l'attende sur un coussin de satin installé à vos pieds ? Le Ritz s'en chargeait. Votre mari vous avait trompée la veille et vous souhaitiez prendre votre revanche, mais vous n'aviez personne sous la main ?

Le Ritz en faisait son affaire.

En toute discrétion. Bien sûr que les riches n'étaient pas les seuls à avoir des secrets ; même la plus modeste des femmes de chambre pouvait être celle qui avait le plus à perdre. Mais peu importait ; car une fois que vous entriez au Ritz, vous respiriez un peu plus librement, vous

vous autorisiez des plaisirs comme vous ne le feriez nulle part ailleurs. Au Ritz, vous étiez hors de danger – et vous n'aviez pas d'autre choix que de le croire.

Mais maintenant ? Maintenant que devant ses célèbres portes d'entrée campait non plus un portier coiffé d'un haut-de-forme et vêtu d'un pardessus noir, mais un soldat nazi ?

Blanche frissonne, puis attrape son sac à main et file retrouver un homme qui lui servira à boire.

Ça aussi le Ritz en fait son affaire.

4

Claude

1923

Le prince charmant réveilla la gente damoiselle d'un baiser…

« Emmenez-moi au Ritz dont vous me parlez tout le temps, Claude », le taquinait-elle, lui caressant la nuque, avant de redevenir sérieuse. « Posez-moi la question que vous vous apprêtiez à me poser. »

Cette ravissante Américaine, Claude l'avait conquise. Il l'avait conquise après une extraordinaire semaine dont il ne voulait pas voir la fin. Il était sorti vainqueur face à l'horripilant prince égyptien, un homme qui n'épouserait jamais cette femme, c'était évident ; un homme qui, sinon, l'aurait brisée en ne faisant d'elle qu'une conquête de plus pour son harem.

Et donc Claude l'avait demandée en mariage, et Blanche avait dit oui. Leurs vies, réunies, avaient changé pour de bon. Pour le meilleur, pensa-t-il. Blanche était le trophée qu'il avait remporté – une gente damoiselle sauvée des griffes d'un despote égyptien. C'était la chose la plus spectaculaire, la plus impétueuse et romantique – si étrangère à sa manière d'être habituelle – que Claude avait jamais faite. Il s'en rendait compte, et peut-être était-il trop impressionné par lui-même pour être capable de penser au-delà de cet instant victorieux. Trop enivré par ses exploits héroïques pour réfléchir sérieusement à comment, sur cette terre, ces deux-là – l'Américaine délurée et l'hôtelier parisien – se débrouilleraient pour vivre heureux jusqu'à la fin des temps.

Mais elle lui avait porté chance ; tout au moins au début. Car le jour même où Claude, au Ritz, avait fait sa demande à genoux – le visage encore empourpré d'avoir réussi à sauver cette damoiselle en détresse – il avait aussi été convoqué dans la suite Marie-Louise de l'hôtel et s'était vu proposer le poste de directeur adjoint.

La dernière chose que sa toute récente fiancée lui avait chuchotée à l'oreille avant son rendez-vous avait été : « Demandez à être directeur. Vous n'êtes en rien un adjoint, Claude Auzello. »

En effet. Les événements de ces dernières vingt-quatre heures n'en étaient-ils pas la preuve ? Enhardi par l'assurance tout américaine de Blanche, il avait fait ce qu'elle lui avait dit de faire. Et, en retour, la bien en chair madame Ritz lui avait adressé un sourire amusé et avait accepté. Avant de lui demander d'emmener ses chiens en promenade, ce à quoi, bien évidemment, Claude avait complu, sans protester.

Pour *ça*, il avait été gratifié d'un sourire, encore plus amusé, par sa future épouse américaine qui trouva la chose extrêmement drôle. Sans que Claude comprenne pourquoi. Mais, en bon observateur du comportement humain, ce dont il se targuait, il fut bien décidé à percer le mystère.

À mesure que les semaines passaient, Claude comprit beaucoup de choses au sujet de cette jeune damoiselle, miraculeusement devenue son épouse. Des choses qui ne se voyaient pas encore en ce jour triomphant quand ils marchèrent jusqu'à l'Hôtel de Ville avec un certificat de publication des bans et des témoins – monsieur Renaudin du Claridge et la malheureuse amie de Blanche, Pearl White –, qu'ils prononcèrent leurs vœux de mariage et furent déclarés mari et femme devant la loi, avant de s'en retourner au

Claridge pour participer à un repas de noces tapageur. Les amis de Blanche et Pearl appartenant au milieu du cinéma étaient venus en assaillants ; l'alcool coula à flots, les rires, sans parler des plaisanteries scabreuses, fusèrent, avant qu'ils n'accompagnent les Auzello à la gare où le couple, sonné, étourdi, devait monter à bord d'un train qui les emmènerait sur la Côte d'Azur où ils passeraient leur lune de miel et en profiteraient pour rendre visite aux parents de Claude à Nice. À la gare, la troupe chahuteuse, avec ses bouteilles de champagne, ne passa pas inaperçue. Pearl insista pour en sabrer une sur le train comme pour le baptiser, et Claude fut soulagé quand il monta enfin à bord avec son épouse, et que les amis de Blanche s'éloignèrent, tellement ivres qu'il ne put que prier pour qu'aucun d'entre eux ne tombe sur les rails.

Ce n'est qu'une fois installé dans leur compartiment que Claude commença à entrevoir qui était vraiment sa Blanchette (petit nom affectueux qu'il avait choisi pour elle).

« Maintenant que nous sommes mariés, je vais te demander ce que Napoléon a demandé à Joséphine, lui annonça-t-il tranquillement, heureux d'être enfin seul avec la jeune mariée. J'insiste pour que tu laisses tomber ces amis qui sont les tiens, car ils ne conviennent guère à la position qui est la tienne, d'autant plus que je suis sur le point d'entrer en fonction au Ritz. Tu es trop bien pour eux, Blanche.

– Tu… Quoi ? »

Elle cligna des yeux et serra si fort le bouquet d'orchidées qu'il lui avait offert qu'il crut que les fleurs allaient être décapitées.

« J'insiste pour que tu laisses tomber tes amis, Blanche. » Claude ne comprit vraiment pas pourquoi il devait se répéter ; pour ce qu'il en savait, elle n'était pas dure d'oreille.

« Euh… » Elle se racla la gorge et attrapa son nécessaire

à maquillage pour retoucher la poudre sur ses joues et le rouge sur ses lèvres.

« Et autre chose », continua Claude, content d'avoir l'occasion d'expliquer correctement les choses à la jeune Américaine qui ne comprenait peut-être pas vraiment ce que signifiait être son épouse – car lui ne savait pas comment ça se passait en Amérique. « J'aimerais que tu ne te maquilles pas autant. Je comprends bien que c'est nécessaire dans ta profession, mais pas dans la vraie vie. » Une profession qui n'est plus la tienne, Dieu merci, ajouta Claude pour lui-même. Depuis qu'ils s'étaient fiancés, elle avait joué dans un seul film en France, un film romantique commercial dans lequel elle devait faire l'amour avec un acteur. Claude avait vu ce film peut-être vingt fois, chaque fois fulminant, proche de l'apoplexie en découvrant sa fiancée – devenue son épouse – être embrassée par un autre homme. Mais Blanche, Claude devait bien l'admettre, n'était pas une actrice très convaincante. Ce ne serait donc probablement qu'une question de temps avant que les autres s'en rendent compte aussi.

« Tu n'en as pas besoin, Blanche », insista-t-il, savourant son rôle de jeune marié, de sauveur, et maintenant protecteur, de cette ravissante créature. « Tu as une beauté naturelle et, qui plus est, tu es mariée, maintenant.

– Ce qui signifie, Popsy ? »

Claude tressaillit. Blanche avait, elle aussi, choisi un petit nom affectueux pour *lui.* Dans un moment de pure exaltation, il lui avait avoué que, lorsqu'il l'avait vue pour la première fois, son cœur avait fait *pop* – ce qu'il avait alors trouvé romantique. Malheureusement, la jeune mariée avait trouvé ça drôle plutôt que romantique et paraissait prendre beaucoup de plaisir à l'appeler par ce surnom ridicule.

« Ça signifie que tu es ma femme et que tu feras ce que je te dis. »

Claude sourit.

Il devait donc plaisanter, non ?

« Je ferai ce que *tu* me dis ?

– C'est ainsi que ça se passe, tout au moins en France, évidemment. Je ne sais absolument pas comment se comportent les couples mariés en Amérique, mais tu es en France.

– Pour le moment, rétorqua-t-elle d'un ton pincé.

– Pardon ?

– Je ne m'étais pas rendu compte que j'avais épousé un homme des cavernes. Je pensais avoir épousé un gentleman qui me respecterait, au contraire d'un certain prince égyptien.

– Et c'est le cas ! »

Claude ne comprenait pas ce qu'elle voulait dire – était-ce la barrière de la langue ?

« Alors, cesse de réagir comme un homme de Néandertal.

– Tout ce que je veux, c'est que tu cesses de voir tes amis et que tu cesses de te maquiller. »

Le train quittait Paris, filant à toute vitesse à travers la campagne dans un paysage de collines vertes, de fermettes au toit de chaume et de vaches dans les prés.

« Et moi je dis : pas question. J'aime bien mes amis. J'aime aussi de quoi j'ai l'air. Comme la plupart des hommes, d'ailleurs.

– Peu importe ce que les autres hommes pensent de toi désormais », dit Claude en riant. Elle était si innocente que c'en était charmant. « Tu es mariée.

– Si tu crois que je vais cesser de me préoccuper de ce que les autres hommes pensent de moi, tu es encore plus dingue que J'Ali.

– Ne prononce plus jamais le nom de cet homme, Blanche. »

Claude ne riait plus.

« Mince alors, je dirai ce que je veux ! *J'Ali, J'Ali, J'Ali, J'Ali !* »

C'est alors que Claude Auzello réagit de manière stupéfiante. Il laissa son humeur l'emporter sur son sens des convenances. Cette jeune femme avait provoqué la mise à feu d'une bombe à retardement – probablement un reste de la guerre – profondément enfouie. Elle avait déclenché tant de nouvelles émotions au cours des dernières semaines qu'il n'aurait peut-être pas dû être surpris qu'elle le mît plus en colère qu'il ne l'avait jamais été. Il en fut donc réduit à grogner comme l'homme de Néandertal qu'elle l'accusait d'imiter et, attrapant son nécessaire de maquillage, il ouvrit la vitre de leur compartiment et le jeta dans le vide.

Tous deux regardèrent longtemps par la vitre baissée, médusés. Claude commença à s'expliquer, mais fut incapable de finir sa phrase, car Blanche réagit de manière encore plus stupéfiante.

Elle se précipita à la vitre pour essayer de se jeter dans le vide à son tour.

Il la rattrapa par la taille et la repoussa sur la banquette.

Ils ne se quittèrent pas des yeux, figés par l'absurdité de cette scène, haletant, jusqu'à ce que le train ralentisse pour entrer en gare.

En un éclair, elle échappa alors à son étreinte et sortit en trombe du compartiment pour descendre du wagon avant même que Claude puisse se rendre compte de ce qui se passait. Elle s'était volatilisée en un clin d'œil, alors qu'un instant plus tôt elle était dans ses bras. Et, tandis qu'il essayait de comprendre ce qui venait d'arriver, il attrapa leurs bagages et courut après elle. Il venait à peine de descendre du marchepied quand le train se remit en marche. Jetant des regards autour de lui parmi les témoins surpris, il arriva sur le quai opposé juste à temps pour voir la jeune mariée monter dans un train qui partait dans l'autre sens ; un train pour Paris. Claude commença à courir, les bras encombrés par leurs affaires qui tombaient à mesure qu'il avançait – à un moment, il vit que l'un des déshabillés vaporeux de Blanche s'était coincé sous le talon de sa chaussure. Le train prenait de la vitesse.

*Merde**.

Les paumes de mains moites, des taches de sueur sur le col de sa chemise, les bras encombrés de sous-vêtements, Claude se laissa tomber sur un banc. Le pauvre homme revoyait la scène défiler dans sa tête, comme un texte qu'il devait mémoriser, sans parvenir à en saisir le sens.

À cet instant précis, il était censé plonger son nez dans le cou de la jeune mariée avec, devant eux, une assiette de viande froide de canard accompagnée de champagne (évidemment, Claude avait tout organisé avant leur départ et maintenant il soupirait en pensant au garçon poussant la table roulante vers un compartiment vide). Il était censé la caresser, l'embrasser, et la préparer pour la nuit à venir. (Ils avaient déjà couché ensemble, il n'y aurait donc pas de surprise, rien d'autre que la passion et une agréable familiarité.)

Au lieu de quoi, il était seul dans une gare de campagne, et il n'avait aucune idée de l'horaire du prochain train pour Paris, ni où trouver sa femme une fois qu'il serait arrivé là-bas.

Claude n'avait-il pas fait une erreur en épousant cette Américaine, si charmante fût-elle, avec autant de hâte ?

Un train en direction du nord finit par arriver. Claude monta à bord et se précipita immédiatement au bar où il avala une boisson forte. Lorsque le train entra en gare à Paris, la première chose qu'il vit, en débarquant, fut Blanche assise sur un banc, qui tenait toujours son bouquet de mariée écrasé, les yeux rouges d'avoir pleuré. Quand, levant la tête, Blanche aperçut Claude, elle sanglota de plus belle. Alors le cœur de Claude bondit, *pop*, dans sa poitrine, et il la prit dans ses bras, oubliant tout ce qui venait de se passer.

Jusqu'à ce qu'il fasse une autre découverte.

« Waouh, tu as une batterie de casseroles impressionnante, Popsy », fit remarquer Blanche, peu de temps après leur retour de lune de miel. Elle déambulait dans la cuisine de son appartement de célibataire, admirant les casseroles en cuivre alignées en ordre le long du mur. « Comment fais-tu pour qu'elles étincellent autant ?

– Il faut les astiquer, répondit Claude, déconcerté. Avec du vinaigre et du sel.

– Oh. » Elle ouvrit un tiroir et poussa un cri de surprise. « Et tous ces couteaux. Il y en a tant ! Pourquoi ?

– Ils sont tous différents. » Là encore, Claude fut décontenancé – et s'inquiéta. « Regarde. Ce couteau-là est fait pour découper en dés, cet autre-là, avec une lame plus longue, sert à émincer, et celui avec la lame en dents de scie est fait pour trancher le pain, et ainsi de suite.

– Oh… »

Et de nouveau, ce petit cri de surprise.

« Blanchette », dit-il, une drôle de sensation au creux de l'estomac – comme un pressentiment. « Tu… tu ne sais pas cuisiner ?

– Moi ? » Les yeux de Blanche s'ouvrirent grand, tant elle paraissait étonnée ; on aurait dit qu'il lui avait demandé si elle savait sculpter un bateau dans un morceau de bois, ou piloter un avion ou encore danser sur les pointes. Elle éclata de rire ; elle rejeta la tête en arrière et rit à gorge déployée, un rire rauque, sans retenue. « Claude, tu es impayable. Qu'est-ce qui a pu te faire croire que je savais cuisiner ? Évidemment que je ne sais pas !

– Comment ça, "évidemment" ? » Il ferma le tiroir, agacé. Déçu. « Comment aurais-je pu le savoir ? Les femmes, ça cuisine. En tout cas, en France, c'est comme ça.

– C'est comme ça en Amérique aussi », admit-elle. Elle ouvrit un autre placard et en sortit une mandoline, l'admirant comme si c'était une antiquité grecque. « La plupart des filles sont éduquées pour savoir cuisiner et entretenir une maison, même si elles sont suffisamment riches pour employer quelqu'un qui le fera à leur place. Mes sœurs et moi avons aussi été élevées comme ça – toutefois, je me suis toujours débrouillée pour ne pas assister aux cours. Il était hors de question que j'apprenne des conneries pareilles, je te prie de le croire. Je n'avais aucune envie d'apprendre ce que ma mère m'enseignait. J'ai toujours fui, Claude. » Elle leva la tête vers lui, le regard pétillant, ses lèvres rouges appétissantes dessinant une moue provocante. « Et c'est toujours le cas.

– Oui, mais… » Claude était partagé entre l'envie de l'envoyer dans leur chambre pour ne plus la voir et celle de l'emmener dare-dare au Cordon Bleu pour qu'elle prenne des cours de cuisine. « Mais comment vas-tu cuisiner pour moi ? »

Elle haussa les épaules. « J'imagine que c'est toi qui vas cuisiner, Claude. Ou bien nous mangerons dehors. J'ai entendu dire qu'il y avait des cuisines au Ritz. » Et, de nouveau, elle se mit à rire.

Claude ne sut pas quoi répondre ; rien, dans sa vie, ne l'avait préparé à ça. Et il l'envoya donc dans la chambre car, en de pareilles circonstances, que pouvait-il bien faire d'autre ?

Il prépara alors une omelette aux chanterelles, avec des

échalotes et de l'ail, qu'elle dévora – il lui fallut donc en cuisiner une autre pour lui.

Que découvrit-il d'autre dans ces premiers temps – ces premiers temps grisants, passionnés, troublants, délicieux, de son mariage avec cette charmante Américaine qui avait si profondément changé sa vie qu'il se demandait, parfois, si elle n'était pas une sorcière plutôt qu'une damoiselle ? Il découvrit qu'elle parlait dans son sommeil. Qu'elle n'hésitait pas à se servir de sa brosse à dents à lui. Qu'elle jetait ses bas en soie dès qu'une maille avait filé, au lieu de les repriser. Il découvrit qu'elle aimait flâner dans les rues, sans but précis ; que, telle une enfant, elle ne pouvait pas rester assise trop longtemps sans bouger. Il découvrit qu'elle aimait les chats, tolérait les chiens, que les oiseaux l'enchantaient – mais seulement à condition qu'ils restent dehors ; avoir un oiseau à la maison l'effrayait.

Claude découvrit aussi qu'elle avait de petits pieds, dont elle était très fière. Et qu'elle craignait les chatouilles sur les cous-de-pied. Mais qu'elle aimait qu'il les lui chatouille, quand elle était dans un certain état d'esprit.

Claude découvrit qu'elle voulait malgré tout poursuivre sa carrière cinématographique ; ce qui signifiait que, certains soirs quand il rentrait du Ritz, épuisé, son petit appartement était rempli de ces amis inconvenants qui étaient ceux de Blanche – Pearl White et d'autres encore –, fumant et buvant, racontant des histoires de « décors », de « prises de vues », de « foutus réalisateurs ». Des gens grossiers, tous autant qu'ils étaient – ce qui surprit Claude, car il refusait de voir sa Blanchette autrement que comme une princesse de conte de fées.

Claude apprit aussi autre chose.

Il apprit que Blanche aimait le Ritz autant que lui.

5

Blanche

Juin 1940

« Pourquoi fait-on ça, Pearl ? » C'est la question que Blanche avait posée à son amie, en 1923, juste après que ce drôle de petit monsieur, Claude Auzello, lui avait dit adieu en lui promettant de l'emmener dîner plus tard – elle s'en souvient. Elle avait encore le télégramme de J'Ali dans sa poche qui lui annonçait qu'il ne viendrait que dans une semaine. « Pourquoi tombons-nous amoureuses de ces hommes qui nous disent des mots gentils juste pour qu'on accepte de coucher avec eux ? Pour qu'on accepte de traverser l'Océan sans même un contrat en poche, encore moins une bague de fiançailles ? » Si elle venait en Europe avec lui, il en ferait une star de cinéma en Égypte ; c'est ce que lui avait promis son prince charmant, son amant. Elle serait une Cléopâtre fascinante, elle aurait sa propre felouque pour se promener sur le Nil. Il l'épouserait.

Sauf que non, il ne lui avait jamais promis des choses pareilles, en tout cas pas avec ces mots-là.

« Parce que nous sommes des idiotes, tristes et pathétiques. Nous sommes des femmes dans un monde d'hommes, et nous sommes assez bêtes pour croire qu'un homme, le bon, nous fera oublier ça.

– Mais j'aime J'Ali. Vraiment. Quelle idiote je fais !

– Oublie J'Ali. Sors avec cet Auzello – en te regardant, il avait pratiquement la langue pendante. Amuse-toi, ma petite. Amuse-toi vraiment.

– Mais J'Ali voulait me faire visiter Paris. »

Blanche attrapa un brin de tabac sur sa langue et fit tomber la cendre de sa cigarette dans le cendrier noir, avec *Hôtel Claridge* gravé en lettres dorées.

« J'Ali n'est pas là. Tu crois qu'il t'attendrait s'il était à ta place ? »

Blanche avait ri – en pensant à J'Ali prêt à l'atttendre, elle ou une autre femme. Si le monde était un monde d'hommes, le prince J'Ali Ledene vivait dans un jardin d'Éden ; la terre avait été peuplée de femmes pour lui donner des pommes, des fruits – leurs seins, de préférence.

Mais Blanche l'avait quand même suivi à Paris, brisant le cœur de ses parents, laissant tout derrière elle. Parce que – si délurée et rebelle fût-elle, une poupée qui dansait sur des musiques de jazz – elle ne savait pas quoi faire de l'amour. À part aller là où il la menait.

Et finalement, à sa plus grande surprise, l'amour ne l'avait pas menée en Égypte.

« Nous souhaitons la bienvenue à la Dame du Ritz ! »

Postée en haut de l'escalier, Blanche sourit, s'incline devant la foule qui lève les yeux vers elle. Elle ne peut alors s'empêcher de rire.

C'est un titre qu'aurait pu lui donner un enfant, pour jouer ; mais c'est Claude qui le lui avait donné. Il l'avait fait par agacement. Il était fatigué de ses ingérences, de son indiscrétion, il était agacé par son besoin de boire, il était jaloux de ses amis. Et quand, un soir, après une longue journée de travail qui, pour lui, n'était pas encore finie, il l'avait trouvée en train de manger des sandwichs et boire du champagne avec le personnel, il avait fait la moue et l'avait appelée la Dame du Ritz ; ce qui, de sa part, n'était pas un compliment.

Toutefois, Blanche l'avait pris comme tel.

Car après dix-sept ans de mariage, même avec un homme qui avait presque bavé de désir en la voyant pour la première fois, les compliments étaient rares, alors que les griefs étaient aussi habituels que les géraniums au printemps. Le jeune homme qui l'avait courtisée avec autant d'ardeur, qui s'était battu pour la conquérir, luttant même avec un prince égyptien, était devenu un *mari*. Blanche ne pouvait cependant pas lui en faire le reproche car elle était elle-même devenue une *épouse*.

Seul le Ritz peut la séduire au point de lui faire oublier tout ça, surtout en ces occasions où ses gens la saluent d'une révérence, comme maintenant, tandis que – venant tout juste de prendre un bain et parée comme un paquet-cadeau raffiné, chaussée de ses plus beaux souliers – elle descend l'escalier jusqu'à la petite entrée de la rue Cambon. Des femmes de chambre la serrent dans leurs bras, les joues ruisselant de larmes : « Oh, madame Blanche, nous avons eu si peur pour vous ! » L'une d'entre elles tire sur une des manches de la robe de Blanche, et tourne vers elle un visage pâle, aux immenses yeux noirs, marqué par le manque de sommeil, et lui chuchote à l'oreille : « Madame Blanche, je sais que vous avez – vous comprenez, nous avons entendu dire –, quelqu'un m'a raconté qu'un jour vous avez changé… »

Blanche secoue la tête, met un doigt sur ses lèvres, le cœur battant la chamade ; elle vient d'apercevoir un soldat allemand en bas des marches, posté en sentinelle dans la longue galerie qui relie les deux ailes du Ritz. Elle se penche pour embrasser la jeune fille sur la joue en lui disant à voix basse : « Venez me voir ce soir, après vingt-deux heures. Seule. » La jeune fille étouffe un sanglot avant de se ressaisir.

Tandis que Blanche descend les marches, des garçons d'étage lui attrapent la main, lui secouant le bras avec tant de vigueur qu'elle craint qu'il ne se décroche : « Madame Auzello, vous êtes de retour ! Les choses vont aller mieux, si Dieu le veut ! »

« Comment ça va, les enfants ? » demande-t-elle. Les garçons lui expliquent alors en détail comment les choses se passent, dans un français fleuri, jusqu'à ce qu'elle rie en se tenant les côtes. Elle en rajoute, elle le sait : elle rit trop, elle sourit d'un trop grand sourire. Mais elle ne peut pas faire autrement. Sinon, elle va éclater en sanglots. Tant de visages aimés sont absents ; le personnel masculin est réduit comme peau de chagrin. Elle ne peut que prier pour que ces jeunes hommes puissent rentrer lorsqu'ils seront démobilisés, et qu'ils ne soient pas envoyés dans des camps de prisonniers en Allemagne.

Une porte s'ouvre et le silence se fait : plus de rires, plus d'histoires osées. Les garçons d'étage et les femmes de chambre se rangent le long de la rampe d'escalier et des murs de l'entrée, tous baissent les yeux. Ils se tiennent au garde-à-vous, n'osant faire le moindre geste.

Car c'est elle. *Mademoiselle**.

Coco Chanel, cette garce.

Elle vient juste de passer la porte de la rue Cambon et, quand elle se rend compte de la scène qui se déroule devant elle, elle s'arrête, lève la tête, et regarde Blanche en plissant les yeux. Les narines dilatées, Chanel toise la robe Schiaparelli aux couleurs vives – un imprimé de grands flamants roses sur fond vert – avec un mépris non déguisé.

« Bonjour Blanche. Je vois que le temps passé loin d'ici vous a été bénéfique », lance-t-elle d'une voix doucereuse.

Elle fouille dans son sac à main pour y attraper une cigarette, qu'elle tend d'un geste impérieux au groom le plus proche – il l'allume d'une main tremblante. « Vous avez perdu du poids, *ma chère**. Peut-être que bientôt vous n'aurez plus besoin de vous affubler de ces hardes et que vous pourrez enfin porter l'une de *mes* robes. »

Chanel, bien sûr, porte l'un des modèles qu'elle a créés : une robe noire en jersey au drapé élégant que Blanche convoite immédiatement. Ça ne fait aucun doute, cette femme a du talent.

« Je suis ravie de vous revoir, Coco, ma chérie. » Blanche sourit, sachant que la styliste déteste quand elle l'appelle Coco au lieu de « Mademoiselle ». « Vous n'avez pas changé d'un iota. Je vois que vous avez toujours un balai dans le cul. »

Un silence se fait pendant que les deux femmes se mesurent du regard avant de se saluer d'une révérence comme le feraient des duellistes, et Coco commence à monter l'escalier, le dos aussi droit, grâce au balai présumé, et aussi rigide qu'un mur de briques.

En arrivant à la hauteur de Blanche, elle s'arrête, recrache la fumée de sa cigarette à quelques centimètres seulement de son visage et marmonne entre ses dents. Rien qu'un mot, une syllabe, puis elle disparaît en haut de l'escalier. Blanche s'immobilise. A-t-elle bien entendu ? Coco a-t-elle dit ce qu'elle croit ?

Quelqu'un d'autre a-t-il entendu ?

Mais non. Les garçons d'étage et les femmes de chambre ne sont plus figés ; ils rient, sourient à Blanche, et l'un des garçons lui prend le bras et le lève, comme si elle venait de remporter un match de boxe. Elle se détend. Tout du moins pour le moment. Elle profite de l'instant présent autant que possible, consciente – la sensation d'être un insecte piégé à l'intérieur d'un verre retourné lui donne la chair de poule – que les soldats allemands regardent eux aussi. Et *écoutent.*

Mais en cet instant, peu importe.

Grâce à Dieu, la Dame du Ritz est de retour !

6

Claude

1924

Et l'emmena dans son château enchanté...

« Claude, si tu as l'intention de passer toutes tes journées avec ce rival qui est le mien, je t'accompagnerai, lui dit-elle quelques mois après leur mariage.

– De quoi parles-tu ? » répondit Claude, agacé.

Une autre chose qu'il avait apprise à propos de sa Blanchette était qu'il ne la connaîtrait jamais tout à fait.

« Je veux dire que j'ai l'intention de passer mon temps au Ritz, moi aussi. C'est la meilleure salle de spectacles de tout Paris, Claude. Tous ces petits drames, l'ascension sociale, le défilé de mode. Cet endroit, c'est ta vie et je veux faire partie de ta vie – entièrement. Ce qui signifie que, lorsque je ne travaillerai pas, je passerai mes journées là-bas.

– Vraiment ? »

Voulait-elle dire qu'elle allait rester assise toute la journée dans son petit bureau ? Et le suivre partout quand il ferait son tour de ronde ?

« Eh oui ! Je vais apprendre à connaître le Ritz aussi bien que toi tu le connais – je vais essayer de comprendre pourquoi tu l'aimes autant que tu m'aimes moi. »

Claude manqua s'étrangler mais sourit. En vérité, il était heureux qu'elle partageât sa passion et veuille faire vraiment partie de son monde à lui, même s'il se sentit légèrement coupable de ne pas partager sa passion à elle pour le cinéma. Pour autant, il chassa vite cette pointe de culpabilité. Après tout, il était son mari, celui qui gagnait l'argent du ménage ; un homme avait une carrière à construire, tandis qu'une femme ne pouvait qu'avoir un passe-temps.

Claude savait aussi qu'aucun décor autre que le Ritz n'aurait été plus parfait pour une princesse de conte de fées, c'était une évidence ; sinon pourquoi l'aurait-il sauvée, si ce n'était pour l'y enfermer ?

Et c'est ainsi que débuta une nouvelle ère dans l'histoire de leur tout jeune mariage : un *ménage à trois**, en quelque sorte. Le Ritz, Blanchette et Claude.

Chaque matin, il quittait son petit appartement avant elle – elle avait déjà évoqué la possibilité qu'ils puissent en louer un plus grand, dans un quartier plus en vue, qui conviendrait mieux à sa position, avait-elle expliqué. Il embrassait son front endormi, puis prenait le métro jusqu'à la station Louvre, d'où il rejoignait la place Vendôme en marchant. Il passait toujours par l'aile Cambon, là où se situait l'entrée de service. Ce qui lui permettait de voir si toutes les livraisons étaient faites – les légumes frais, les fleurs fraîches du marché, le linge, le poisson et la viande.

Après s'être assuré qu'il ne manquait rien, Claude se retirait dans son petit bureau en face de l'ascenseur principal, commandait un café et un croissant au beurre tout juste sorti des cuisines, et passait en revue l'emploi du temps de la journée. Il fallait, chaque jour, organiser des déjeuners et des dîners privés, à la fois pour les résidents de l'hôtel, mais aussi pour les Parisiens, qui reconnaissaient que nulle part ailleurs à Paris il n'y avait de lieu plus élégant. Maintenant que la Grande Guerre avait détruit tant d'empires fragiles, certaines têtes couronnées européennes de moindre importance, chassées de leurs pays, arpentaient le monde comme les dinosaures qu'elles étaient. Et beaucoup d'entre elles traînaient au Ritz.

Tous les jours, un duc ou une duchesse, un baron ou une baronne nouvellement ruinés, appuyaient sur la sonnette à la réception, insistant pour être logés dans ce qui fut, au temps de leur grandeur, leurs suites réservées. Et c'était le travail de Claude de les ramener gentiment à la raison – leur rappelant ce qu'ils pouvaient réellement se permettre plutôt que de filer à l'anglaise au lever du jour, sans payer la note – tout en continuant à leur faire des courbettes, à les flatter et à les conforter dans l'image qu'ils avaient encore d'eux-mêmes, une image appartenant au passé.

Tous les jours aussi, de jolies filles américaines, leurs mamans et leurs papas nouvellement enrichis, arrivaient au Ritz en quête de l'un de ces titres, car beaucoup de ces ducs et barons étaient célibataires.

Et leurs mamans et papas, propriétaires de grands magasins et de mines d'or, venaient en France pour la première fois et descendaient au Ritz car « tout le monde dit que c'est le lieu de séjour *idéal* à Paris. Au fait, je m'appelle George. Et vous ? ». Claude pinçait les lèvres avant d'admettre qu'*en effet*, c'était le lieu de séjour idéal et sonnait pour que quelqu'un leur montre les suites autrefois occupées par les ducs et les duchesses déchus. Alors que Claude, naturellement, se réjouissait de ce que l'argent américain coulât à flots – au bar, au restaurant, avec des pourboires si généreux que les garçons d'étage en avaient les yeux exorbités –, il ne pouvait cependant s'empêcher de regretter de ne pas avoir travaillé au Ritz pendant ses heures de gloire. Quand César Ritz était encore vivant

– et, chaque jour, Claude adressait une prière silencieuse à l'immense portrait accroché dans l'entrée principale –, à l'époque où le roi Édouard VII y avait séjourné, ainsi que les Romanov et les Habsbourgs qui étaient encore des têtes couronnées, et que le Ritz devait ressembler à une ambassade où fourmillaient médailles, diadèmes et décorations militaires.

Mais rien ne sert de se languir d'un passé qui n'est pas le vôtre. Claude aimait beaucoup le Ritz que, de plus en plus, il dirigeait. Il était rare qu'il ne travaille pas. Même la nuit.

« Tu te rends compte, Claude, que la plupart du temps, ce sont des nénettes qui appellent tard le soir ? » fit remarquer Blanche quand le téléphone sonna une nuit et qu'on entendit la voix sensuelle de Dorothée de Talleyrand-Périgord demander « monsieur Claude du Ritz ».

La duchesse s'était installée dans l'une des suites les plus chères de l'hôtel le temps pour elle de trouver un appartement à Paris. « Claude », lui avait-elle confié, un jour où, hors d'haleine, elle était rentrée à l'hôtel après avoir promené son caniche place Vendôme, « j'ai un pressentiment. » Elle battait rapidement des cils et respirait difficilement comme si elle avait été poursuivie par un fantôme ; sa poitrine se soulevait de manière très attirante.

« Quel pressentiment, madame ?

– Je l'ai toujours su. J'ai toujours su que je mourrais assassinée dans un hôtel ! »

Elle frissonna et ses seins tressautèrent.

« Oh, madame, non ! Vous vous trompez.

– Non, Claude. Et si j'avais raison ? »

À partir de cet instant, elle demanda à être rassurée et le fit monter fréquemment dans sa suite pour vérifier que personne ne s'y était introduit, sans compter les nombreux appels directement chez lui. Comme ce fut le cas un soir.

« Claude, il faut que vous veniez immédiatement. Il faut me sauver… j'ai tellement peur ! »

Évidemment, et bien qu'il fût minuit passé, Claude se rhabilla pour aller au Ritz.

« Je suis obligé d'y aller. C'est l'une de nos clientes les plus importantes et ça fait partie de mon travail de m'assurer qu'elle le reste », expliqua-t-il en laçant ses chaussures, après s'être débarbouillé, brossé les dents, et avoir vaporisé un soupçon d'eau de Cologne sur un mouchoir propre.

« Bien sûr », acquiesça Blanche, étrangement calme – étonnamment compréhensive.

Et tandis que Claude filait à travers les rues de Paris, il s'en inquiéta. Comment se faisait-il que Blanche ne lui ait pas jeté des vases et des chaussures à la tête au moment où il était parti ?

Le lendemain, il comprit.

« Claude. J'ai réfléchi », avait dit Blanche tandis qu'ils déjeunaient ensemble dans les cuisines du Ritz. Les cuisines, installées à l'entresol, n'étaient ni lumineuses ni aérées. Mais tous les ustensiles en acier inoxydable, le carrelage blanc étincelant, les cuivres, les toques et tabliers d'un blanc impeccable, l'odeur du pain qui cuit et celle douce-amère des herbes, le parfum de l'ail qui rissolait dans l'huile d'olive rivalisant avec celui de la vanille destinée aux pâtisseries extravagantes les rendaient malgré tout joyeuses et chaleureuses.

« À quoi as-tu réfléchi, Blanche ? » Claude leva la main pour qu'un autre café lui soit servi ; la nuit avait été longue avec la duchesse qui avait déployé ses charmes avec tant d'insistance qu'il n'était pas sûr de pouvoir y résister encore longtemps sans l'offenser.

« J'ai réfléchi à tes longues nuits. Tes nombreuses longues nuits. » Elle lui lança un regard inquisiteur, auquel il répondit en arborant un air innocent. « Nous devrions avoir des chambres ici au Ritz. Tu ne crois pas ? Ainsi, tu pourrais t'occuper de tes très importantes clientes sans avoir à te trimballer dans les rues de Paris et devoir rentrer ensuite. Et tu n'aurais pas à t'inquiéter pour moi, toute seule dans l'appartement. Si tard le soir. *La nuit.* »

Claude fut sur le point de lui assurer qu'il ne s'inquiétait pas de la savoir seule, car il avait compris qu'elle n'était pas vraiment une damoiselle en détresse comme il l'avait cru. Pour être honnête, il s'inquiétait plutôt pour un éventuel voleur malchanceux car, comme il le savait désormais, elle avait un solide crochet du droit. Mais il n'avait pas intérêt à lui dire ça. Oh non !

« Je ne sais pas, Blanche…

– Demande à madame Ritz. Dis-lui que tu pourrais t'acquitter… de ton devoir… avec plus de célérité.

– Je vais lui poser la question. »

À cette époque-là, Claude savait déjà à quel point Blanche renonçait difficilement à une idée.

Claude posa donc la question, et madame Ritz – tout en donnant à ses griffons bruxellois, du bout d'une fourchette en argent, du foie fraîchement découpé par le chef cuisinier de l'hôtel – lui jeta un regard perçant.

« Claude, vous faites un excellent travail. Et je vous remercie de ce que vous faites pour monsieur Rey en vous acquittant de la plupart de ses tâches en son absence. Je vous accorde donc la possibilité d'habiter deux chambres dans l'aile Cambon. Pensez-vous que votre femme sera satisfaite ?

– Madame, cette requête n'a rien à voir avec ma femme,

répliqua Claude sèchement. Ma femme sera satisfaite quand je lui demanderai de l'être. »

Madame Ritz sourit d'un air entendu, sans rien ajouter. Mais dès que Claude se leva pour partir, il se dit que les femmes étaient parfois une source d'ennuis plus que de plaisirs.

Parfois seulement.

Blanche était aux anges. Ils transformèrent les deux chambres adjacentes en une suite et les rendirent très agréables en y ajoutant du mobilier et des tapis provenant du grenier. Les chambres donnaient sur l'étroite rue Cambon et on y accédait par l'escalier de la petite entrée qui ouvrait d'un côté sur le bar et de l'autre sur le salon des dames. Blanche y apporta la plus grande partie de sa garde-robe et quelques tableaux et, très rapidement, les Auzello donnèrent l'impression de passer plus de nuits au Ritz que chez eux. Claude reconnut, avec une triste admiration, que la manœuvre avait été plutôt habile.

Blanche n'aurait désormais plus besoin d'apprendre à cuisiner.

Au Ritz, Blanche avait ses repaires de prédilection : notamment un certain canapé dans la grande entrée, qui lui permettait d'avoir une vue d'ensemble sur le grand escalier – un défilé de mode du matin au soir, tous les jours, tandis que les têtes couronnées, les actrices de cinéma, des femmes de millionnaires en descendaient, chacune d'elles essayant de surpasser l'autre avec ses robes, et la taille et le nombre de bijoux qu'elle portait aux doigts ou autour du cou. Car le but d'un séjour au Ritz n'était pas seulement de profiter du luxe à portée de main, mais c'était aussi l'occasion d'être vue, de faire parler de soi, ou encore d'être photographiée par l'un de ces nouveaux journalistes rassemblés place Vendôme et dont le travail était d'écrire sur les gens riches et célèbres.

Blanche avait aussi son fauteuil préféré dans le salon des dames où elle organisait des parties de bridge pour les femmes de millionnaires les plus délaissées et récoltait des tuyaux qui pouvaient se révéler utiles pour ses amies les plus pauvres. Si elle entendait parler d'une dame de l'Ohio qui aurait besoin d'une femme de chambre quand elle serait de retour chez elle, ou d'une duchesse en exil qui cherchait une dame de compagnie pour voyager, elle les mettait en rapport, *et voilà** ! Certaines de ses anciennes amies du milieu du cinéma avaient désormais un travail honnête.

Une fois par semaine, Blanche prenait même le thé avec madame Ritz en personne qui appréciait son humour et aimait entendre les ragots qu'elle rapportait. Alors, malgré lui, Claude commença à apprécier les efforts qu'elle faisait pour lui, et dont il profitait ; son épouse était devenue un atout pour sa carrière. Grâce à ses parties de bridge et son cercle croissant d'amies, riches ou pauvres, elle avait développé l'activité de l'hôtel, par exemple en persuadant les gens de venir y faire la fête, comme ils en avaient l'habitude avant la guerre, plutôt que de rester chez eux. Elle devint même, bien plus tard, amie avec Barbara Hutton, la très jeune héritière américaine si timide qui, sans elle et sa compagnie si chaleureuse et accommodante, n'aurait peut-être pas fait de la Suite impériale sa résidence principale à Paris.

Son épouse devenait d'ailleurs un tel atout pour sa carrière que Claude put même se détendre un peu. De bien des façons, son mariage était peut-être différent de celui de ses amis : la plupart des hommes laissaient leurs femmes le matin et ne rentraient que le soir, alors que Blanche et lui étaient presque toujours ensemble. Leurs conversations sur l'oreiller tournaient toujours autour du Ritz, les employés, les clients – et, jusqu'à ce jour, avoir un enfant n'en avait jamais été le sujet principal. Mais, pour une certaine chose, se dit Claude, il fallait que ce mariage ressemble à celui de ses parents et de ses amis. Une chose très importante. Une chose très *française*.

Ce fut donc une surprise de découvrir que les Français et les Américains n'envisageaient pas le mariage de la même façon.

Et l'épouse américaine de Claude n'hésita pas à lui faire comprendre ce qu'elle pensait de ces différences.

7

Blanche

Printemps 1941

Où est Lily ?

Beaucoup de gens avaient disparu dans le chaos de l'invasion : la femme qui coiffait Blanche, la petite vieille avec la devanture pleine de chats, à qui elle achetait toujours de la dentelle, une famille entière qui habitait dans un hôtel particulier près du Ritz. Des serveurs, des femmes de chambre, des cuisiniers. Ici, un commerçant. Là, un parfumeur. Quand elle flâne dans les rues proches de l'hôtel, Blanche ne peut que remarquer le nombre de devantures aux vitres cassées, les bris de verre sur le trottoir, les fleurs fanées, faute d'être arrosées, dans les jardinières accrochées aux rebords des fenêtres. À l'abandon – tant de lieux paraissent à l'abandon aux abords du Ritz. Dans ce quartier, elle avait toujours admiré à quel point même les plus petites impasses ou les plus petites cours avaient toujours l'air prêtes à recevoir la visite d'un roi : les parterres fleuris, bien taillés, arrosés ; sans ordures, sans saletés, les grilles peintes en noir, impeccables, les pavés passés au jet.

Tout paraît maintenant plongé dans une attente lugubre, surtout dans ces petites impasses, ces petites cours. D'autant plus, qu'aux yeux de Blanche, la population semble réduite de moitié.

Non. Pas réduite, non. Car les personnes disparues ont été remplacées par les *doryphores*, les Hans, Fritz et Klaus. Et ils n'ont même pas l'air de se rendre compte que, dans les cafés, sur les bateaux-mouches, dans les restaurants, y compris au Ritz, ils posent leurs gros culs allemands sur la chaise de quelqu'un d'autre.

Les premières semaines de l'Occupation avaient très vite passé ; ce fut une sacrée période d'adaptation. Au début, les Parisiens cafouillèrent, n'en croyant pas leurs yeux face à ce nouveau monde étrange dans lequel ils avaient été violemment projetés, comme des nouveau-nés à la naissance. Ils apprirent à ne pas être les premiers à échanger un regard avec les Allemands, mais à répondre par un sourire prudent quand c'était eux, les Allemands, qui initiaient ce contact. Ils apprirent à ne pas parler avant d'y avoir été invités. Ils apprirent à ne pas tressaillir en voyant des soldats allemands acheter gaiement des denrées qui n'étaient plus disponibles (à moins que vous ne viviez au Ritz) quand les citoyens ordinaires devaient faire la queue pendant des heures pour avoir une miche de mauvais pain.

Oh, en apparence, si elle évite de regarder les choses dans le détail, rien n'a changé au Ritz, tout paraît être comme d'habitude : le luxe et l'opulence, les manières polies, les bavardages oiseux – et pas seulement oiseux. Mais rien n'est comme d'habitude. Certes, le matin, le journal de Blanche est toujours repassé, plié si soigneusement que les bords aiguisés peuvent être coupants, posé sur un plateau en argent et accompagné d'une rose dans un vase. Mais le journal ne reflète rien d'autre que la propagande allemande en guise d'informations, avec des gros titres chantant les victoires de l'Allemagne en Afrique du Nord, et des illustrations représentant un Hitler jovial, une rare photo de lui dans son château du Berghof dans les Alpes, prenant la pose comme pour un magazine de mode. Sa recette préférée du strudel imprimée pour que tous puissent la lire.

Au Ritz, il est vrai, il y a encore des fleurs partout – on dirait que seuls les engrais et la terre ne sont pas réquisitionnés par l'armée allemande ; mais ces fleurs, avec leurs pétales luxuriants, leurs tiges humides de rosée, ne parviennent pas à camoufler les drapeaux nazis plantés dans les bouquets. La musique de chambre jouée en sourdine tout au long de la journée dans l'hôtel ne parvient pas à couvrir les voix allemandes, gutturales.

Toutefois, il y a le bar. Ah, le bar. C'est le cœur même du Ritz, et ça l'a toujours été. Et Frank Meier en est la principale artère.

Frank fut l'une des premières personnes que Blanche avait rencontrées quand Claude l'avait présentée – elle, sa fiancée rougissante – à ses nouveaux collègues, en 1923. Leurs fiançailles surprenantes coïncidaient avec l'obtention, pour Claude, du poste dont il rêvait : directeur du Ritz parisien. Et quand Claude vint avec elle, fier comme Artaban – même si, pour être honnête, elle n'était pas sûre, elle n'en avait d'ailleurs jamais été complètement sûre, de savoir de quoi il était le plus fier, de sa future épouse ou de l'hôtel –, Frank était là où il devait être, comme toujours : derrière le bar en acajou poli, un shaker dans ses grandes mains.

Frank Meier ressemble à un docker : costaud, des bras énormes, un cou épais. Ses cheveux sont toujours impeccablement pommadés, plaqués en arrière, avec une raie au milieu parfaitement dessinée. Et qu'il soit derrière le bar où il prépare ses mélanges alcoolisés, ou de l'autre côté, à accueillir ses clients préférés comme des amis de longue date, portant même leurs sacs jusque dans leurs chambres, il est parfaitement à l'aise.

Mais Blanche sait pourquoi il se montre si hospitalier. Le type dirige un cercle de jeu en dehors de l'hôtel. C'est plus facile d'encaisser les paris loin des commérages et des alcooliques.

« Vous êtes donc la fiancée », avait dit Frank de sa grosse voix, l'embrassant sur la joue quand Claude les avait présentés l'un à l'autre. « Félicitations ! Je peux vous offrir un verre de champagne ?

– Un peu mon neveu, que tu peux m'offrir un verre de champagne », avait répondu Blanche.

Elle s'apprêtait à entrer dans le bar quand Claude et Frank l'avaient retenue.

« Tu ne peux pas entrer, Blanchette, lui avait dit Claude, en secouant la tête.

– Pourquoi pas ? » avait-elle demandé en souriant.

C'était sûrement une blague, non ? Car le Ritz l'avait charmée dès qu'elle y avait posé le pied pour la première fois.

Le Ritz charme tout le monde. Le Ritz chuchote votre nom telle une caresse satinée, il vous laisse entrevoir des trésors inimaginables – comme les tentures murales dignes de figurer dans un musée –, il vous séduit au point de vous persuader que, même si vous n'avez pas un sou en poche, rien qu'en fréquentant les barons et les duchesses, les stars de cinéma et les riches héritières qui traversent les couloirs, portés par les ailes de la Fortune, vous êtes vous aussi quelqu'un de spécial.

Mais ce jour-là, le charme avait été rompu pour Blanche quand on lui avait dit que les femmes n'avaient pas le droit d'entrer dans le bar.

« C'est-à-dire ? » avait demandé Blanche. Elle, jeune

Américaine délurée fraîchement débarquée de New York où elle avait roulé ses bas sous le genou, coincé des flasques de gin dans sa jarretière, et frappé aux portes des *speakeasies*. Aucun *speakeasy* de New York n'interdisait l'entrée aux femmes. Après tout, elles venaient juste d'obtenir le droit de vote.

Mais à Paris en 1923, Blanche n'allait pas tarder à le découvrir, les femmes n'avaient pas le droit de vote. À Paris en 1923, les femmes mariées ne pouvaient pas ouvrir un compte en banque et devaient verser l'argent qu'elles gagnaient à leur époux. À Paris en 1923, les femmes – mariées ou non – n'avaient pas le droit d'entrer au bar du Ritz.

« C'est comme ça, c'est tout », avait rétorqué son fiancé avec ce haussement d'épaules qu'elle commençait à trop bien connaître. « Ça n'est pas nouveau. Les dames attendent au salon où Frank se fera une joie de t'apporter ton verre de champagne, n'est-ce pas, Frank ? »

De ses yeux vifs, Frank l'avait dévisagée, perçant le masque de son maquillage, et avait hoché la tête.

Ce jour-là – parce que, et seulement parce que Blanche s'efforçait de s'adapter et d'être une bonne épouse pour son chevalier français dans sa brillante armure, sur le point de prendre ses fonctions au Ritz –, elle avait accepté d'être conduite dans le petit salon des dames étouffant, aux murs lambrissés, où des matrones, avec leurs chiens qui jappaient, étaient assises, à siroter leur thé ou, au mieux, un verre de champagne (servi avec une rose fraîche), en discutant de la nouvelle mode. Les robes haute couture de Vionnet étaient à tomber, « mais vous avez vu les nouveaux modèles de mademoiselle Chanel au bout de la rue ? Choquants, tout simplement choquants ! ».

Attendant – avec impatience – son champagne (alors

qu'elle rêvait de boire un martini), Blanche eut l'occasion d'écouter ce que racontaient deux énormes femmes assises près d'elle. Elles suffoquaient dans des robes en crêpe de Chine trop ajustées, engoncées dans des manteaux de fourrure ; et leurs pieds étaient chaussés de grossières bottines noires à talons plats et à lacets. Elles parlaient en allemand ; la langue de Blanche, quand elle était enfant.

« J'adore le Ritz », dit l'une d'elles. Cette femme, de toute évidence, préférait garder ses gants en toute occasion – même quand elle fouilla dans son sac à main pour en sortir une petite boîte de chocolats ; elle en prit un, avant d'en offrir à sa compagne.

« Il est évident qu'ils n'acceptent pas les Juifs ici », fit remarquer celle qui ne portait pas de gants, en mordant dans son chocolat avec une certaine vulgarité.

« Je crois même qu'il n'y a aucun Juif parmi le personnel », ajouta l'autre en piochant de nouveau dans la boîte de friandises – Blanche fut ravie de voir les traces de chocolat sur le gant blanc. « Ou alors, ils n'ont pas du tout le profil sémite, continua-t-elle.

– C'est un soulagement. On se sent plus en sécurité. Comme chez soi.

– C'est l'impression que vous donne le Ritz – on se sent chez soi. Même mieux que chez soi – je n'ai pas de robinet en or dans ma salle de bains.

– Qui peut se le permettre en Allemagne ? La guerre nous a ruinés. »

Et elles se mirent à parler de l'économie de l'après-guerre, du nouveau Parti national-socialiste des travailleurs, d'un gars qui s'appelait Hitler et était apparemment en prison, mais Blanche n'écoutait plus.

Soudain, elle avait levé la tête ; Frank Meier était debout à ses côtés, un verre de champagne sur un plateau en argent, arborant une mine sinistre. Il avait entendu ce que disaient les deux Allemandes, avait pensé Blanche. De toute évidence, Frank Meier parlait allemand, lui aussi.

Ils s'étaient regardés, sans rien dire. Frank avait tendu le verre à Blanche et dit, d'une voix inquiète et si douce qu'elle s'en était étonnée, tant cet homme avait l'air bourru : « Si vous avez besoin de quoi que ce soit, mademoiselle, demandez-moi. Quoi que ce soit. »

Il n'avait pas fallu longtemps pour que Blanche fît appel à lui.

Et c'est ainsi que tout avait commencé entre Frank et Blanche.

Il avait été son allié pour obtenir que le bar soit ouvert aux femmes ; bon sang ! il avait fallu la crise économique des années 1930 pour que la vieille madame Ritz soit vaincue ; mais avec des chambres et des tabourets de bar vides, Madame n'avait guère eu d'autre choix que de permettre à Blanche et à ses consœurs assoiffées d'y accéder. Et Frank, avec tous les nouveaux copains de Blanche – Ernest Hemingway, qu'elle connaissait depuis qu'il était un pauvre faire-valoir affamé de Scott Fitzgerald ; Cole Porter, dont les petits yeux brillaient comme de l'onyx poli ; Pablo Picasso, dont le rire et le discours étaient aussi hardis et originaux que ses tableaux –, avaient fait la fête. Elle était la Dame du bar du Ritz – et, depuis, elle n'avait pas déchu.

Blanche a sa petite table réservée face à la porte, et elle peut donc voir, avant qui que ce soit, quel personnage célèbre entre. Frank met tous les jours une rose fraîche dans un vase, avec une carte aux bords décorés d'une frise qui encadre, élégamment calligraphié : *Réservé pour madame Auzello* (bien évidemment, le Ritz emploie un membre du personnel dont le travail consiste uniquement à calligraphier les marque-places pour les dîners privés). Et c'est au bar que Blanche entend tout ce qu'il faut entendre. Rien n'a changé ; si ce n'est qu'à la place de Hemingway – qui disparut après l'invasion –, c'est maintenant Hermann Göring, assis à une table, riant, plusieurs verres de martini alignés devant lui. À la place de Fitzgerald tombant de son tabouret, car même s'il ne tenait pas l'alcool il ne manquait jamais de se lancer dans un concours d'insuffisance hépatique avec Hemingway, c'est maintenant ce bon vieux Spatzy[1], ce fils de pute allemand qui fréquentait le Ritz déjà avant la guerre, toujours aussi séduisant. Toutefois, en entendant ses blagues, Blanche ne rit plus autant qu'avant. Elle devine la méchanceté cachée derrière l'humour et ses mains pareilles à des serres, toujours prêtes à caresser une épaule, à attraper un coude. À la place de Picasso et de Porter racontant à voix basse qui serait incapable de payer sa note d'hôtel, on voit des Hans et des Fritz en uniforme ricaner derrière leurs verres de cocktail à base de gin, un Bee's Knees ou encore un Singapore Sling. À la place de Garbo et de Dietrich alanguies sur un canapé, si séduisantes – même si Claude leur avait interdit de porter leurs célèbres pantalons au Ritz –, on voit Chanel avec son nez droit et Arletty au front patricien et aux

1. Il s'agit de l'officier allemand le baron Hans Günther von Dincklage, attaché spécial auprès de l'ambassade d'Allemagne à Paris depuis 1933. Selon certains, son surnom de « Spatz », le « moineau », lui venait de l'indéniable sens des mondanités qui le faisait voleter d'un invité à l'autre dans les réceptions de la haute société. En vérité, ce surnom renvoie probablement à quelque chose de plus sinistre : le nom de code *Staatsanwalt Spatz* désigne un procureur itinérant du ministère public allemand. Blanche l'appelait « Spatzy ». C'est avec lui que Coco Chanel entretiendra une très longue liaison.

pommettes hautes, buvant avec Spatz et ses amis. Et, à en croire les ragots, faisant plus que boire avec eux.

Les ragots – qui, d'après Blanche, sont l'activité principale au Ritz – n'ont fait que grossir depuis le début de l'Occupation. On raconte que Göring s'habille en femme – qu'il aime plus particulièrement les plumes de marabout –, qu'il danse avec les pauvres serveurs qu'il fait monter dans sa suite à toute heure de la journée. Et que, par ailleurs, il abuse de la morphine. Mais aussi qu'il est si gros qu'il a fallu lui installer une baignoire spéciale – cette information, elle la tient directement de Claude (car elle, comme tous ceux qui ne sont pas en uniforme – que ce soit celui du Troisième Reich ou du Ritz –, est confinée, avec l'aimable autorisation de gardes armés, dans l'aile Cambon), et doit donc être vraie. Claude ne raconte pas de ragots, remercions-en son petit cœur vaniteux.

Désormais, il y a aussi un autre genre de rumeurs : les secrets. Ils sont si nombreux qu'ils en sont presque palpables. Et Frank, de son poste, supervise tout. De derrière le bar, il intercepte une serviette de table, pliée, qu'il recouvre de sa grande main, avant de la faire passer rapidement dans l'une de ses poches. Quelques minutes plus tard, il sort pour fumer. Avant d'être rejoint discrètement par quelqu'un d'autre.

Beaucoup des choses dont le Ritz se chargeait – officieusement –, Frank en faisait son affaire. Un avorteur ? Un maître chanteur ? Une arme illégale ? De faux papiers ?

Frank Meier y pourvoira. Et il gardera votre secret en échange d'un gros pourboire, d'un petit virement sur ce compte en banque qu'il garde en Suisse. Toutefois, il ne se doute pas que Blanche est au courant.

Et donc, ce jour-là, en passant devant les Allemands postés en sentinelles, des Allemands qui commandent du champagne, des Allemands l'appelant par son prénom en tapotant le siège à côté d'eux pour qu'elle les rejoigne, elle sait à qui s'adresser pour retrouver Lily. Par le passé déjà, Blanche avait fait appel à Frank pour certaines choses ; des choses qu'elle ne pouvait pas demander à Claude. Et Frank lui avait toujours rendu service. Alors, entre amis, qu'était-ce qu'une faveur de plus ?

Qu'était un secret de plus entre un mari et une femme dont la relation avait commencé avec bien d'autres secrets ?

8

Claude

1927

Dans lequel ils vécurent ensemble très heureux…

Elle était partie.

Sa garde-robe du Ritz avait disparu ; de même que celle de leur appartement de Passy, où elle avait insisté pour qu'ils emménagent, ne supportant pas l'antre de célibataire dans lequel Claude vivait. Pour elle, il avait accepté ; il avait accepté tellement de choses pour son ingrate épouse ! L'appartement qu'il n'avait pas les moyens de s'offrir ; les robes de créateurs qu'elle disait devoir absolument porter pour faire honneur au poste qu'occupait Claude ; les chambres au Ritz qu'elle avait exigées. Des exigences, toujours des exigences… Incessantes. Il lui apparut qu'être marié avec une femme venant d'ailleurs, n'ayant que peu d'amis, sans famille, ne comprenant pas encore très bien la langue, demandait beaucoup plus d'énergie et d'attention que ce à quoi il s'attendait. Après tout, c'était son épouse qui était censée assurer les obligations du mariage, satisfaire ses besoins, l'apaiser, cuisiner et faire le ménage.

Mais quelle importance maintenant ? Comme une enfant, une enfant gâtée, capricieuse, Blanche était partie. Et pour quelle raison ?

Il aurait dû le deviner. En vérité, en lui parlant, il avait été mal à l'aise. Car Claude savait déjà à quel point les

Américains réagissaient de manière ridicule sur ces choses-là – les soldats en permission durant la guerre étaient submergés par la culpabilité. Ou encore les hommes d'affaires qui descendaient au Ritz et remplissaient leurs fiches sous un faux nom.

Les Américains ! Pourquoi étaient-ils si puritains quand il s'agissait de sexe ? Le sexe n'était guère plus qu'un acte physique, nécessaire, surtout à cette époque-là. Et, naturellement, c'est ainsi qu'il avait tenté de l'expliquer à Blanche.

« Mon amour », commença Claude un soir après une heure d'étreintes passionnées ; il pensa que le moment était approprié, qu'elle pourrait comprendre la situation d'un point de vue féminin aussi bien physiquement qu'émotionnellement. Car Claude se targuait d'être un amant généreux, et c'était un point sur lequel Blanche paraissait être d'accord avec lui.

« Oui, Claude ?

– Ces dernières années – ces cent cinquante dernières années, en fait –, la France a été un pays en guerre. Un suicide collectif, en quelque sorte – regarde autour de toi. Combien de jeunes hommes français vois-tu dans Paris ?

– Peu. Bon sang, Claude, on peut dire que tu as de drôles de sujets de conversation sur l'oreiller. »

Elle se leva, enfila un peignoir léger et commença à brosser ses cheveux blonds emmêlés.

Claude la regarda un moment sans rien dire. Il aimait regarder les femmes se coiffer ; c'était l'une des raisons pour lesquelles il n'appréciait guère les coupes au carré.

« Blanche, nous venons juste de faire l'amour… ne crois-tu pas que c'est une chose importante dans la vie, que c'est nécessaire ? »

Elle lui sourit, reposa sa brosse à cheveux, et se laissa de nouveau tomber sur le lit, rajustant son peignoir afin de suffisamment découvrir le haut de sa poitrine qui se soulevait de manière plus qu'attirante. « Et tu sais de quoi tu parles !

– Donc, nous sommes d'accord – une femme sans un homme dans son lit n'est pas tout à fait une femme ?

– Hmmm, hmmm. »

Elle se blottit contre sa poitrine, y déposant de petits baisers du bout des lèvres et Claude dut faire de gros efforts, mais il était impératif qu'il poursuive la conversation :

« Donc, tu comprends. » Claude la repoussa doucement. Il avait besoin qu'elle écoute et entende ce qu'il avait à lui dire. Pour que les choses soient bien claires. « Alors tu comprendras que, désormais, je passe mes jeudis soir ailleurs.

– Je… Quoi ? »

D'un pouce, elle se frotta le front – une habitude qui lui donnait l'air attendrissant d'une enfant innocente. Claude dut avaler sa salive avant d'ajouter :

« Le jeudi soir, je serai ailleurs. C'est le soir que je passerai avec… *elle*.

– Elle ?

– Ma maîtresse.

– Ta *maîtresse* ?

– Oui. Seulement le jeudi soir, comme il se doit. Mais je ne veux pas que tu t'inquiètes ou que tu viennes me chercher. Maintenant, tu sais. Veux-tu que je réchauffe un peu de la bouillabaisse d'hier ? J'ai faim. »

Il attrapa son pantalon pour se rhabiller car il faisait froid.

Mais tandis qu'il se penchait pour l'enfiler, elle le poussa violemment dans le dos, l'entraînant dans une chute particulièrement inélégante. Claude se retourna ; Blanche était debout sur le lit, ses yeux lançaient des éclairs.

« Blanche ! Pourquoi tu as fait ça ?

– Ta *maîtresse* ? Tu as une maîtresse ? Va te faire foutre, Claude ! Tu me dis, alors que nous sommes encore au lit, juste après avoir *baisé*, que tu as une autre femme dans ta vie ?

– Chut ! Blanche, parle moins fort.

– Pas question !

– Blanche, calme-toi. Je ne discuterai pas avec toi tant que tu n'auras pas retrouvé ton sang-froid. »

Elle baissa la voix :

« Retrouvé mon sang-froid ?

– Oui. Viens t'asseoir. »

Claude se rallongea sur le lit et tapota la place à côté de lui avec un sourire charmeur ; elle lui lança un regard meurtrier et sauta du lit, allant s'asseoir sur une petite chaise près de la fenêtre. Elle était perchée sur le bord, tel un oiseau – un oiseau sauvage, exotique – prêt à s'envoler.

« Premièrement, je suis ton époux. Je t'honore et je te respecte.

– Comment peux-tu dire ça quand tu fréquentes une *cocotte* ?

– Une quoi ? Je ne comprends pas.

– Une putain.

– Une *maîtresse*, pas une putain. Si je voulais une putain, ce serait facile. Mais pourquoi je paierais pour avoir ce qu'on me donne gratuitement ? Ainsi, je ne te déshonore pas. »

Elle ouvrit la bouche, secoua la tête. « Je ne comprends absolument pas de quoi tu parles.

– Une maîtresse n'est pas une putain, Blanche. Vous, les Américains, confondez les deux mots, mais…

– Oh, ferme-la. Comment oses-tu me faire la leçon ? Tu sais que, pour ça, je pourrais divorcer ?

– Quoi ? » Ce fut au tour de Claude d'être perplexe. « Pour commencer, seuls les Américains divorcent. En France, on ne divorce pas – ça ne se fait pas, ce n'est pas nécessaire. Maris et femmes sont bien plus compréhensifs pour ces choses-là, mon amour. C'est la raison pour laquelle c'est absurde de ta part de penser au divorce.

– Tu me trompes !

– Non. Pas du tout. » Claude eut envie de rire, mais s'en abstint juste à temps en voyant le regard qu'elle lui lança. « Non, ça n'a rien à voir. C'est comme ça que vous voyez les choses, vous les Américains, mais vous avez tort. Comment pourrais-je te tromper avec une femme que je ne vois qu'une fois par semaine et dont je t'ai parlé ? Je ne l'aime pas, c'est toi que j'aime. Ce n'est pas elle que j'ai épousée, c'est toi – tu portes mon nom, c'est avec toi que je partage mes biens, tu es ma partenaire dans la vie. Elle n'est… elle n'est que… »

Une fois de plus, il bredouilla, incapable de trouver le mot en anglais. Mais l'anglais n'était pas le langage adéquat pour ce genre de conversation.

« Un cul ? »

Claude sursauta. « Blanche, c'est vulgaire. » Terriblement déçu, il s'était aperçu que sa princesse de conte de fées avait un vocabulaire digne d'un charretier.

« *Moi*, je suis vulgaire ? Merde alors, c'est la meilleure. Dois-je te rappeler ce que j'ai fait, Claude Auzello, quand je t'ai épousé ? »

Claude tressaillit ; c'était la première fois qu'elle abordait le sujet. Claude n'était en rien responsable ; il ne lui avait jamais demandé de faire une chose pareille, même s'il avouait qu'il en avait été soulagé – beaucoup plus qu'il ne l'aurait imaginé – quand elle l'avait fait. Mais ils s'étaient mis d'accord pour ne plus y penser, oublier ça – pour le bien de tous.

« Cette conversation est ridicule. Je t'ai fait l'honneur de t'informer de ce que je ferai le jeudi soir et tu réagis comme une enfant gâtée. Ce n'est pas digne de toi, Blanche, ce n'est pas digne de nous – *merde* ! »

Claude vit des étoiles devant ses yeux et sentit du sang couler sur son front.

Car Blanche venait de lui lancer un vase à la tête et s'apprêtait à recommencer.

« Arrête !

– Va te faire foutre ! Va te faire foutre, Claude Auzello ! »

Le second vase le rata et alla s'écraser contre le mur. Il leva les bras pour se protéger le visage tandis qu'elle cherchait un autre projectile. Il sortit donc de la chambre en courant et referma la porte derrière lui, la bloquant pendant qu'elle y donnait des coups de poing, le traitant des noms les plus inventifs qu'il eût jamais entendus. Il ne put qu'admirer sa créativité : « fils de pute, espèce de grenouille visqueuse, salaud de couille molle, ver de terre, menteur, infidèle, sale petit branleur ».

Soudain, les coups et les insultes cessèrent ; tout redevint silencieux. Bizarrement silencieux.

« Blanche, je… » Claude entrouvrit la porte avec circonspection ; le silence persistait, et il l'ouvrit en grand. Blanche était là, parfaitement calme, souriante. Elle prit alors son élan et lui envoya son poing sur le nez.

Il ne rentra pas pendant deux jours et pria pour qu'elle ne se pointe pas au Ritz dans cet état d'esprit ; ce serait un désastre pour sa carrière si sa femme arrivait au pas de charge dans les couloirs de l'hôtel en hurlant qu'il était « un salaud de couille molle ». Marie-Louise ne le supporterait pas.

Claude se dit que c'était bien de lui laisser le temps de réfléchir et de se calmer. Mais il s'en voulait presque ; une fois de plus, il avait sous-estimé les différences entre les Américains et les Français. Les Français comprenaient qu'aller occasionnellement voir ailleurs – comme des vacances, pourrait-on dire – était bon pour un couple. C'est tout ; la satisfaction de découvrir d'autres plaisirs de la chair, de temps à autre. Le repos qu'apportait le fait d'être physiquement rassasié, sans attache émotionnelle – c'était important pour un homme responsable d'un ménage. Sa propre mère était au courant des maîtresses qu'avait eues son père au fil des ans ; tout ce qu'elle demandait, comme n'importe quelle femme française raisonnable, était qu'il ne s'affiche pas avec elles, qu'il ne les présente jamais à ses enfants, qu'elles ne lui prennent qu'un minimum de son temps et de son énergie et – le plus important – de son argent. Et si elle-même avait eu des liaisons – ce qui était inimaginable, mais sait-on jamais –, personne n'en avait jamais rien su.

Blanche apprendrait à le comprendre, croyait Claude ; elle apprenait vite. Elle avait donné la preuve qu'elle était devenue experte en l'art de comprendre, et même d'accepter, la plupart des autres habitudes françaises. Claude se dit que quelques jours loin l'un de l'autre suffiraient pour qu'elle accepte la situation.

Toutefois, deux jours plus tard, quand il revint à l'appartement et découvrit que sa garde-robe avait disparu, il s'inquiéta et réagit de manière impensable – il envoya un message *via* le garçon de courses du Ritz à Pearl, qui lui répondit en lui demandant de venir lui rendre visite.

Claude avait supplié Blanche de mettre fin à son amitié avec cette femme. La carrière cinématographique de Pearl n'avait pas décollé en France. Elle en avait été réduite à se produire dans des night-clubs sordides, où elle devait cruellement rejouer certaines de ses scènes de films les plus connues avec de jeunes hommes vêtus seulement d'un cache-sexe. Et récemment, même cette source de revenus s'était tarie.

Un soir, après avoir bu trop de champagne, elle avait débarqué au Ritz pour voir Blanche et avait tenté de s'introduire dans le bar où elle n'avait évidemment pas eu le droit d'entrer. Blanche avait essayé de l'en empêcher mais, ce soir-là, rien n'aurait pu arrêter Pearl ; son étole de fourrure était défraîchie, ses bas étaient filés, son maquillage avait coulé. En la voyant, Blanche avait pleuré. Mais Claude avait pensé que Pearl était responsable de sa propre déchéance. Blanche lui avait alors dit que son amie avait mis au clou presque tout ce qu'elle possédait et qu'elle ne subsistait que grâce à l'argent de ses amants de passage. Blanche trouvait Pearl courageuse.

Claude trouvait cela honteux.

Cette nuit-là, même Blanche fut horrifiée par le comportement de Pearl, qui avait frappé Frank Meier à coups de parapluie. Mais elle avait finalement réussi à amadouer son amie et à la faire sortir pour la mettre dans un taxi. Depuis, Claude ne l'avait pas revue.

Cependant, il fit le long trajet jusque dans le vingtième arrondissement, dans un quartier aux maisons délabrées, maintenant divisées en plusieurs petits appartements. C'était un quartier sans attrait – peu de cafés, pas de restaurants, quelques boutiques dispersées –, peu éclairé. Ce n'était pas un endroit où traîner, encore moins vivre seule.

Pearl avait un appartement sous les toits, et il dut monter six étages. Il espérait, à chaque marche, que Blanche l'attendrait tout en haut de l'escalier.

Ce ne fut pas le cas. En revanche, Pearl était là, vêtue d'un peignoir taché, bordé d'une fourrure maintenant mitée, luisante de graisse. Ses cheveux blonds étaient parsemés de mèches grises ; elle n'était pas maquillée, ce qui, toutefois, adoucissait les traits de son visage. Ses lèvres, dépourvues de rouge criard, étaient d'un rose pâle séduisant. Elle était beaucoup plus jolie que la première fois où Claude l'avait rencontrée ; la souffrance rend certaines femmes plus belles. Il se dit que Pearl était l'une d'elles.

« Salut, Claude », dit-elle en s'écartant pour le laisser entrer. Il chercha Blanche du regard, mais elle n'était pas là.

« Où est-elle ? Où est ma Blanchette ?

– Elle est partie.

– C'est-à-dire ?

– Elle est partie. Elle a disparu. Elle s'est barrée.

– De chez nous ?

– De France.

– Non. »

Les jambes de Claude flageolèrent, il lui fallut s'asseoir, et Pearl se dépêcha d'ôter un négligé déchiré de sur le seul fauteuil de la pièce dans lequel il s'effondra.

« Oui. Imbécile, que croyais-tu qu'elle allait faire ?

– Je croyais, je croyais… c'est ma femme ! Comment peut-elle me faire une chose pareille ?

– Oh, Claude. »

Pearl éclata d'un rire rauque, qui se transforma vite en une toux qui secoua sa cage thoracique et dura si longtemps que Claude s'en inquiéta ; il se rendit à l'évier (la cuisine, le salon et la chambre n'étaient qu'une seule et même pièce), trouva un bocal de confiture qui, de toute évidence, servait de verre, et le remplit d'eau.

« Merci », fit-elle d'une voix rocailleuse. Elle but et éclata de rire à nouveau. « Alors vous les hommes ! *Comment peut-elle me faire une chose pareille ?* Et elle, Claude ? Comment as-tu pu lui faire une chose pareille *à elle* ? Tu ne la connais pas encore ? C'est une petite fille, Claude. Pas aussi aguerrie que toi et moi. Blanche, sous ses apparences, son langage fleuri – cette nénette sait jurer comme un matelot –, n'est qu'une innocente petite écolière, au fond. Tout ce qu'elle fait qui tendrait à prouver le contraire n'est qu'une mascarade. Sacrément bonne, mais rien qu'une mascarade. Elle croit en l'amour, elle croit en la bonté, elle croit probablement encore au Père Noël, pour ce que j'en sais. Et elle croit en toi, pauvre couillon.

– Mais je l'aime – elle peut le comprendre. Je n'aime personne d'autre qu'elle !

– Tu vas voir ailleurs. Et tu le lui dis – espèce d'imbécile, si tu n'avais pas été aussi honnête, tu aurais probablement pu t'en sortir. »

Il n'avait pas pensé à ça. Ne rien dire, être malhonnête, ne pas parler de sa maîtresse ? Une femme – oui, une très belle femme, une femme *discrète* – mais une femme, rien d'autre. Pas une épouse. Il était persuadé qu'il était honnête en le disant à Blanche. Que ces Américains étaient agaçants ! S'il ne lui avait rien dit – s'il lui avait menti –, ils seraient ensemble en train de passer une soirée agréable au Ritz, l'image parfaite du bonheur. En étant honnête avec Blanche, Claude l'avait perdue.

Comment était-ce possible ?

« Où est-elle allée ? »

Il eut le sentiment que Pearl le comprenait – et il savait

qu'il ne méritait pas sa compassion, mais il en était reconnaissant.

« À Londres.

– Londres ?

– J'Ali est là-bas, ajouta Pearl à voix basse.

– Non ! » La colère fit bondir Claude de son fauteuil ; il se cogna la tête au plafond mansardé. « Elle n'est pas retournée avec cet homme-là – il ne l'aime pas. Il ne la respecte pas.

– Je le sais, tu le sais, mais Blanche, elle, ne le sait pas. Elle ne voit pas la différence entre la manière dont J'Ali la traite et la tienne.

– Mais ça n'a rien à voir. Je l'ai épousée.

– Pourquoi ? Je me suis toujours posé la question. Est-ce qu'elle te plaît au moins ? Car je ne peux m'empêcher de penser qu'elle n'est pas du tout ton genre. Tu as besoin d'elle ?

– Je… eh bien… »

Claude se rassit et attrapa le bocal d'eau de Pearl. Il ne s'était jamais posé la question ; ce n'était pas une question que les hommes comme lui se posaient. Les femmes étaient nécessaires, mais ce n'était pas la même chose que prétendre avoir besoin d'elles. Quant à ce que son épouse lui plaise…

Il pensa à la manière qu'avait Blanche de le surprendre, et à toutes ces choses qu'il n'aurait jamais cru désirer jusqu'à ce qu'il la rencontre – les drames, les intrigues. L'excitation. Une nature passionnée qui vous poussait dans vos retranchements, qui refusait de se soumettre.

« Oui, j'ai besoin d'elle, répondit Claude, après avoir réfléchi. J'ai besoin d'elle car sans elle mes journées seraient… ennuyeuses. Pour le moment, je ne peux pas imaginer être avec une autre femme qu'elle. Aucune autre épouse possible.

– Alors, va la retrouver, Claude. Va chercher ton épouse.

– Je ne peux pas. » Claude prit son chapeau pour partir, trop agacé pour rester là sans rien faire – mais trop fier pour traverser la Manche. « Si elle ne peut pas voir la différence – si elle ne peut pas voir que j'ai besoin d'elle, qu'elle seule est mon épouse, et que c'est là la raison pour laquelle je l'ai sauvée de cet homme, afin de lui faire honneur et de l'épouser… alors je ne peux pas l'obliger à le comprendre. Je ne l'y obligerai d'ailleurs pas. Ce n'est pas mon rôle.

– Dans ce cas, tu la perdras. » Pearl secoua la tête et – le surprenant – embrassa Claude sur la joue.

De nouveau, contre toute attente, il sentit chez elle de la sympathie à son égard.

« Je ne peux pas le croire. » Face à la gentillesse de Pearl, Claude, surpris, sentit les larmes lui monter aux yeux. Peut-être l'avait-il jugée trop rapidement par le passé. « Évite les ennuis, Pearl. Blanche se fait du souci pour toi.

– Blanche se fait du souci pour tout le monde. Tu sais ce que cette folle a fait ? Elle a mis au clou certains de ses bijoux afin que je puisse payer mon loyer.

– Vraiment ? »

Et, de nouveau, Claude eut les larmes aux yeux, stupéfait. Il avait tendance à croire que les femmes entre elles se comportaient comme des ennemies, rivalisant sans cesse pour avoir les plus beaux vêtements, les plus beaux bijoux, et pour attirer l'attention. *Les hommes*. Qu'elles puissent être aussi généreuses et solidaires était une révélation de plus dans une journée déjà pleine de surprises. Et, soudain, Claude eut très envie d'un bon verre de porto et d'un ami à qui parler.

Mais Blanche était cet ami-là – une autre révélation surprenante. Claude se rendit compte que, depuis le début de leur mariage, une période encore assez courte, il n'avait pas partagé une seule fois un verre de porto avec un ami ou un collègue comme il avait l'habitude de le faire avant de la rencontrer. Désormais, chaque fois qu'il avait un problème, ou qu'il avait eu une mauvaise journée, ou encore qu'il avait juste envie de rire de ses semblables, il se tournait vers elle.

« Où loge-t-elle à Londres ? » demanda Claude à Pearl avant qu'elle n'eût le temps de refermer la porte derrière lui.

« À ton avis ? répondit-elle en riant.

– Oh ! » Et, malgré ses tourments, Claude rit, lui aussi. « Évidemment. »

Il souhaita une bonne nuit à Pearl – après lui avoir glissé dans la main l'argent qu'il avait sur lui. Elle fourra les billets entre ses seins et sourit – un sourire de fantôme, celui qu'il avait vu la première fois à la réception de l'hôtel Claridge, quand il avait rencontré la gente damoiselle qu'il savait devoir sauver.

Claude sourit en retour. Car tout n'était pas perdu, après tout. Même si Blanche pouvait fuir loin de *lui*, il y avait une chose qu'elle aimait et à laquelle elle ne pouvait pas tourner le dos.

Le Ritz.

9

Blanche

Printemps 1941

Alors que tout le monde au Ritz, les nazis comme les civils, s'habille, boit et colporte des ragots comme au bon vieux temps, avant de se retirer la nuit dans le cocon de leur chambre, se glissant dans des draps propres qui commencent peut-être à s'user, mais que les couturières de l'hôtel raccommodent avec des points si fins qu'on le remarque à peine, regarder par les fenêtres aux vitres étincelantes de l'hôtel et voir certaines familles chassées de chez elles fait peur à Blanche. Car de nouvelles lois, de nouveaux décrets ont été votés à Vichy qui obéit aux ordres venus de Berlin : tous les Juifs doivent être recensés ; ils sont exclus de la fonction publique et il leur est interdit d'exercer certaines professions libérales ou commerciales. Leurs logements – dont les biens, les tableaux, sculptures, tapis, sont confisqués et entreposés dans des boutiques vides pour être consciencieusement répertoriés par des secrétaires ou des conservateurs de musée nazis – ont été réquisitionnés ; et des familles entières se retrouvent à la rue.

Et Blanche les connaît car, pour la plupart, tous venaient au bar ou au restaurant du Ritz, même si le Ritz avait toujours *discrètement*, comme le dit Claude, respecté les quotas de Juifs tacitement imposés. (« Nous devons toujours nous assurer que notre clientèle se sente chez elle, Blanche. Les Rothschild sont les bienvenus ; d'ailleurs, ils ont investi dans le Ritz. Il y a Juifs et *Juifs*. Et tu le sais très bien car vous, les Américains, vous n'êtes pas loin de penser la même chose que nous. » Il a raison bien sûr. C'est la même chose à New York, où l'on acceptait bien plus facilement les Guggenheim que les Goldberg.)

En chemin, pour aller boire un thé avec une duchesse ou simplement pour prendre l'air, car même l'atmosphère du Ritz se fait étouffante ces derniers temps – l'air y étant saturé d'accents allemands –, Blanche en croise de plus en plus. Peut-être même qu'elle dévie de son trajet initial pour partir à leur recherche : papa, coiffé d'un feutre élégant et vêtu d'un pardessus, assis au bord du trottoir, désemparé, tandis que maman dans un manteau de fourrure, maquillée d'un fier trait de rouge à lèvres – toujours un fier trait de rouge à lèvres et un foulard en soie élégamment noué, une allure tellement française, encore maintenant –, rassemble ses enfants comme de petits poussins et part frapper aux portes ou appeler des membres de leur famille depuis des téléphones publics. Et essayer d'envisager l'avenir.

Pourquoi Blanche les appelle-t-elle ainsi ? Maman et papa ? Elle le fait chaque fois, en pensée, et du fond du cœur, quand elle rencontre ces familles jetées à la rue. Pourquoi, quand elle passe devant ces gens, s'arrête-t-elle pour leur glisser de l'argent dans la main ? Quand elle se promène, quelle que soit sa destination, alors qu'elle est libre de bouger, de se déplacer, de rentrer chez elle, elle reconnaît quelque chose de familier dans leurs visages, comme un souvenir. À moins que ce ne soit un cauchemar ? Quelqu'un qu'elle aurait vu sur une photo ancienne, peut-être. Ou un visage évoqué au cours d'histoires entendues dans son enfance.

Dans ces visages venus d'ailleurs – pour la plupart des visages étrangers, ceux de Juifs arrivés à Paris au cours de la dernière décennie pour fuir l'Allemagne et l'Autriche –, c'est aussi Lily qu'elle voit.

Ça faisait presque quatre ans qu'elle avait rencontré Lily pour la première fois. Quand elle avait fui Claude, une fois de plus.

C'était devenu leur mode de fonctionnement, un jeu entre eux. Claude avait continué à découcher le jeudi soir, et ils se disputaient ; il n'arrivait pas à comprendre à quel point c'était humiliant pour elle et pourquoi elle y attachait tellement d'importance. Alors, Blanche partait pour quelques jours puis revenait – ou, parfois, il venait la chercher, pour éprouver le frisson romantique que lui procurait cette aventure. Pendant quelques mois, ils vivaient une paix fragile, sans que les nuits du jeudi ne provoquent de drame. Puis ça recommençait. Ça recommençait toujours.

Et ce fut au cours de l'une de ces… *escapades*… que Blanche rencontra Lily pour la première fois.

« Rappelle-moi où tu vas, Blanche ?

– Je rentre chez moi, à Paris.

– Paris. »

Debout à côté de Blanche, ce petit bout de femme – elle avait l'air d'une fillette mais parlait comme un marin en bordée qui maîtrise mal l'anglais – hocha la tête. Toutes deux s'appuyaient au bastingage du paquebot et regardaient l'écume que le bateau, dans sa traversée de la Méditerranée, laissait dans son sillage.

« Moi aussi, dit-elle, sur un ton décidé. Je vais avec toi. J'ai toujours voulu voir Paris. »

Elle s'appelait Lily, avait-elle dit. Lily Kharmayeff. Quand Blanche lui avait demandé si elle était russe, elle avait répondu d'un simple haussement d'épaules. Quand Blanche lui avait alors demandé si elle était roumaine, elle avait répondu, là encore, d'un simple haussement d'épaules. Et quand Blanche lui avait finalement demandé d'où elle venait, elle s'était, là aussi, contentée de hausser les épaules.

« Paris est fait pour toi, lui dit Blanche avec un rire narquois.

– Pourquoi, Blanche ?

– Tu as un don pour hausser les épaules. »

Et Blanche, à son tour, haussa les épaules pour expliquer. Ravie, Lily rit et applaudit. Les gens autour les regardaient, mais Blanche y était maintenant habituée. Les gens avaient tendance à regarder Lily avec insistance.

Ce n'était pas seulement parce qu'elle était petite, nerveuse, encline à taper sur l'épaule d'un parfait étranger pour lui poser des questions très personnelles. (C'est d'ailleurs ainsi qu'elle avait rencontré Blanche.) Ce n'était pas non plus seulement parce qu'elle s'habillait comme une orpheline qui aurait fouillé dans un sac de costumes de cirque dont on se serait débarrassé – aujourd'hui, ses cheveux bruns, très courts, coupés au carré, étaient coiffés d'un béret rouge, et elle portait un pull vert émeraude brodé de strass et troué aux manches, une jupe-crayon noire, des gants jaunes et des chaussures plates violettes, la semelle droite décollée. Ses bas noirs étaient neufs mais, trop grands, ils plissaient aux genoux. Elle n'était pas maquillée, et, avec ses joues et son nez pailletés de taches de rousseur, elle avait l'air d'un lutin.

Pourtant, il y avait quelque chose en elle qui vous incitait à vous demander d'où elle venait et où elle allait. Ce qu'elle avait vu – et ce qu'elle avait oublié. Elle ne cessait de jeter des regards furtifs autour d'elle, aux aguets, méfiante. On aurait dit qu'elle savait exactement où se trouvait la sortie dans chaque pièce, où étaient les fenêtres et les endroits où elle pourrait se cacher – ce qui mettait Blanche mal à l'aise.

« Pourquoi tu es si triste, Blanche ? lui demanda Lily en lui donnant un coup de coude. Tu n'as donc pas envie de rentrer chez toi ? »

Blanche lui jeta un regard aiguisé. Elles avaient fait connaissance quarante-huit heures plus tôt, quand Lily s'était assise à côté de Blanche au bar du paquebot et lui avait demandé pourquoi elle portait une robe pareille, dont la couleur ne la flattait absolument pas alors qu'elle aurait été parfaite pour elle, Lily. En deux jours, elles avaient bu l'apéritif en compagnie de deux légionnaires français mielleux qui avaient fini par rouler sous la table, ivres morts ; elles avaient joué au palet avec leurs pieds au lieu de leurs mains ; elles s'étaient mises au défi d'avoir une véritable conversation avec un parfait (ou une parfaite) inconnu(e) après lui avoir demandé quelle était sa position sexuelle préférée, et celle qui irait le plus loin aurait droit à une bouteille de champagne (Lily remporta la compétition) ; elles avaient gagné une coupe de l'amitié dans un concours de rumba (Blanche menait, Lily suivait) ; et avaient improvisé une fête dans l'un des canots de sauvetage, n'y invitant que les hommes qui portaient des monocles (et qui se révélèrent plus nombreux qu'elles ne l'auraient pensé).

Au cours de ces dernières quarante-huit heures, Blanche n'avait jamais autant ri. Pas depuis longtemps, pas depuis le bon vieux temps avec Pearl. Alors pour quelle raison Lily Kharmayeff lui demandait pourquoi elle était triste ?

« Je ne suis pas triste.

– Bien sûr que si ! Chaque fois que tu regardes la mer,

une ombre passe, ton visage change, il glisse vers le bas. Comme ça. » Et Lily prend un air triste. « Tu ne ferais pas un bon espion, Blanche. Ni un bon joueur de poker.

– On me l'a déjà dit.

– Alors, raconte-moi. »

Et Blanche ne se fit pas prier. Debout contre le bastingage, face aux embruns, elle prit conscience qu'elle n'avait pas eu d'autre amie proche que Pearl depuis longtemps. Et Pearl, Pearl devenue si triste, était en train de mourir, incapable désormais de penser ou de parler de manière cohérente. Pearl était en train de mourir malgré tous les efforts de Blanche pour la sauver ; peut-être était-elle d'ailleurs en train de mourir pour épargner à Blanche des années d'efforts désespérés. Et Blanche n'avait jamais été proche de ses sœurs dont, de toute façon, elle était séparée par un océan.

Claude, se dit-elle, était probablement son plus proche ami ; l'ironie de la chose ne lui échappait pas. Car c'était à cause de lui si elle ne s'était pas fait de nouvelles amies depuis si longtemps. Parce que chaque fois qu'elle rencontrait une femme, elle ne pouvait s'empêcher de se demander : est-ce *elle* ? Cette femme si charmante qui s'assied à côté d'elle dans le salon de thé du Ritz, et qui évoque à quel point les gants sont devenus chers depuis quelque temps, avant de lui demander quel parfum elle porte, est-elle la maîtresse de Claude ? Chaque femme aux dents parfaites et de moins de cinquante ans était suspecte. À cause de Claude, Blanche était désormais incapable de faire confiance à une femme.

Pour ce qui était de ses copains au Ritz… Blanche connaissait certes des tas de gens, des compagnons de beuveries. Des gens célèbres, adulés – Hemingway, Fitzgerald, Porter, Picasso, des stars de cinéma. Mais ce n'étaient pas des amis ; elle ne pouvait pas leur déballer ses peines de cœur comme ils le faisaient avec elle, car elle ne s'attendait pas à ce qu'ils la comprennent – c'étaient des hommes. Ils se rangeraient, sans aucun doute, aux côtés de Claude. Ils ne pensaient probablement à Blanche qu'au moment de pénétrer à l'intérieur des murs si élégamment tapissés du Ritz, où elle faisait partie des meubles, aussi immuable et décorative – rien de plus – que l'immense fresque représentant une scène de chasse derrière le bar. Hors de ce lieu enchanté, pour eux, Blanche n'existait pas – et parfois, elle se demandait si le contraire était vrai aussi.

Face à cette étrangère aux grands yeux curieux, insatiables (presque affamés), Blanche se rendit compte qu'une amitié féminine lui manquait. Quelqu'un avec qui essayer des vêtements, avec qui mentir sur sa silhouette, son visage, sa capacité à parer les ravages du temps. Quelqu'un sur qui compter pour vous soutenir sans condition, quelqu'un qui écouterait et comprendrait sans tirer de conclusions. Une femme qui aurait, elle aussi, été humiliée par un homme.

Et donc Blanche s'entendit révéler à cette Lily Kharmayeff pourquoi, en effet, elle était si triste.

« C'est juste que… mon mari et moi… nous, notre mariage, c'est compliqué. D'une part, nous n'avons pas d'enfants. » Dans l'attente d'une réaction de la part de Lily, Blanche retint sa respiration. C'était une confidence si importante. Ce n'était pas quelque chose dont elle parlait – surtout avec Claude. Oh, c'était toujours là, comme en suspens dans les airs, pesant sur chacune de leurs conversations, même au cours d'échanges banals comme en avaient les couples mariés au petit déjeuner, tels que : « Avons-nous encore suffisamment de lait ? » ou : « Je crois que je vais acheter de nouvelles serviettes de bain aujourd'hui. »

Que l'absence d'une – ou de plusieurs – de ces minuscules créatures, sans défense, puisse ajouter un poids à tout ce qu'elle faisait ou disait la déconcertait énormément.

« Ah », fit Lily en hochant la tête sagement. Comme si de parfaites inconnues lui racontaient ça tous les jours.

« D'autre part, ce salaud me trompe, et je bois trop, surtout ces derniers temps. On dirait que… c'est comme si nous nous décevions l'un l'autre. Trop facilement. Trop souvent. Nous ne sommes pas qui nous pensions être à l'époque quand… enfin, tu sais comment c'est. Nous ne sommes tout simplement pas qui nous pensions être. Tu as des enfants ? » La veille au soir, Blanche avait demandé à Lily si elle était mariée. Mais la vie privée de Lily restait floue, comme si elle avait l'habitude de ne pas trop en dire quand on lui posait des questions. Comme si elle avait l'habitude qu'on lui pose des questions, ou d'être interrogée, en fait. Blanche s'était dit qu'elle devait être mariée, elle aussi ; et que, actuellement, elle donnait à son mari une « bonne leçon ».

Comme c'était le cas pour elle.

« Oh, non. Non. » Lily secoua vigoureusement la tête. « Non, avec le genre de vie que je mène, ce n'est pas possible.

– Quel genre de vie ?

– Je t'en parlerai, Blanche. Je te raconterai tout. Mais pas avant que nous ayons parlé de *toi.* »

Blanche sourit ; elle avait presque réussi à inverser les rôles, mais seulement presque. Avec n'importe laquelle de ses autres connaissances – les hommes et femmes du monde, les artistes, les alcooliques, tous également sensibles à la flatterie, elle aurait réussi.

« Très bien. Nous ne pouvons pas avoir d'enfants, j'imagine. Je suis allée voir des médecins, il y a un problème avec ma tuyauterie. Claude n'est pas au courant.

– Claude, c'est ton homme ?

– Oui. Mon époux – je t'en ai parlé hier soir. Peut-être que lui aussi a un problème de plomberie ; je ne sais pas s'il a eu des enfants avec d'autres femmes. Je ne pourrai jamais lui poser la question. »

Cette peur, plus que toutes les autres, la rendait incapable d'aborder ce sujet avec Claude. Mais s'il avait un enfant avec l'une de ses maîtresses, Blanche ne pourrait pas le supporter ; chaque fois qu'elle rentrait le retrouver, elle ne pouvait jamais s'empêcher d'espérer qu'il changerait – bon sang ! elle était si naïve parfois. « Je ne suis pas certaine qu'il veuille des enfants. Et, pour être honnête, je ne suis pas certaine d'en vouloir moi non plus, sauf que j'ai l'impression qu'il nous manque quelque chose. Comme si... c'était ce qu'il avait attendu de moi, une famille, pour se prouver qu'il était un homme, un vrai. Alors que je ne lui ai jamais, pas une seule fois, laissé entendre que c'était ce que je voulais, parce que je *ne savais pas* ce que je voulais. Oh, nous menons la belle vie – il faut que tu viennes nous voir au Ritz –, mais c'est une vie différente de celle de la plupart des autres couples mariés. Il est vrai que nous sommes différents, nous avons commencé en croyant que nous étions tellement, tellement...

– Spéciaux ?

– Oui, c'est exactement ça – nous avons vécu des débuts grandioses, nous étions pleins de fougue. Tout ça pour finir comme ça. Quel que soit ce *ça*. »

Le regard de Blanche se perdit au loin, comme si la surface tranquille de la mer, qui lui renvoyait son reflet, pouvait lui expliquer ce qu'était ce *ça*.

« Je me sens seule et je suis en colère, il me déçoit tout autant que je le déçois. Et je suis incapable, malgré tous mes efforts, de savoir comment résoudre ce problème. Peut-être est-ce tout simplement impossible. Oui, je suis comme prise au piège, obligée de rester avec lui car je n'ai nulle part ailleurs où aller. J'adore Paris. Je ne pourrai jamais rentrer chez moi.

– C'est où, chez toi ?

– En Amérique. Je n'ai pas vu ma famille depuis des lustres. »

Blanche y était retournée quelques années après son mariage, à l'occasion de l'une de ses fréquentes escapades pour punir Claude. Elle était évidemment descendue au Ritz, dans Manhattan, et avait invité toute sa famille à dîner au restaurant de l'hôtel et leur avait dévoilé les coulisses des lieux. Elle leur avait même réservé une suite pour une nuit, fière de leur montrer ce à quoi elle était habituée à Paris. Mais la famille de Blanche – surtout ses parents – avait été mal à l'aise, sans compter que tout le monde désapprouvait qu'elle voyage seule, sans son mari. Ce ne fut pas une visite réussie. La seule chose qu'elle avait en commun avec sa famille, se rendit compte Blanche avec une telle tristesse qu'elle en oublia temporairement son mariage, c'était le passé. Et le passé était la raison même pour laquelle elle avait quitté New York.

« Alors de quoi vous parlez avec ton mari, si vous ne parlez pas d'enfants ?

– De son travail. Essentiellement. Le Ritz. Les gens qui y résident… ils sont en quelque sorte devenus notre famille. Ou, plus exactement, ils occupent l'espace que les enfants occuperaient, j'imagine. Cet espace entre nous – quelque chose qui nous sépare mais, quand tu y réfléchis, il n'y a là que du vide. Est-ce que tu comprends ? »

Blanche regarda sa nouvelle amie, qui hochait la tête avec enthousiasme à tout ce qu'elle disait – même si Blanche était loin d'être certaine que Lily comprenait, étant donné son mauvais anglais.

Mais peu importait ; Blanche avait besoin de vider son sac à quelqu'un, mais pas à Claude.

À une femme.

« Oui, oui. Je comprends. Vous avez besoin d'une cause à défendre, ton mari et toi. Vous en avez une ? Une chose pour laquelle vous battre, ensemble ?

– Quoi ?

– Pour ma part, je ne crois pas qu'avoir des enfants est important. Surtout à notre époque. Nous sommes en danger, Blanche, partout. Des gens mauvais. Mais toi et ton homme, vous devez avoir quelque chose à défendre, une chose pour laquelle se battre, comme la vie d'un enfant, sa sécurité. Quelle est ta raison de vivre, Blanche ?

– Je… je ne sais pas. »

Blanche s'agrippa au bastingage. Cette créature la faisait redescendre sur terre. Personne ne lui avait jamais posé cette question, et elle ne se l'était jamais posée.

« Le plaisir, peut-être ? » Les yeux sombres de Lily fouillaient ceux de Blanche, creusant, voyant tout. « S'amuser… c'est ça, ta raison de vivre ? Boire, rire et danser ?

– Eh bien… oui. Et toi, ça ne te plaît pas ? Hier soir, quand tu as fait une partie de bras de fer avec cette chanteuse sentimentale… ?

– Ah… » Lily se retourna pour cracher par-dessus le bastingage. Blanche n'avait jamais vu une femme faire ça. Elle en fut vraiment impressionnée. « Oui, c'était amusant. C'est sûr. » Et, de nouveau, ce haussement d'épaules si mystérieux, si européen. « Mais ce n'est pas une raison de vivre, Blanche. Dans la vie, s'amuser ne suffit pas, tu ne crois pas ?

– Lily. Dieu, la famille et les traditions avant tout ; c'est ce qu'on m'a appris. Les convenances. La modestie. L'obéissance. Mais ça n'a jamais marché avec moi, et c'est pour ça que je me suis enfuie, avant d'être sauvée par un petit directeur d'hôtel qui n'a pas su quoi faire de moi après m'avoir conquise – pas plus que je n'ai su quoi faire après avoir été conquise –, et j'ai donc passé ces dix dernières années, plus ou moins, à m'amuser autant que possible. À m'amuser comme je n'en avais jamais eu le droit étant enfant.

– Il est peut-être temps de grandir, maintenant, Blanche ? Tu ne crois pas ? Mais je n'ai peut-être pas à te dire ça. »

Lily baissa les yeux sur ses drôles de chaussures et elle fronça les sourcils. Pour la première fois depuis qu'elles se connaissaient, elle eut l'air d'avoir peur d'avoir offensé Blanche.

Blanche inspira un grand coup et agrippa plus fermement encore le bastingage. Elle posa alors son regard au loin, sur l'eau miroitante, sur le ciel de la Méditerranée d'un bleu délavé – sans aucune côte en vue, sans un port où il serait tentant de jouer au casino, d'y explorer les yachts somptueux et leurs terrains de jeux pour gens riches et célèbres ; rien que l'eau, l'horizon, les nuages, et cette étrange petite créature debout à ses côtés. Alors, elle fut forcée d'admettre que oui, peut-être il était temps.

Il était temps de grandir. Mais comment ? Et grandir signifiait-il quitter Claude pour de bon ? Se débrouiller toute seule, sans être, pour la première de fois de sa vie, entretenue par un homme ?

À moins que grandir ne signifiât obliger Claude à la considérer comme une femme et non comme une simple abstraction ?

« Qu'est-ce que tu vas faire Lily, une fois arrivée en France ? Est-ce que quelqu'un t'attend ? »

De nouveau, rien qu'un haussement d'épaules. « C'est

peut-être l'endroit où accrocher mon chapeau. » Elle regarda Blanche d'un air interrogateur. Et Blanche éclata de rire.

« On dit "poser mes valises". »

Lily éclata de rire, elle aussi – de petits éclats de ravissement –, et tapa dans ses mains. « C'est ça, où poser mes valises. Ça me plaît.

– Juste poser tes valises ? Ce n'est donc que pour un temps. Tu penses que tu iras ailleurs ?

– J'attendrai Robert. C'est mon homme, comme Claude pour toi. Et nous réfléchirons à l'avenir. Je pense qu'il va y avoir une guerre. Ces foutus fascistes, Blanche. Il faut les arrêter ! Ça va mal en Espagne, très mal, en ce moment.

– Tu es donc espagnole ?

– Non.

– Alors, qu'est-ce que ça peut te faire ? En plus, tu es une femme, tu ne peux pas te battre. À quoi ça servirait ?

– Tu crois ça ? » Lily lui jeta un coup d'œil perçant, et un soupçon de déception assombrit son regard. « Tu penses que les femmes sont incapables de changer le monde ?

– Non. Mais… Lily, si c'est la guerre ! Que peuvent faire les femmes ?

– Dans le monde qui est le tien, celui du Ritz, rien, peut-être. Mais dans mon monde à moi, beaucoup. On va bientôt être en guerre. Et pas seulement en Espagne. Et les femmes seront impliquées. Les enfants aussi.

– C'est possible. Mais, honnêtement, je ne vois pas ce que, personnellement, je peux faire.

– Ton pays, la France, sera aussi en guerre. Cette guerre qui nous guette.

– Lily. On a déjà connu une guerre mondiale, et la France est le pays qui a le plus souffert. Claude y a participé. Ça ne se reproduira plus. Crois-moi.

– Si tu le dis. » Lily haussa les épaules. Elle tripotait l'ourlet de sa jupe, et quand Blanche vit qu'il était défait, elle se fit la réflexion qu'il fallait qu'elle le donne à recoudre. « Mais je n'en mettrais pas ma main à couper.

– Alors pourquoi aller à Paris poser tes valises ?

– Parce qu'il faut que je trouve de l'argent avant de partir en Espagne pour me battre aux côtés des loyalistes – dans le camp des républicains –, comme je te l'ai dit. Nous avons besoin de denrées, d'armes – peut-être que tu m'aideras, hein, Blanche ? Tu es riche, non ?

– Lily ! » Confrontée au culot de sa nouvelle amie, elle resta bouche bée. « Ça ne se fait pas de poser cette question ! »

Lily fronça le nez. « Mais moi, je la pose. C'est le seul moyen de savoir.

– J'imagine.

– En plus, nous connaissons des gens en France qui sont prêts à partir avec nous en Espagne. Hé, pourquoi pas toi, Blanche ? Tu dis que tu ne sais pas quoi faire… viens avec moi en Espagne ! Ça lui servira de leçon, à ton homme !

– Lily ! » Devant l'absurdité de la proposition de Lily, Blanche éclata de rire – elle, Blanche Auzello, la Dame du Ritz, dégoupillant des grenades et rampant pour échapper au feu de la bataille ! Qui diable – *que* diable – était cette étrange créature pour lui faire une telle proposition ? « Je crois que je vais décliner cette offre.

– D'accord. Mais tu peux m'aider à récolter de l'argent. Tu sais, je t'aime bien, Blanche. Je t'aime beaucoup même. Et pas seulement pour l'argent, même si ça compte aussi. Mais pour qui tu es. Tu es bien avec moi, Blanche. Je crois que tu as besoin de moi. »

Lily eut l'air d'être surprise par ses propres propos ; elle secoua la tête, se frotta le front juste au-dessus de l'œil gauche, comme si elle avait des maux de tête. Elle fit alors quelque chose d'insensé. Elle éclata de rire, se mit sur la pointe des pieds, prit le visage de Blanche dans ses mains et l'embrassa sur la bouche.

Puis, avec un petit soupir de satisfaction, elle recula, en appui sur ses talons. Tête penchée, elle regarda Blanche droit dans les yeux – comme pour la mettre à l'épreuve, pensa Blanche en portant la main à ses lèvres tant elle était stupéfaite. Elle fut alors submergée par une bouffée de chaleur et sut que ses joues devaient être écarlates. Elle frémit comme si elle était secouée par une rafale de vent. Aucune femme ne l'avait jamais embrassée auparavant.

« Lily ! Je... pourquoi as-tu...

– J'en avais envie. » Elle haussa les épaules comme elle savait si bien le faire. « Tu es si belle, Blanche. Si triste. J'ai pensé que je pouvais te remonter le moral.

– Mais... Lily, je ne suis pas... »

Blanche savait que des femmes pouvaient aimer d'autres femmes, bien sûr – elle avait fait du cinéma, même si ç'avait été pendant peu de temps. Elle vivait à Paris, merde ! Il y avait des clubs exprès pour ça. On disait même que Chanel en était quand ça lui chantait, et aussi Joséphine Baker. Et, pour ce qui était des hommes, il y avait Cole Porter, par exemple, même s'il était marié à Linda. Blanche n'était pas prude, mais jusqu'à maintenant rien ne l'avait préparée à ça.

« Tu n'es pas quoi ?

– Euh... eh bien, je suis mariée, Lily.

– Et alors ? Moi aussi, j'ai un homme dans ma vie. Robert. Je t'en ai parlé. Je te le présenterai.

– Et je, eh bien, je n'ai jamais...

– Blanche, Blanche. » Lily se mit à rire, doucement. Pour autant, Blanche n'eut pas le sentiment qu'elle se moquait d'elle ; elle lui en fut d'ailleurs reconnaissante. « Blanche, ne t'en fais pas. J'en avais juste envie. J'aime aussi les hommes. Je t'aime. J'aime beaucoup de choses, beaucoup de gens. Un baiser… c'est quoi ? Quelque chose de normal entre deux personnes qui s'aiment. »

Et ce fut au tour de Blanche de rire ; Lily ressemblait beaucoup à Claude quand il parlait de ses jeudis soir et qu'il expliquait en quoi c'était normal.

« D'accord. Je t'aime aussi, Lily. Beaucoup. » *Mais pas comme ça.*

Lily hocha la tête et, après un long moment de réflexion, glissa sa petite main dans celle de Blanche, retenant son souffle comme si elle craignait que Blanche s'éloigne. Et ce geste hésitant, timide, transforma cette créature si puissamment sexuelle – que Blanche, quelques instants plus tôt, imaginait pleine de hardiesse, armée et capable de descendre un régiment entier de fascistes – en une orpheline, une gosse des rues. Une enfant ayant besoin d'être protégée.

« Tu es mon amie, Blanche. »

Blanche ne sut pas quoi répondre, elle ne sut pas comment réagir. En seulement quelques secondes, Lily avait déclenché tant d'émotions déconcertantes en elle qu'elle restait sans voix. Claude n'en serait-il pas amusé ? pensa-t-elle.

« Merci. Et toi aussi, tu es mon amie », murmura Blanche, d'une voix si basse, étouffée par le bruit de l'eau, des conversations et des rires autour d'elles, qu'elle ne fut pas sûre d'avoir été entendue. Mais comme Lily serrait de nouveau sa main, elle sut que oui.

« Tu as besoin de moi, Blanche », déclara Lily avec ce vague accent chantant d'Europe de l'Est qui était le sien. « Tu as besoin de moi pour t'expliquer le monde dans lequel nous vivons – le monde qui n'est pas celui du Ritz. Tu es comme un ballon.

– Quoi ?

– Un ballon. Qui flotte dans le ciel, tu comprends ? Tu pourrais disparaître… juste comme ça ! »

Lily se mit à battre des bras – elle fit de grands moulinets – et commença à danser. Et le pont du bateau résonna sous les talons de ses tout petits souliers ridicules. Elle roulait des hanches, riant, faisant le pitre.

« Je t'empêche de t'envoler, pour que tu restes sur terre, lança-t-elle par-dessus son épaule. Et toi, tu m'empêches de faire trop de choses folles. On s'entraide, quoi ! »

Blanche éclata de rire, même si la vérité tranchante contenue dans les propos hachés de la jeune femme l'avait clouée sur place, incapable de se détacher du bastingage. En effet, depuis quelque temps, qu'était-elle d'autre qu'un ballon flottant ici et là, laissant la colère, le désœuvrement, les commérages, les jolies robes, les repas fins, les boissons corsées, les caprices tirer chaque jour sur sa ficelle – sans parler de la déception qu'elle éprouvait en se rendant compte que, finalement, sa vie ne s'était pas transformée en un drame grandiose et héroïque, Ritz ou pas Ritz.

Blanche n'était pas suffisamment égoïste pour rendre Claude – et ses absences du jeudi soir – seul responsable de cet état de flottement. Pas plus que le manque d'enfant qu'elle n'était même pas sûre de souhaiter avoir. Pour autant, elle ne savait pas comment s'en sortir et redonner un sens à sa vie – pour agir et non réagir.

Jusqu'à cet instant – peut-être.

« Viens me voir au Ritz. Après-demain », lança Blanche à Lily qui, bras dessus bras dessous avec de parfaits inconnus, les entraînait dans sa danse. Et bientôt, une chenille improvisée zigzaguait en faisant le tour du pont.

Lily attrapa Blanche pour qu'elle se joigne aux danseurs. « Viens prendre le thé. Je veux te présenter à Claude. Je veux que tu rencontres tous mes amis.

– Évidemment », répondit Lily. Comme si cette invitation allait de soi et que c'est tout ce qu'elle avait espéré. « Je parie que tu as des amis riches ! Ils pourraient m'aider, eux aussi. Mais pour le moment, oublie-les et danse, Blanche. Danse pendant que tu le peux encore ! Ça ne durera pas. Ça ne dure jamais. »

Toutefois, elle évoqua cette inévitabilité de la fin – la dernière note de trompette, le dernier tour de valse –, sur un ton si joyeux, riant de sa propre blague, que Blanche rit aussi et se laissa entraîner. Tous dansaient pour le seul plaisir d'avancer sans relâche au milieu de l'océan, oublieux de tous les autres bateaux au milieu des flots.

10

Claude

1938

Jusqu'à ce que le géant se réveille…

Il est vrai que le Ritz, au cours de sa célèbre histoire, avait accueilli des personnages peu recommandables. Mais n'était-ce pas le cas de tous les hôtels ? Claude en fit l'expérience malheureuse quand certains des clients se permettaient des choses qu'ils n'auraient jamais osé faire chez eux. La matrone qui gardait propre sa maison comme aucune autre femme dans son quartier n'avait aucun scrupule à laisser traîner ses serviettes de toilette et sa lingerie sale par terre dans sa chambre d'hôtel. Des gens qui suivaient un régime strict à la lettre perdaient toute retenue et commandaient tous les gâteaux disponibles en cuisine. Certains de ceux qui se levaient habituellement à l'aube se retrouvaient à dormir jusqu'à midi dans le moelleux inhabituel d'un lit dont les draps étaient fabriqués dans les tissus les plus délicats.

Il n'était donc pas surprenant d'avoir affaire à des choses inconvenantes, même au Ritz. Ainsi le baron mort d'une crise cardiaque dans le lit de sa maîtresse pendant que sa femme, ignorant tout, dormait dans leur suite, juste à côté. Les suicides : il y en eut plus d'un ; le plus célèbre étant celui d'Olive Thomas, actrice du cinéma muet et épouse de Jack Pickford, le frère de la célèbre

Mary Pickford. C'était en 1920, avant que Claude ne dirige le Ritz ; pour autant, il savait tout ça. La pauvre âme tourmentée avait avalé du chlorure de mercure, c'est ce qu'on racontait, car son époux lui avait refilé la syphilis. Monsieur Rey dut la faire disparaître rapidement afin qu'aucun des clients ne s'aperçoive de rien. C'est donc par les cuisines qu'on sortit le corps de la pauvre fille, enveloppé dans une couverture.

Le Ritz, donc, avait déjà eu son compte de personnages louches. Mais rien n'avait préparé Claude à ce changement brutal de clientèle que commença à connaître le Ritz dès la fin de l'année 1937.

La raison en fut d'abord la guerre civile en Espagne. Soudain, on ne parlait plus que de ça au bar de l'hôtel, et beaucoup d'habitués partirent, les uns pour revêtir l'uniforme, d'autres au titre de correspondants de guerre. Hemingway, tout particulièrement, déclara haut et fort que c'était là une occasion unique ; certains disaient qu'il s'était engagé aux côtés des loyalistes, mais Claude eut des doutes et pensa plutôt qu'il se contenterait de jouer le rôle de l'ivrogne qui observe les choses de loin – même si, comme d'autres l'affirmaient, il savait écrire. Claude, lui, n'en savait rien – il avait déjà assez à lire avec la littérature française pour occuper ses rares moments de loisirs.

Pendant que la guerre faisait rage, toutes sortes de gens fuyaient et débarquaient à Paris, et ailleurs en France. À la frontière espagnole, le pays était envahi de réfugiés, pour la plupart des paysans. Mais certains personnages douteux finirent au Ritz : des agents des deux bords qui essayaient de se procurer de l'argent, des armes, de l'aide.

Tandis que la guerre se poursuivait et que les forces aériennes allemandes se révélaient dans toute leur puissance, bombardant aussi bien des civils que des soldats, d'autres arrivèrent au Ritz – avec cet accent allemand détesté, et affublés du brassard rouge du parti nazi, pleins d'arrogance avec leurs bottes noires outrageusement cirées et leurs médailles étincelantes.

À l'arrivée des Allemands, les Américains partirent. Comme des rats qui quittent le navire, ils disparurent. Tous. En une nuit, aurait-on dit, les amis de Blanche – écrivains, artistes, musiciens – s'étaient envolés. Des dilettantes de la vie, ne pouvait s'empêcher de penser Claude. Mais ils furent remplacés par des hôtes tout aussi superficiels – des Européens désespérés qui s'offraient leurs dernières réjouissances à Paris, dansant comme des sauvages, ignorant ce qui se passait ailleurs : les réfugiés espagnols qui mouraient de faim, obligés de vivre dans des camps exposés aux éléments près de la frontière ; les dépêches qui faisaient le décompte des civils bombardés, les photos où Hitler et Mussolini se serraient la main en souriant et la foule de chemises brunes levant le bras en un affreux salut.

Claude était débordé par ces Européens débauchés, décidés à se payer du bon temps comme jamais, et ce, de manière on ne peut plus grotesque. Depuis qu'il dirigeait le Ritz, il avait pourtant eu son compte de fêtes endiablées à organiser (avec professionnalisme, évidemment) : les fêtes du mouvement cubiste dans les années 1920, quand tous les invités portaient des costumes extravagants, tout en angles. Les fêtes données pour les Ballets russes après chacune de leurs triomphantes représentations, quand on sollicitait des danseurs, habillés en nymphes et en satyres, pour travailler comme serveurs. Mais rien ne l'avait préparé à ce parfum de *fin de siècle** des fêtes qui eurent lieu au Ritz à la fin des années 1930.

Un dîner offert par un comte qui insista pour qu'on serve des pieds d'éléphant à ses hôtes – ce que Claude finit par trouver en appelant tous les zoos de France, d'Autriche et de Belgique. Elsa Maxwell (américaine sur le papier, mais qui passait la plupart de son temps en Europe accompagnée des gens les plus riches et célèbres), qui voulut organiser un bal masqué de toute dernière minute – à deux heures de l'après-midi, l'air de rien, elle annonça à Claude que deux cents de ses amis les plus proches arriveraient à huit heures du soir. Claude et son personnel eurent six heures pour se fournir en bouquets de fleurs fraîches, trouver des colifichets à offrir, et un trapéziste qui accepterait d'exécuter un numéro périlleux sur un trapèze doré, mis en place à la hâte, que Claude emprunta de force au Moulin Rouge. Sans compter la fête organisée pour des aristocrates anglais en route pour aller se battre en Espagne – comme s'il s'agissait de vacances improvisées. Ils achetèrent des paniers garnis des meilleurs pâtés et du foie gras de l'hôtel, de fromages, de vin, de champagne et de chocolats qu'ils emportèrent. Comme si la guerre était un pique-nique.

Claude savait que ce n'était pas le cas, mais ce n'était pas à lui de leur faire la leçon ; en revanche, c'était à lui de se débrouiller, de répondre à toutes les exigences, d'honorer toutes les demandes, aussi absurdes soient-elles. Et c'était ce qu'il faisait. Il se débrouillait.

Toutefois, un jour, Claude atteignit ses limites et eut du mal à garder son sang-froid à force de rencontrer un gros visage allemand, rougeaud, à chaque coin, dans chaque bureau, dans chaque salle du Ritz.

Le nazi le plus présentable de tous, et qui s'agitait de plus en plus à l'intérieur de l'hôtel – et dans toute la ville – comme un cafard, était le baron Hans Günther von Dincklage, attaché de l'ambassade d'Allemagne. Il était jeune, séduisant avec ses cheveux blonds soyeux et ses yeux d'un bleu pur ; récemment divorcé, il flirtait ouvertement avec toutes les femmes, y compris la Blanchette de Claude. Ce qui, d'ailleurs, avait posé des problèmes avec Coco Chanel qui considérait von Dincklage – surnommé *Spatz* (« moineau » en allemand) en raison de sa propension à papillonner un peu partout dans l'hôtel – comme lui appartenant.

Un soir, Chanel croisa Blanche et Claude tandis qu'ils montaient les escaliers du côté de la place Vendôme où se situait la suite privée de Chanel. Comme sa maison de couture n'était qu'à quelques pas, séjourner au Ritz était pratique pour elle et représentait un revenu stable, non négligeable, pour l'hôtel.

Il fallait bien admettre que peu de gens du Ritz aimaient cette femme. Elle renvoyait souvent ses repas en cuisine, prétendant qu'ils n'étaient pas à la hauteur de ce qu'elle attendait. (Alors même qu'elle n'avalait rien d'autre que des liquides.) Elle avait exigé que sa suite soit redécorée – les papiers peints à motifs, les tapisseries, les dorures et l'or qui donnaient au Ritz son statut d'hôtel le plus luxueux du monde n'étaient pas pour elle. Elle transforma donc son appartement dans le style Art déco que Claude trouvait affreux. Trop de verre, trop de lignes droites. Affreusement peu confortables, c'était le moins qu'on puisse dire.

Elle semblait avoir tout particulièrement une dent contre Blanche – comme si, en choisissant la personne la plus aimée de tous au Ritz, elle voulait marquer un point. Lequel ? Elle seule le savait.

« Blanche, savez-vous ce qu'on vient de me raconter ? » Chanel souriait, ce soir-là, et Claude fut immédiatement sur ses gardes ; elle était ce genre de femmes qui ne souriaient que lorsqu'elles étaient sur le point de détruire quelqu'un.

« Quoi ? » Blanche avait gardé un côté naïf ; elle s'arrêta

au milieu des marches et croisa les bras comme si elle s'apprêtait à écouter une histoire drôle. Claude tenta de l'entraîner mais elle résista et il n'eut pas d'autre choix que d'écouter lui aussi.

« L'autre jour, ma couturière m'a demandé si vous étiez juive. » Chanel souriait, aussi sournoise qu'un chat. « C'est étrange, n'est-ce pas ? »

Blanche en convint d'un hochement de tête.

« Je lui ai dit que je vous poserais la question. Mais il vous est impossible de prouver que vous êtes juive, n'est-ce pas, Blanche ? Je pourrais bien sûr vous demander votre passeport mais ce serait ridicule ! » Chanel éclata de rire et ses yeux brillèrent comme de l'onyx.

« Quelle excellente idée. » Blanche paraissait amusée. « Mais alors vous devrez me montrer le vôtre. Allez, Coco, faisons ça – avouons vraiment notre âge ! »

Chanel cessa de rire ; elle monta les marches et baissa les yeux.

« Je ne pense pas que ce soit nécessaire », souffla-t-elle, vexée, en paradant d'un air solennel en haut de l'escalier, tandis que Blanche riait à en avoir les larmes aux yeux.

Toutefois, Claude fut incapable de partager cette hilarité. Il savait que Chanel était dangereuse et qu'elle n'hésitait pas à colporter des mensonges, des rumeurs ; elle avait tendance à conformer ses idéaux à ceux de celui avec lequel elle couchait.

Et, à cette époque-là, elle couchait avec von Dincklage.

Pour le moment, Claude ne pouvait que tenir sa langue, rester vigilant et mettre Blanche en garde – ainsi que son personnel – en lui demandant d'être prudente en présence de ces hôtes nouvellement arrivés. Les Allemands. Et prier pour que, dans les mois à venir, ils ne fussent rien de plus que ça : des hôtes de passage.

11

Blanche

Automne 1941

À quel moment les occupants deviennent-ils des hôtes ? À quel moment l'ennemi devient-il un ami ? Les semaines, les mois passant, Blanche ne peut que se poser la question.

Au Ritz, qu'elle connaît si bien, les habitués font véritablement partie de votre famille plus que vos frères et sœurs, votre époux ou épouse, vos parents. Mais même ces habitués, tels que Hemingway, les Windsor, les Fitzgerald, les Porter, finissent par partir. Toutefois, là, c'est différent ; avec les nazis qui font du Ritz l'un de leurs quartiers généraux, Blanche est bien obligée d'apprendre à les connaître et, ce qui ne manque pas de la surprendre, certains d'entre eux ne sont pas si mal. Le même uniforme qui, quand il descend les Champs-Élysées, la remplit de peur et la révulse, apparaît presque inoffensif dans la lumière flatteuse, rose abricot, de l'hôtel.

Il en va ainsi de ce jeune soldat, dans la chambre deux cent dix-neuf, un officier qui n'est pourtant qu'un jeune garçon et dont l'uniforme ne paraît pas taillé pour lui, avec son col trop grand pour son cou si mince à la pomme d'Adam proéminente. Il a le mal du pays, raconte-t-il à Blanche, un jour qu'elle le croise rue Cambon, adossé à un mur avec un carnet et un crayon à la main, croquant une scène de rue. « C'est pour envoyer chez moi », dit-il, en lui montrant son travail d'amateur. Il n'est certes pas Picasso, mais il a l'air fier de son dessin. « C'est pour ma mère qui se fait beaucoup de souci pour moi. »

Il lui parle alors de sa petite amie, là-bas en Allemagne, qui est encore étudiante, et il s'en inquiète ; il craint qu'elle tombe amoureuse de l'un des étudiants pendant son absence. Blanche se dit que c'est un charmant jeune homme ; quelqu'un de gentil, et elle commence à faire un détour, chaque fois qu'elle sort de sa suite, pour lui demander s'il a reçu du courrier, s'il a des nouvelles de sa mère ou de sa petite amie (elle s'appelle Katrin). Elle se dit que ce n'est pas lui, mais Hitler, qui a décidé d'envahir la France. Ce garçon – Friedrich – n'a fait qu'obéir aux ordres.

Il y a aussi le chauffeur du général von Stülpnagel ; le pauvre homme reste assis, jour après jour, dehors dans la voiture stationnée devant l'hôtel, par tous les temps. Il ne rentre que pour aller aux toilettes ; il est alors poli, déférent même, embarrassé d'avoir à croiser le regard de quelqu'un. Blanche a donc entrepris de lui apporter une tasse de thé chaud quand il fait froid et qu'elle le voit frissonner sur le siège du véhicule, tout seul. Et de bavarder avec lui quand il fait beau. « C'est vraiment affreux », s'énerve-t-elle en parlant à Claude de la manière dont von Stülpnagel le traite. « C'est un homme, et non une foutue machine ! » Et elle poursuit, expliquant à son époux qui ne l'écoute que d'une oreille distraite (se moquant d'elle, pense-t-elle) que le chauffeur, Klaus, a une femme au pays dont il aime parler. Comme si, quand il l'évoquait, elle était réelle, et qu'il avait peur, s'il cessait, qu'elle disparaisse, comme un rêve. Et alors que Blanche n'a jamais envoyé un être aimé au front, elle comprend le désir du chauffeur de la garder vivante de cette manière et, donc, elle l'écoute.

De même, la secrétaire du colonel Ebert – une jeune femme pas très jolie. Blanche la voit regarder les Parisiennes, les femmes de chambre, même les blanchisseuses, timidement, avec admiration. La pauvre fille doit porter un uniforme vert affreux, une veste à la coupe droite sur une jupe informe, les pieds chaussés de godillots noirs. Il est vrai que les uniformes des employées du Ritz sont beaucoup plus seyants et à la mode, sans parler des tenues des clientes. La fille, Astrid, est assise toute la journée à prendre des notes en sténo et à taper à la machine. Elle est entourée d'hommes dont aucun ne lui prête attention ; ils sont bien trop occupés à reluquer les actrices françaises et les femmes du monde qui entrent et sortent par la rue Cambon. Astrid n'a pas de bien-aimé, ni là-bas en Allemagne ni ici parmi les soldats, confia-t-elle un jour à Blanche qui, l'ayant aperçue assise seule dans un café près de l'hôtel, l'avait rejointe et regardée manger trop de pâtisseries.

« Prenez donc plutôt une cigarette », lui avait vivement conseillé Blanche, tandis que la jeune fille commandait un autre Napoléon ; mais ce fut peine perdue. Astrid, triste, esseulée, a le mal du pays et ne trouve de réconfort que dans la nourriture.

C'est ainsi, en les voyant tous les jours, en apprenant à les connaître par-delà leurs uniformes et leurs brassards, en observant les choses qu'elle a en commun avec eux (à maintes reprises, Blanche a pensé se venger de Claude en se gavant de pâtisseries), qu'ils deviennent des personnes et pas seulement des soldats de plomb. Des gens vivants, qui respirent, mangent, boivent, pleurent, rient. Ils vont à l'église – il y a même parmi eux des catholiques. Claude avait été surpris et perturbé, lui raconta-t-il, la première fois qu'il en avait croisé quelques-uns à la messe, s'agenouillant ou allumant un cierge avant d'aller s'asseoir sur un banc. Ils achètent des cadeaux pour offrir à leur famille et à leurs amis au retour. Ils pleurent quand ils ne reçoivent pas assez de courrier et s'inquiètent, se demandant s'il n'est rien arrivé d'affreux à leurs proches. Alors, Blanche pleure et s'inquiète avec eux.

Elle essaie d'imaginer ce que Lily dirait si elle la voyait sécher les larmes d'Astrid ou réconforter Friedrich en lui tapotant l'épaule quand il ne reçoit pas de courrier. Mais c'est Blanche qui est ici, pas Lily ; c'est elle qui doit vivre avec ces gens-là, trouver des moyens de survivre, d'être en relation avec eux, peut-être pas les pires d'entre eux, mais avec ceux qui ne font qu'obéir aux ordres – ils doivent bien avoir quelque chose en commun avec elle.

Non ?

Deux jours après l'entrée de leur bateau dans le port de Cherbourg, en 1937, Lily, invitée par Blanche, était au Ritz. Blanche se souvient clairement de la réaction de Lily lors de son premier aperçu du monde dans lequel elle vivait.

La petite révolutionnaire pleine d'assurance qui était descendue du bateau et était passée devant les douaniers français d'un pas décidé, sans passeport ni visa, avec pour seule arme du culot et une certaine allure, avait cédé la place à une enfant timide, étourdie par ce qu'elle voyait, collant à Blanche telle une sueur froide. « Tu *vis* ici, Blanche ? » ne cessait-elle de répéter, alors que Blanche lui avait déjà répondu plusieurs fois par l'affirmative. Elle resta bouche bée devant les hauts plafonds avec leurs moulures en plâtre et serra son parapluie tout contre sa poitrine, comme en un geste de défi, quand le portier coiffé d'un haut-de-forme se précipita vers elle pour l'en débarrasser. Elle cligna des yeux sous la lumière rose abricot qui éclairait tout – la lumière que César Ritz avait décrété être la plus flatteuse pour le teint des femmes ; il en avait installé partout dans son palace. Il n'y avait de pareille lumière nulle part ailleurs à Paris ; ce n'était qu'au Ritz que toutes les femmes étaient belles, qu'importe leur âge ou leur condition sociale.

Qu'importe leurs secrets.

« En quelque sorte. Nous avons aussi un appartement dans Paris. Notre adresse officielle. » Car les Auzello avaient de nouveau déménagé, et possédaient maintenant un magnifique quatre pièces, sans compter la cuisine, sur la prestigieuse avenue Montaigne, tout près des Champs-Élysées. Blanche avait convaincu Claude que cette adresse était plus en accord avec sa position sociale. Dans cette large avenue bordée d'arbres, on trouvait pléthore de très chic maisons de couture, notamment Mainbocher[1], Molyneux, Vionnet, Patou et Lucien Lelong.

Lily ne comprenait pas vraiment comment Blanche et Claude pouvaient avoir un appartement *et* vivre au Ritz. Et Blanche devait bien avouer que cette situation paraissait, en effet, plutôt extravagante. Aussi, afin de ne pas avoir à s'expliquer, elle entraîna Lily au bar et la présenta à tout le monde. Frank Meier, et il fut difficile à Blanche de ne pas le remarquer, parut la reconnaître ; il haussa les sourcils, de même que Lily – ce qui était bizarre car elle disait ne jamais être venue à Paris.

« *Madame**, fit Cole Porter en la saluant d'une légère révérence, c'est non seulement un plaisir de vous rencontrer, mais un plaisir à chérir. »

Lily lui jeta un regard interrogateur, et Blanche devina

1. Fondée à Paris en 1929, la maison de couture Mainbocher est transférée à New York en 1940.

qu'elle n'avait pas compris – quelle que soit la langue maternelle de Lily, ce n'était sûrement pas l'anglais ni le français. Mais Lily adressa un sourire radieux à Cole et Cole lui rendit la pareille. Ce fut alors comme si, soudain, un enfant perdu dans une forêt d'adultes rencontrait un autre enfant, car ils étaient à peu près de la même taille, tous deux avaient des yeux ronds et sombres, et ils avaient le même teint olivâtre.

– Tu dois être la célèbre orpheline », fit remarquer Hemingway de sa grosse voix en prenant la petite main de Lily dans ses grandes pattes. « Je vais faire de toi un personnage dans l'un de mes livres.

– Tu peux toujours attendre », dit Blanche à son amie, en donnant une tape sur l'épaule de Hemingway. « Il dit ça à tout le monde.

– C'est le meilleur moyen de séduire les femmes », avoua-t-il avec un sourire de gosse timide.

Et Blanche éclata de rire.

« Où est Scott ? » demanda-t-elle en regardant autour d'elle. Il n'était pas à sa place habituelle, sur un tabouret de bar à importuner Frank Meier qui savait toujours l'arrêter avant qu'il dépasse les bornes.

« De retour chez lui. Dans cette bonne vieille Amérique. Lui et Zelda ont dû rentrer – une urgence familiale du côté de Zelda, m'a-t-on dit.

– Je suis désolée. J'espère que ce n'est rien de grave. »

Blanche n'aimait pas beaucoup Zelda – qui était irascible, une prédatrice, un vrai faucon, pensait Blanche. Avec ses yeux bleus rapprochés, toujours à l'affût de votre point faible, prête à bondir. Mais Blanche admirait la manière dont Zelda ne lâchait jamais Scott, buvant tout autant que lui, un verre après l'autre. Même si elle n'en admirait pas toujours le résultat – elle avait parfois le sentiment qu'il aurait fallu une équipe de nettoyage pour accompagner les Fitzgerald dans Paris et passer derrière eux et leurs beuveries, leurs querelles blessantes et leurs excès explosifs.

« C'est ici que nous allons prendre le thé, Blanche ? » demanda Lily, une fois au bar, enfin détendue tant l'endroit était chaleureux

Blanche secoua la tête. « Non, Claude nous rejoint dans le patio. » Même si on était en octobre, il faisait encore suffisamment doux pour prendre une collation dehors.

Ce fut à contrecœur qu'elle dit au revoir à ses copains et entraîna Lily vers le patio. Elles descendirent le long couloir qui reliait les deux ailes du bâtiment – on l'appelait la Galerie des Rêves – et Lily fronçait de plus en plus les sourcils à mesure que Blanche lui désignait du doigt les vitrines éclairées qui le bordaient de chaque côté, remplies d'articles de luxe tels que des stylos Mark Cross, des sacs Louis Vuitton, des flacons de parfum Guerlain, des colliers de diamants de chez Cartier – des articles bien au-dessus des moyens de la plupart des Parisiens, mais de la petite monnaie pour ceux qui pouvaient se permettre de séjourner au Ritz. Les distributeurs payaient une jolie somme, une petite fortune pour promouvoir ainsi leurs marchandises. Claude en était très fier, car il n'y avait de pareille galerie dans aucun autre hôtel. Mais Lily se contentait de jeter un regard sombre à ces colifichets qui faisaient baver d'envie la plupart des gens.

Elle arbora la même mine sombre pendant qu'elles prirent le thé avec Claude. À mesure que défilaient les amuse-bouches – de délicats petits sandwichs au foie gras, de délicieux gâteaux recouverts de pâte d'amande, des dragées dans des petits plats en argent en forme de cygnes –, son malaise devint manifeste. Toutefois, Blanche la vit glisser furtivement quelques bouchées dans son sac en lambeaux, ainsi que des couverts en argent et des serviettes de table. Elle ne put que prier pour que Claude ne s'en fût pas aperçu.

Pour autant, il grimaçait comme si son estomac le faisait souffrir. Blanche se rendit compte trop tard que Claude et Lily ne pourraient pas s'entendre ; elle aurait dû le savoir dès le début. Claude n'avait jamais approuvé Pearl non plus, n'est-ce pas ? C'était idiot de sa part. Quelle folie d'avoir espéré que c'était possible – elle était comme une petite fille qui présente sa nouvelle amie. Et grands dieux non. Lily, c'était évident, n'était pas quelqu'un qui pouvait se sentir à l'aise au Ritz, le Ritz adoré de Claude – Claude, ce modèle de vertu, Claude si collet monté. Il ne changerait jamais –, et c'était un cruel coup du sort qu'elle n'ait pas vu qui il était vraiment dès le début, tant il l'avait éblouie.

Mais elle supposait qu'elle aussi l'avait dupé ou, plutôt non, elle *savait* qu'elle l'avait dupé.

Que Lily ouvrît à peine la bouche ne rendait que plus évidents sa consternation, son mépris face à cette opulence, à cette atmosphère feutrée, aux attitudes bien trop polies pour être honnêtes. Et les brèves réponses de Claude en disaient long sur ce qu'il pensait. Blanche se retrouva donc seule à faire la conversation, un bavardage futile, jusqu'à ce qu'elle renonçât, épuisée. Le temps, la mode, des anecdotes salées sur ses voyages, et ses singeries à bord du paquebot avec Lily, tout y passa mais ne rencontra qu'un silence de plomb, jusqu'à ce qu'elle commette l'erreur de parler de la situation politique en France à cette époque-là.

« Les socialistes ! » Claude pouvait à peine se résoudre à prononcer le mot. « Ils essaient de syndiquer le personnel du Ritz – ils ont essayé au cours de la grande grève de mai-juin 1936 mais, heureusement, j'ai su les arrêter.

– Pourquoi ? Qu'est-ce qu'ils font de mal, les syndicats ? Les gens ont droit à un salaire ! »

Lily s'animait enfin ; elle roula sa serviette de table en boule, et ses yeux d'encre lancèrent des éclairs.

« Un salaire que nous leur payons, et plus encore. Les salaires de nos employés sont parmi les plus élevés de toute l'hôtellerie française, et nous sommes très généreux en jours de congé.

– Tant mieux. Mais ce n'est pas comme ça partout. Tout le monde a le droit d'avoir les moyens de nourrir sa famille !

– Êtes-vous l'une de ces socialistes ? demanda Claude en pâlissant.

– Non, une communiste. »

De stupéfaction, Claude laissa tomber une cuillère dans sa tasse de thé, éclaboussant la nappe.

« Que pensez-vous de ces croissants ? » Blanche fit passer la corbeille en argent à ses compagnons, mais tous deux déclinèrent son offre. Claude s'excusa peu de temps après – en adressant un long regard significatif à Blanche afin de lui faire comprendre ce qu'il pensait de son amie.

Lily n'attendit même pas qu'il eût quitté le patio avant de lancer : « Blanche. Je sais que c'est ton homme et je sais que je ne devrais pas dire ça… mais il est épouvantable.

– Non, il ne l'est pas, lui assura Blanche. Il ne l'est vraiment pas. Claude est très généreux, mais il n'en fait pas étalage parce qu'il pense que c'est une faiblesse. Il est très investi auprès de son personnel ; il prend soin de tout le monde. Mais, tu sais, il est… très français.

– Mais les gens changent en France. Ils se réveillent. Juste à temps.

– Certains d'entre eux, oui, j'imagine. » Le nouveau Premier ministre, Léon Blum, était socialiste – il faisait partie du Front populaire – mais la majorité des Français restait résolument conservatrice. Et catholique. « Crois-moi, la plupart des Parisiens sont comme Claude. Ce n'est pas qu'ils s'en moquent. C'est juste qu'ils sont fidèles à leurs convictions.

– Mais tes amis, au bar, ils ne le sont pas.

– Non. » Blanche pensa à ses amis, ses copains de beuveries, partant comme elle à la dérive. « Ils sont américains, et ils se moquent de la politique française comme d'une guigne tant qu'ils peuvent s'asseoir pour boire des kirs et de l'absinthe. Ils adorent la France, mais ils n'en font pas partie. La France leur permet d'échapper à la réalité, ils y sont comme en vacances.

– Et toi, tu fais partie de la France ? Tu appartiens à ce pays ? C'est chez toi ?

– Je… je ne sais pas. »

Et Blanche, en effet, ne savait pas ; elle ne se considérait plus comme américaine, mais elle ne se sentait pas non plus à cent pour cent française.

« Toi non plus, tu n'as pas d'attaches, n'est-ce pas ? Tu te laisses porter par le courant. Tu ne veux même pas me dire d'où tu viens.

– Oh, c'est différent. Je n'ai pas de chez-moi car mon pays a disparu. Il a été détruit. L'Amérique reste toujours l'Amérique. J'ai entendu dire que c'était un pays formidable. J'espère y aller un jour.

– Oui, et non. Ce n'est pas parfait, si tu vois ce que je veux dire.

– En France non plus.

– Ce n'est parfait nulle part. Et personne n'est parfait. Pas même toi, Lily. »

Blanche sentit qu'il fallait la remettre à sa place, lui

rabattre le caquet ; elle devenait agaçante à force d'être moralisatrice.

« C'est à toi de décider qui tu es, Blanche – américaine, française, *quelque chose*. Tu dois avoir des convictions, défendre des principes.

– Oh, vraiment ? » Blanche haussa les sourcils. « Comme toi ?

– Oui. » Lily lança sa serviette de table froissée dans son assiette et se leva. Elle hocha la tête avec cet air déterminé qui était le sien. « Oui, comme moi, comme d'autres. Pas comme ici. » Elle fit un geste pour désigner le patio, rempli de gens satisfaits, richement vêtus. « Je te remercie Blanche, mais le Ritz, c'est pas pour moi.

– Dans ce cas, j'imagine que tu vas laisser les bouchées, l'argenterie et les serviettes de table avant de partir ? S'ils t'offensent tellement, je veux dire. »

Lily rougit et se rassit.

« Écoute, Lily. » Blanche se pencha par-dessus la table. « Tu ne sais rien de rien de moi ni du Ritz. Ni de Claude, d'ailleurs. Ni même de Paris. Tu ne peux pas faire de grandes déclarations comme ça – tu ne peux pas débarquer comme ça dans la vie des gens et leur dire à quel point tu les trouves horribles.

– C'est toi qui m'as invitée, Blanche. »

Lily tenta de hausser les épaules avec autant de désinvolture que d'habitude. Mais elle eut surtout l'air intimidée ; ses taches de rousseur ressortaient plus que d'ordinaire sur sa peau pâle.

« Je voulais partager un peu de ma vie avec toi – ça se fait entre amis. Et les amis, en retour, ne partent pas avec l'argenterie et les serviettes de table. »

Lily fouilla dans son sac et, subrepticement, reposa

chaque objet sur la table mais garda quand même la nourriture et Blanche ne lui en fit pas la remarque.

« Je suis désolée.

– Bon. Ne recommence pas, c'est tout. Si tu as besoin de quelque chose, demande-le-moi. Je t'aime beaucoup Lily, et je ne suis pas sûre de savoir pourquoi. Sauf que tu m'obliges à penser à des choses auxquelles je préfère généralement éviter de penser. Et peut-être que j'ai besoin de ça.

– Vraiment ? »

Blanche hocha la tête, soulagée de voir que Lily – de toute évidence heureuse d'entendre ça – souriait, ayant une fois de plus l'air aussi rusé qu'un renard.

« Je n'ai pas eu d'amie proche depuis longtemps. Je me sens seule parfois.

– Ici ? Au Ritz ? »

Lily écarquilla les yeux et Blanche put y lire son reflet et s'y voir telle que Lily la voyait – en Alice au pays des merveilles.

« Oui, ici. J'aime bien tous ces gens, je pense qu'ils sont intéressants, probablement pas comme ils pensent l'être, d'ailleurs. Mais je ne suis pas sûre que je leur ressemble autant que j'ai pu le croire. Pour dire la vérité, je ne suis plus sûre de vouloir leur ressembler.

– Je t'aime beaucoup, moi aussi, Blanche. Tu es épatante ! Tu as besoin de moi et, Dieu merci, je suis là. »

Lily tapa deux fois dans ses mains, se leva, puis se pencha vers Blanche pour l'embrasser sur la joue – seulement sur la joue, au grand soulagement de Blanche. Elle ramassa ses gants, son sac et son parapluie, prête à partir.

« Peut-être que toi aussi, tu as besoin de moi », lui lança Blanche. Lily sourit et lui fit au revoir de la main, sans se rendre compte des regards qu'elle attirait, tel un petit remorqueur solitaire gaiement décoré au milieu de gros bateaux prétentieux.

« Peut-être ! »

Le lendemain, on livra à l'hôtel un petit bouquet de violettes pour Blanche.

Merci pour ton accueil. Je regrette d'avoir été impolie alors que j'étais invitée. Je ne connais rien à cette belle vie, mais peut-être vas-tu m'apprendre. En attendant, la prochaine fois que tu me verras, je te montrerai un peu de ma vie à moi – ce qui se fait entre amis, comme tu l'as dit. Je vais te montrer la France, la vraie. À mercredi de la semaine prochaine, pour déjeuner. Je t'embrasse, Lily.

Quel curieux message ! Cette étrangère bizarre – qui n'est en France que depuis quelques jours, alors que Blanche y est depuis presque quinze ans –, *Lily*, veut lui montrer la France qui est la sienne ?

Et pourtant, Blanche se rendit compte qu'elle était impatiente. Elle voulait que Lily la réveille, lui montre, lui raconte quelque chose. C'était d'ailleurs peut-être la vraie raison pour laquelle elle l'avait invitée au Ritz. Elle avait besoin de quelqu'un pour voir derrière les dorures et les miroirs qui, ces dernières années, depuis qu'elle était devenue la Dame du Ritz, l'avaient littéralement aveuglée. À quoi ressemblait Paris pour Lily, pour ceux qui débarquaient ici sans un sou ? Comme ce fut d'ailleurs le cas pour Blanche. La seule différence entre elle et Lily, si on réfléchissait bien, c'était que Blanche avait été entretenue par un homme puis sauvée par un autre pour être enfermée dans un château. À l'époque, elle avait pensé être plutôt maligne. Désormais, elle mettait en doute sa volonté d'être sauvée. Et enfermée.

Mais avant que Blanche ait pu trouver les réponses à des douzaines de questions qu'elle se posait et qui, soudain, la tenaient éveillée tard la nuit, longtemps après que Claude se fut endormi et ronflât doucement à côté d'elle, Lily était partie. Et Blanche ne pouvait s'empêcher de penser qu'elle s'en était allée avec toutes les réponses.

Et maintenant, en 1941, Blanche quitte le Ritz tous les jours pour continuer à la chercher. Elle entre dans les petites librairies à l'atmosphère confinée que l'on trouve au fond des impasses, elle jette un coup d'œil dans des cafés glauques où tout le monde s'arrête de parler au moment où elle entre. Dans des restaurants qui servent du goulasch plutôt que de la ratatouille. Blanche regarde là où elle ne va jamais – des endroits que ne connaissent pas encore les Allemands, eux non plus, des endroits où quelqu'un comme Lily pourrait être. Car elle lui manque, c'est certain. Même si elles n'ont été ensemble que très peu de temps, Lily a illuminé la vie de Blanche comme une luciole papillonnante. Mais…

Lily a besoin d'elle aussi – Blanche en est certaine –, même si tout tend à prouver le contraire. Il y avait quelque chose chez Lily qui incitait Blanche à vouloir prendre soin d'elle, à la nourrir avec de bonnes soupes roboratives, à raccommoder ses vêtements, à lui offrir une coupe de cheveux convenable. Blanche se dit que Lily est peut-être l'enfant qu'elle n'a jamais eue. Mais elle se souvient de ce baiser – ce baiser dérangeant, un coup d'éclat. Et elle se rend compte que Lily est plus que ça. Pas seulement une amie, pas seulement une enfant, pas non plus une amante ; mais plutôt un moteur compliqué. Et les moteurs propulsent les gens en avant.

Blanche cherche aussi Lily parce qu'elle a besoin de

quelqu'un qui lui dise quoi faire, comment vivre avec ces occupants, ces hôtes qui séjournent à l'hôtel, comment continuer à s'inquiéter pour ces Friedrich, ces Astrid, surtout maintenant.

Maintenant que, chaque jour, elle croise une autre famille dont les membres se blottissent les uns contre les autres ; car chaque nuit des personnes disparaissent.

Et de plus en plus souvent, dans ses rêves, ses cauchemars… Blanche est l'une d'entre elles.

12

Claude

1938

Et suscita une grande émotion
à travers tout le royaume…

Après l'Anschluss, Claude insista auprès de Blanche, comme il l'avait fait auprès de tout le personnel, pour qu'elle fasse preuve de prudence en compagnie des hôtes allemands et notamment en compagnie de Spatz. Mais Blanche – évidemment ! – adorait cet homme-là (qui était, Claude devait bien l'admettre, serviable et grand amateur de jolies femmes – comme Claude lui-même), et elle aimait parler avec lui un allemand rouillé pour le plus grand plaisir de l'officier. Ils restaient assis ensemble au bar pendant des heures, avaient des conversations osées en allemand et riaient tels des collégiens.

« Spatz est un gars comme les autres, avait-elle dit un jour à Claude. Je l'aime bien. Nazi ou pas. »

Claude avait dégluti et déboutonné son col ; le moment était mal choisi pour que sa femme puisse dire des choses pareilles.

« Von Dincklage est membre de l'Abwehr, lui signifia Claude sèchement. Le service de renseignement de l'état-major allemand. Il dépend directement de l'amiral Canaris.

– C'est ridicule. »

Une fesse posée sur un coin du bureau de Claude, Blanche riait, vêtue d'une robe de soie rose vif avec des épaulettes qui exagérait sa carrure, la rendant menaçante, peu féminine. Ses cheveux soyeux, bouclés sur le front, retombaient librement sur sa nuque. Elle était si naïve. Elle qui avait tant besoin d'être *protégée* – d'être sauvée. Et il raviva le souvenir du rôle, depuis longtemps oublié, qu'il avait joué ; c'était certainement plus facile d'avoir été son sauveur que d'être son époux en ces temps difficiles. Il se souvint, comme il le faisait des centaines de fois par jour, qu'elle était américaine. Et les Américaines étaient si inconséquentes. Elle pouvait, certes, s'habiller comme une Française, parler le français couramment – malgré son accent épouvantable ! Elle pouvait, certes, commander un bon vin sans son aide. Mais, au fond d'elle-même, elle était toujours l'Américaine crédule qu'il avait rencontrée autrefois. Et c'était le privilège de Claude – son devoir – de la *protéger*.

« Ton Spatz vient pratiquement de me dire qu'il était un espion. Je l'ai trouvé dans la cave à vin, à fouiner – à faire l'inventaire, en fait. Il comptait les casiers, notait les millésimes.

– Et alors ?

– Et alors, il n'a pas le droit de descendre. Personne n'en a le droit, sauf le personnel. Mais von Dincklage – et d'autres nazis – fouinent partout dans le Ritz, Blanche. Ils posent des questions. Inventorient. Mesurent même les fenêtres et les embrasures de portes. Et pas seulement au Ritz ; j'ai entendu des amis qui sont dans la partie dire qu'ils étaient témoins de la même chose. Au George-V, au Crillon, au Royal Monceau – et même au Claridge. Les Allemands font l'inventaire. J'ai chassé Spatz de la cave – je lui ai dit d'aller au diable. » Claude aurait aimé boire un verre d'eau car il avait la gorge sèche. « Je n'aurais pas dû. Après tout, c'est un hôte. Mais, Blanche, pourquoi crois-tu qu'il fouine partout ? »

Elle haussa les épaules, se pencha pour retirer l'une de ses chaussures et se masser le cou-de-pied. Comment pouvait-elle être aussi inconsciente ?

« Parce qu'ils ont prévu de nous *envahir*, Blanche. Je suis sérieux. » Claude l'attrapa par les épaules pour la regarder droit dans les yeux, ces yeux bruns rieurs, innocents, qui le narguaient. « Les Allemands veulent conquérir Paris – la France, l'Europe. Ce qui se passe en Espagne n'est que des prémices. Il y aura la guerre, exactement comme l'a prédit ta Lily. Ils construisent des avions, des tanks, des routes qui mènent à la frontière – c'est ce que j'entends dire. Et toi, mon amour, tu seras en danger. Nous le serons tous, évidemment – mais je n'aurais jamais pensé que toi, ma femme... et je ne sais pas quoi faire. »

Car même Claude ne pourrait pas garantir la sécurité de Blanche si les nazis venaient un jour à... Mais non, il préférait ne pas y penser.

« Que veux-tu dire ? » Ses yeux ne pétillaient plus. « Bon sang ! qu'est-ce que tu *pourrais* faire, Claude ?

– T'emmener loin d'ici, pour commencer. Te renvoyer en Amérique, où tu serais en sécurité. L'Amérique ne sera pas entraînée dans une guerre européenne, du moins pas avant un bon moment.

– Popsy ! » Elle l'attrapa par la taille, l'attira à elle et lui murmura à l'oreille : « Tu ne peux pas te débarrasser de moi aussi facilement, Claude Auzello, malgré toute ta bonne volonté. Je ne céderai pas. Tu n'as pas encore compris ? »

C'était ce que Claude avait envie d'entendre. C'était aussi ce qu'il avait peur d'entendre.

« Mais mon devoir est de te mettre à l'abri du danger,

Blanchette – depuis le tout début, dès que nous nous sommes rencontrés, j'ai su que...

– Et mon devoir est de rester à tes côtés. Je suis ta femme, tu t'en souviens ? Tu vas être mobilisé ?

– Je pense que c'est seulement une question de temps. »

Le gouvernement de Daladier avait déjà appelé deux millions d'hommes, et Claude, tout au moins à ses yeux, était encore jeune – tout juste quarante ans.

« Alors, je partirai avec toi en garnison, où que tu ailles.

– Non, Blanche, dit Claude en secouant la tête. Non, tu dois retourner en Amérique. J'y ai bien réfléchi. Ou même vers ce... J'Ali, cet homme – je te mettrais moi-même sur le bateau si j'étais sûr qu'avec lui tu serais hors de danger. »

Claude ne savait plus très bien ce qu'il disait ; il était tout simplement dépassé à l'idée de tout ce qui pourrait arriver si les Allemands commençaient à se servir de leurs tanks et de leurs avions tandis que toute l'Europe se contentait de hausser les épaules, de faire comme si de rien n'était et de s'amuser.

« Claude, tu racontes n'importe quoi – retourner avec J'Ali ? Aux dernières nouvelles, il est obèse et rongé par la syphilis. De toute façon, je reste ici, en France, et j'irai là où tu iras, afin de pouvoir te surveiller. Je ne vais pas partir pour que ta... pour qu'*elle* puisse prendre ma place. » C'était le désespoir qui se lisait maintenant dans ses yeux, et Claude tressaillit.

Il en était récemment arrivé à prendre une décision. Une décision qui, après tout, n'avait pas été si difficile à prendre.

« Blanche, il faut que tu saches... c'est... j'ai rompu. C'est fini les jeudis soir.

– Pardon ? »

Elle fut immédiatement sur ses gardes, sceptique. Un volcan sur le point d'entrer en éruption.

« Oui. Ce n'est pas le bon moment pour ces choses-là. Il ne s'agit plus que de survivre désormais. Désormais seul compte… l'amour ? » Claude s'en voulut du ton interrogateur qu'il avait pris et qui lui donna le sentiment d'être vulnérable. Mais il n'y pouvait rien. Au cours de toutes leurs années de mariage, il n'avait jamais demandé à sa femme si elle l'aimait. Claude ne se posait pas la question ; il considérait que ça allait de soi, comme n'importe quel autre Français. Ou, plutôt, Claude considérait qu'il allait de soi que ça n'avait guère d'importance.

Mais tous les hommes français n'étaient pas mariés à des Américaines.

« Claude ! » Les yeux de Blanche se remplirent de larmes, et elle enfouit sa tête dans le cou de son époux. Il respira son parfum – elle sentait les fruits mûrs, pêches, raisins et poires appétissantes. « Tu deviens sentimental sur tes vieux jours.

– Blanche. » Claude secoua la tête ; elle le taquinait toujours. Quand elle ne lui jetait pas des choses à la tête. « Je suis sérieux. Je… nous avons essayé de jouer au plus fin, toi et moi, n'est-ce pas ? Depuis trop longtemps. C'est autant ma faute que la tienne. J'ai déjà vécu une guerre et je ne souhaite pas en voir une deuxième… mais il y a quelque chose dans la guerre qui oblige un homme à se rendre compte de ce qu'il a fait de sa vie, de ce qu'il a accompli ou non. Et je ne suis pas… fier… de certaines choses.

– Vraiment ? » Le visage de Blanche s'éclaira comme celui d'une jeune fille, et se rendre compte qu'il n'avait pas procuré une telle joie à sa femme depuis très longtemps peina Claude. « Tu es sincère ? Moi, je… je ne sais pas ce qui nous est arrivé. Je pense que nous nous sommes mariés trop vite, excités par la nouveauté. Avant que je comprenne ce qui se passait, j'avais un passeport français et une suite au Ritz. Qui s'en plaindrait ? Mais nous n'avons jamais été un vrai couple, n'est-ce pas ? Deux personnes qui sont tout l'une pour l'autre – qui n'ont besoin ni de paillettes ni de prestige, comme c'est apparemment notre cas. Mais peut-être pouvons-nous recommencer depuis le début ? Du genre, là où tu demeureras… et tout le bataclan ? »

Claude ne put s'empêcher de rire, car Blanche faisait toujours exprès de déformer des passages de la Bible ; elle ne prenait pas la religion au sérieux, au contraire de lui. Elle n'allait pas se confesser toutes les semaines, elle ne jeûnait pas pendant le carême. Elle se plaignait quand elle devait s'agenouiller les rares fois où elle l'accompagnait à la messe. Mais, là encore, il ne pouvait lui en vouloir, vu son histoire.

« J'aimerais beaucoup, Blanchette. J'aimerais avoir une chance de… pouvoir mieux te connaître. » Claude grimaça, car avouer qu'il ne comprenait pas parfaitement son épouse ébranlait son orgueil – non, ce qui ébranlait son orgueil, c'était d'avouer qu'il souhaitait la comprendre.

Mais ces jours-ci, l'orgueil était un luxe que peu de gens pouvaient se permettre.

« Alors, c'est d'accord. Je reste à tes côtés – je ne pars pas. Et d'ailleurs, qui s'occupera de Lily quand elle reviendra ? Elle aussi a besoin de moi. »

Claude soupira. Quel lien étrange entraînait Blanche vers cette femme dangereuse ? Par exemple, Blanche ne soupçonnait pas que Claude connaissait l'incident – révélateur – du tapis.

Un jour, peu de temps après qu'elle avait invité Lily au

Ritz pour le thé, Blanche était venue le voir en gloussant, gênée. Elle avait « accidentellement car je suis si maladroite ! » laissé tomber l'un des lourds tapis d'Orient du Ritz par l'une des fenêtres de leur suite, en une tentative malheureuse pour en secouer la poussière. Et avant que Blanche ait eu le temps de descendre en courant dans la rue pour le récupérer, une femme, une folle, l'avait volé ! C'était affreux ! Devant sa propre maladresse, Blanche avait secoué la tête d'une façon charmante en s'asseyant sur ses genoux, tout en jouant avec sa cravate pendant qu'elle lui racontait l'histoire.

Bien évidemment, Claude ne l'avait pas crue (même s'il avait apprécié cet interlude sur ses genoux qui les avait menés dans leur lit pour un autre interlude). Mais pour avoir la paix, il avait fait semblant d'y croire. Et deux jours plus tard, alors que Lily s'apprêtait à partir pour l'Espagne, elle était venue tout lui expliquer. Elle avait demandé de l'argent à Blanche pour le voyage. Blanche et elle avaient imaginé ce stratagème. Lily était la folle qui avait pris le tapis pour le vendre.

« Blanche est quelqu'un de bon », avait raconté Lily à Claude. Et bien qu'elle eût l'air ridicule – on aurait dit une orpheline avec son pull gris trop grand par-dessus une jupe moulante noire –, elle était la personne la plus honnête qu'il connaisse – à l'exception de Pearl White qui lui avait dit exactement la même chose quelques années plus tôt.

Alors, bien qu'il désapprouvât cette femme et ses idéaux, et le culot dont elle faisait preuve en voulant lui apprendre des choses sur sa femme, il avait dû réfléchir au hasard qui avait fait que ces deux femmes, tout aussi exaspérantes l'une que l'autre, aient eu à lui rappeler à quel point il avait de la chance d'être marié à Blanche. Il était habitué, bien sûr, à reconnaître la valeur de son épouse aux regards que lui jetaient les autres hommes – quand elle s'éloignait de leur table pour aller se repoudrer le nez, par exemple. Ou encore quand un homme faisait un clin d'œil complice à Claude, la main posée d'une manière possessive sur les reins de Blanche. Mais aussi quand, après quelques verres, ses copains lui tapaient sur l'épaule, envieux, en faisant des remarques obscènes sur ce qui pouvait se passer dans leur chambre.

Mais que ce soit d'*autres femmes* qui lui rappellent les qualités de son épouse était nouveau pour lui. Et Claude se rendit compte avec surprise que c'était loin d'être déplaisant. Même si l'une de ces femmes était cette petite *communiste* débraillée prête à aller se battre dans un pays qui n'était pas le sien – bon débarras.

« Lily peut se débrouiller toute seule », fit remarquer Claude à Blanche. Et rien n'était plus vrai. « Elle est du genre à finir président de la République, si jamais son parti gagnait les élections.

– Popsy. » Blanche se pencha pour renfiler sa chaussure ; elle rajusta ses bas de soie et défroissa le devant de sa robe. « Tu es vraiment "stick-in the mud[1]", tu sais.

– Je ne connais pas cette expression en anglais. Mais j'ai le sentiment qu'elle n'est pas des plus flatteuses. »

Blanche éclata de rire, ce rire communicatif qu'il aimait tant, mais qu'il n'avait pas beaucoup entendu ces derniers temps, jusqu'à ce que Lily apparaisse et, pour ça, il la remerciait, il pouvait bien se l'avouer.

Claude embrassa sa femme, avec plus de passion qu'un directeur du Ritz aurait dû se le permettre. Mais à quoi servirait d'être directeur du Ritz s'il ne pouvait pas embrasser une belle femme dans son bureau ?

---

1. Expression qui signifie « rabat-joie ».

Et pour les baisers – les caresses, le désir, les parties de jambes en l'air –, ils s'étaient toujours bien entendus. La seule chose pour laquelle ils ne se décevraient jamais.

Claude s'éclaircit la voix, sur le point d'ajouter quelque chose – quoi précisément, il ne le savait pas vraiment –, quand sa femme le repoussa en riant, tout en passant sa main, en un geste bizarre, devant son visage comme si elle en chassait une toile d'araignée. Pendant quelques instants, ils ne purent se regarder ; cette vulnérabilité soudaine était trop inhabituelle, trop émouvante.

Blanche le salua et se retira ; il put donc se remettre au travail.

Claude espéra qu'elle n'allait pas au bar. Il désapprouvait le temps qu'elle y passait. Il désapprouvait qu'elle boive autant avec tous ces gens – qui n'étaient pas ses amis, mais des gens qui l'interpellaient joyeusement, lui payaient des martinis, lui racontaient des secrets, des mensonges et des histoires à dormir debout. Il désapprouvait que, parfois, elle soit ivre au point d'égarer son sac à main ou de perdre une chaussure. Il arrivait même qu'on l'installe discrètement sur une chaise derrière le bar, là où Frank Meier pouvait veiller sur elle pendant qu'elle ronflait doucement, avant de se réveiller, étourdie, et de dire n'importe quoi. Même si, de temps à autre, c'était la vérité.

Car désormais, avec des espions partout, la vérité était dangereuse à dire. Même dans l'entourage somptueux du Ritz.

13

Blanche

Automne 1941

Pour les Parisiens, être assis à côté de nazis dans les cafés, les théâtres, ou encore le métro, a fini par devenir une sorte d'habitude et non plus l'affront insupportable du début. La présence des Allemands reste toutefois pesante. Certes, les soldats essayent d'être courtois, emplis de déférence même ; ils aident les vieilles dames à traverser la rue ou les femmes enceintes à porter leurs sacs les plus lourds – ce genre de choses, à la manière de boy-scouts qui font leur B.A.

Mais toujours avec une arme bien en évidence dans son étui ou un fusil en bandoulière.

Blanche pense que si Lily était de retour à Paris, elle se serait déjà pointée au Ritz, depuis le temps. Frank Meier – qui sait tout sur tout le monde – n'est pas d'un grand secours. Tout ce qu'il peut dire, c'est que Lily a traversé la frontière espagnole aux alentours du début 1938 et que, depuis, personne ne l'a revue. Ce qui est vraiment dommage car Blanche a, plus que jamais, besoin d'une amie, précisément maintenant.

Car son époux la trompe de nouveau.

« Maintenant, seul l'amour compte », lui avait dit Claude dans son bureau, avant que les bouffées éparses d'une querelle ne se transforment en nuages chargés d'orage annonçant la guerre. Elle l'avait cru. Comme une idiote, comme une épouse. Et ces neuf mois à Nîmes avaient été une révélation ; pas de Ritz, mais un petit appartement et rien qu'eux deux (c'est-à-dire eux deux et un régiment entier de soldats français qui, comme Blanche le comprit, n'aimaient rien tant que rester assis en buvant du café et parler du passé, du présent et de l'avenir politique du pays, quand ils n'étaient pas en train de s'entraîner ou de se préparer en vue d'une invasion qui ne cessait d'être reportée, jusqu'à ce qu'elle soit finie avant même d'avoir commencé). Durant ces quelques mois, Blanche et Claude avaient dû compter l'un sur l'autre comme ça n'avait encore jamais été le cas au Ritz. Non seulement pour le confort matériel, mais aussi pour les tâches quotidiennes du foyer telles que la cuisine, le ménage et la lessive, dont Blanche n'aurait jamais pensé qu'elles pouvaient faire l'objet de tant de discussions. Mais les Auzello avaient aussi dû compter uniquement l'un sur l'autre pour se tenir compagnie, se soutenir, avoir des conversations sérieuses sur des sujets beaucoup plus importants que de savoir qui couche avec qui, où et quand, qui n'a pas payé sa note, ou encore qui allait organiser la prochaine fête au Ritz.

Ils avaient parlé d'un avenir qui s'annonçait sombre et inconnu ; ils avaient évoqué des souvenirs comme le font des amants qui viennent de se rencontrer – pressés de construire une histoire partagée. Dans le cas des Auzello, une histoire qui ne serait pas pleine de déceptions et de récriminations, reflétées jusqu'à l'éblouissement dans des miroirs et des lustres trop bien polis. À Nîmes, dans une ville à quelques encablures de la Méditerranée, où rien d'excitant ne se passait à part connaître le gagnant du tournoi de pétanque qui aurait lieu sur la place, un avenir sans complications, voire ennuyeux, leur avait semblé possible.

Maintenant, toutefois…

Maintenant qu'ils sont de retour à Paris, maintenant que la guerre bat son plein, avec sa sombre réalité ; maintenant que le monde s'est brisé en un kaléidoscope d'images abstraites, en des pièces de puzzle qui jamais ne s'emboîteront, quand la seule chose réelle, la seule chose qui donne du sens à la vie, c'est l'amour…

Maintenant que Claude recommence à la tourmenter, la sermonner, lui faire la leçon pour qu'elle pense à toujours avoir son passeport sur elle, à bien se tenir, à ne pas contrarier les Allemands – il est fou d'inquiétude pour elle. À quoi a-t-il pensé en ne la conduisant pas au bateau qui l'aurait menée ailleurs, quand il le pouvait encore ? Pourquoi ne pas l'avoir fait ? parce que, *mon Dieu**, qu'aurait-il fait sans elle, sa Blanchette ?

Maintenant, cet avenir imaginaire, sans obstacles, paraît finalement impossible.

Blanche avait pensé que ce cauchemar avait eu au moins un point positif : elle et Claude en avaient fini avec tout ce… cet aspect *français* de leur mariage, cette arrogance stupide – et cette incapacité à garder sa queue dans son pantalon – qui était celle du mâle français, incarné par son mari. Il avait juré, il avait promis, ce jour-là dans son bureau quand, pour la première fois, il avait exprimé la peur qu'il avait des Allemands, qu'il en avait fini avec *elle, l'autre* – et que seule Blanche comptait pour lui à présent.

Allons donc !

Un mois plus tôt, alors qu'ils étaient couchés, tout juste après avoir éteint, le téléphone avait sonné une seule fois, et Blanche s'était demandé si c'était là un code. Puis elle s'était sermonnée pour avoir imaginé que, ces derniers temps, tout n'était que signe, code, mauvais présage, pas seulement un accident ou une simple coïncidence.

Quoi qu'il en soit, Claude avait bondi hors du lit, sans pour autant répondre. Il avait enfilé des vêtements propres et s'était aspergé d'eau de Cologne. « Ta maîtresse ? » l'avait taquiné Blanche, sans y croire vraiment. Et elle avait donc eu le sentiment, encore tout ensommeillée et bêtement heureuse, de recevoir une gifle quand Claude, après un moment d'hésitation, avait répondu par l'affirmative.

Avant de sortir.

Sans aucune explication.

Ce ne fut d'ailleurs pas la seule fois, et pas toujours le jeudi. Le téléphone sonnait, la sonnerie de la trahison, n'importe quel jour de la semaine maintenant, et Claude filait, aussi pressé qu'un adolescent – si différent de l'homme abattu qu'elle avait eu du mal à reconnaître quand ils étaient revenus au Ritz. Non, le mari de Blanche est de nouveau plein d'énergie, débordant de raisons d'être – les raisons d'être d'un homme : le sexe, la vitalité, la vanité –, et elle en connaît la cause.

Et d'ailleurs, était-ce la même « autre » ? Ou bien était-ce une nouvelle maîtresse, une *Fräulein* au lieu d'une *mademoiselle** car la ville était infestée de secrétaires allemandes blondes qui toutes essayaient de ressembler à Marlene Dietrich ?

Blanche n'en sait rien. Et, quand elle nargue Claude, le provoque et tente d'en savoir plus, quand elle lance une bouteille d'un précieux parfum à travers la pièce et court pour se jeter devant la porte afin de l'empêcher de sortir, le traitant de salaud, de fils de pute, et de tous les noms qui lui traversent l'esprit, tout ce qu'il se contente de faire est de pincer les lèvres, de la gratifier d'un regard triste, et de l'écarter de son chemin pour sortir. Et aller la rejoindre, *elle*, *l'autre*.

Et Blanche – l'Américaine, mariée à un Français, qui se trouve, à l'époque même où le monde entier est pris de folie, dans l'incapacité de le quitter – est, pour la première fois depuis son mariage, dans l'impossibilité de le punir. Et, pire encore, elle est complètement dépendante de lui, l'homme qui la trompe : car lui seul est le garant de sa survie.

Blanche se doit donc de trouver un moyen de tourmenter son époux, d'une manière ou d'une autre, c'est le prix qui lui en coûtera, à lui, la récompense qui lui permettra, à elle, de mettre sa morale de côté. Un jour, donc, elle quitte l'hôtel. Elle descend rapidement la rue Cambon et rejoint la place Vendôme où stationnait avant une longue file de voitures de luxe, des Rolls-Royce, des Bentley, toutes conduites par des chauffeurs en livrée qui restaient là, les bras croisés, ou qui polissaient les chromes en attendant leurs maîtres en visite au Ritz. Maintenant, les seules voitures, ce sont les Mercedes noires haïes et leurs drapeaux ornés d'une croix gammée, comme pour narguer les passants. Sans compter un nombre ridicule de tanks, comme si, dans l'éventualité où les Alliés débarqueraient, les nazis avaient prévu de faire du Ritz leur dernier quartier général.

Blanche traverse le jardin des Tuileries, humide et froid aujourd'hui, où certaines fleurs tardives – les chrysanthèmes, les roses – donnent leur maximum. Elle a cessé de flâner sur les Champs. L'avenue regorge d'Allemands qui jouent les touristes – leurs appareils photo à la main, ou en compagnie de civils qui essayent de sourire, obligés de prendre la pose avec les envahisseurs – et elle parcourt donc rapidement la ville, préférant les petites rues, passant devant une succession de cafés devant lesquels des panneaux installés sur le trottoir proclament *Les Juifs ne sont pas admis ici**, des mots accusateurs, menaçants.

On voit ces panneaux partout, à présent. Les nazis « encouragent » les commerçants et les propriétaires de café à proclamer cette interdiction. Panneau par panneau, lettre par lettre, Paris ressemble de plus en plus à Berlin. Les plaques de rues sont remplacées : des plaques avec des noms allemands sont suspendues au-dessus des noms français écrits en tout petit. Dans les cinémas, on joue d'abord des films allemands. Radio-Paris, comme tous les concerts de musique – le quatuor à cordes du Ritz ou la fanfare du jardin du Luxembourg –, ne jouait plus qu'un mélange bizarre d'œuvres de Strauss et de Debussy. De la musique allemande – pour éduquer les Français, leur montrer la supériorité de la race aryenne –, mais aussi de la musique française – interprétée docilement par des artistes comme Maurice Chevalier ou Mistinguett – pour les calmer, pour qu'ils restent à leur place. Même si, d'après Claude, les officiers nazis, qui se baladent en chantant des bribes d'opéras de Wagner en public, écoutent, en privé, dans leurs suites, des disques américains de musiciens de jazz tels que Glenn Miller ou Tommy Dorsey.

Pas de jazz noir, en tout cas. Tous les musiciens noirs, par exemple Louis Armstrong et Cab Calloway, qui étaient populaires dans les clubs comme Chez Bricktop, rue Pigalle, avant la guerre, avaient fait leurs bagages en embarquant leurs trompettes et étaient partis juste avant l'arrivée des Allemands – leur « musique noire » était interdite. Même Joséphine Baker, si aimée à Paris, avait fui en vitesse dès le début de l'invasion.

Chaque dimanche, comme s'ils pensaient que c'était là une faveur faite aux Français, les Allemands défilent sur les Champs. Des régiments entiers de soldats, leurs bottes noires martelant les pavés, le fusil à l'épaule, la tête droite. Chaque dimanche, ce foutu défilé. Pour rappeler, comme s'il était possible de l'oublier, qui, à Paris, commandait dorénavant.

Les synagogues et les temples étaient vides. Les rideaux, dans le Marais – le quartier des Juifs pauvres –, étaient bien tirés, de peur que la lueur des bougies allumées lors du Shabbat filtre. De peur que les chants soient entendus.

Ces derniers temps, Blanche ne se promène pas souvent dans le Marais. Pourtant, elle en avait l'habitude ; ça lui rappelait certains quartiers de New York, les marchands ambulants et les hommes dans leurs longs manteaux, avec leurs grands chapeaux noirs, les femmes à la tête couverte. Il fut un temps où elle traînait longuement dans le Marais, probablement plus souvent qu'elle n'aurait dû, pour des raisons qu'elle ne pouvait pas toujours expliquer.

Mais plus maintenant. Blanche ne supporte pas de voir les nazis tambouriner aux portes. La première fois qu'elle avait vu une famille – ils parlaient allemand, ils n'étaient donc probablement arrivés à Paris que depuis peu – poussée dans un camion, les enfants pleurant devant leur animal domestique malmené, les parents dont la peur et la résignation se lisaient sur le visage, elle s'était aplatie contre un mur, le cœur battant si fort qu'elle entendait le sang pulser dans ses oreilles.

Elle avait, certes, vu des scènes de ce genre en images dans les journaux et aux actualités avant l'arrivée des Allemands. Toutefois, Blanche ne pouvait pas croire que ça se passait dans les rues de Paris. Elle ne pouvait mentalement pas accepter de faire partie de ces groupes de Parisiens témoins de ces scènes-là, horrifiés mais indemnes. Comme si c'était une pièce de théâtre, des scènes jouées par des comédiens. Et non des gens. Des gens qui respiraient le même air qu'elle, qui mangeaient le même pain, qui buvaient la même eau. Pourtant, c'étaient bel et bien des gens, pas des comédiens…

Ça pouvait donc lui arriver à elle aussi, ou à n'importe qui parmi tous ceux qu'elle connaissait.

Ce jour-là, elle était rentrée au Ritz à toute vitesse. Et, bien que les mêmes uniformes que ceux qu'elle venait de voir dans la rue faire des choses méprisables y fussent aussi présents – les sentinelles à l'entrée de l'hôtel, les officiers qui arpentaient la Galerie des Rêves, ou encore ceux qui n'étaient pas de garde, sans leur casquette, leurs vestes sur le bras, montant les escaliers de la rue Cambon avec certains invités français ou commandant un verre au bar –, elle s'y était sentie plus en sécurité.

Était-ce parce que Claude était là ? Ou parce qu'il n'était pas si difficile de prétendre être qui elle devait être dans la lumière rose abricot si flatteuse du Ritz ?

En croisant un soldat nazi qui arpente les trottoirs de la rue Montaigne, Blanche frissonne ; il la salue d'un signe de tête auquel elle répond – un échange de politesses, rien de plus, et pourtant si étrange. Menaçant. Mais ce n'est qu'un simple soldat, personne d'important ; elle essaie de l'oublier immédiatement.

C'est plutôt un quartier huppé, et elle ne peut toujours pas croire qu'elle ait pu convaincre Claude, si économe, d'y acheter un appartement. Les maisons de haute couture – Patou, Vuitton – sont toutes fermées, leurs entrées ont été condamnées et leurs propriétaires ont quitté la France pour d'autres pays, là où les gens fortunés, représentants du luxe français et possédant une once de bon sens, se sont enfuis. Parfois, Blanche les imagine tous sur une île de la Méditerranée, en manque de champagne, se battant entre eux, s'entre-tuant, enterrés les uns après les autres dans le sable.

Elle glisse sa clé dans la serrure de la porte d'entrée de leur immeuble, salue d'un signe de tête la concierge, une méchante vieille femme qui n'a jamais aimé Blanche et paraît stupéfaite de la voir. Elle grimpe l'escalier jusqu'au cinquième étage et entre dans leur appartement en appelant : « Élise ? Élise, c'est madame Auzello. »

Claude lui a interdit de venir ici, lui expliquant que, malgré l'omniprésence des Allemands, ils étaient encore plus en sécurité au Ritz où on ne pourrait pas les arrêter en plein milieu de la nuit sans que personne le sache, et où ils étaient sûrs de pouvoir manger et d'avoir de l'électricité.

Mais maintenant, Blanche a compris ; elle sait pourquoi Claude a essayé de la tenir éloignée de chez eux. Non qu'elle pense le prendre en flagrant délit – Claude est trop catholique pour la tromper dans la journée, pendant ses heures de travail –, mais même si elle sait qu'elle ne verra rien de ce qu'elle ne devrait pas voir, elle est quand même venue. Car ne rien faire contre les nazis, contre Claude, ne rien faire pour tous les gens qui ont disparu, pour Lily, Pearl, mais simplement regarder, accepter, pleurer la nuit dans son oreiller, la rend malade. Elle est fatiguée, bon sang ! Elle a besoin de punir quelqu'un, de défier quelqu'un, quelque chose – ce besoin est trop fort désormais pour être ignoré. Et si elle ne l'assouvit pas, ne serait-ce qu'en venant ici, en désobéissant à Claude, un acte insignifiant mais pour autant un acte de rébellion, elle sait qu'un de ces jours elle va faire quelque chose de plus fou – comme peut-être donner un coup de pied dans les couilles d'un nazi – et alors Claude aura vraiment des raisons de s'inquiéter.

Et elle aussi.

Élise surgit de la cuisine, pâle, vêtue d'une robe noire toute simple. Elle a l'air aussi stupéfaite de la voir que la concierge ; elle la regarde bouche bée. Et, comme le remarque Blanche amèrement, elle ne paraît guère soulagée (comme elle le devrait pourtant) de voir Blanche vivante et en bonne santé après tout ce temps.

« Madame Auzello, finit-elle par dire d'une voix rauque.

– Je pensais que je… je pensais qu'il fallait que je vienne voir si tout allait bien ici. Et je voulais vous remercier de vous occuper de tout, bien sûr. »

Blanche s'est raidie et tente de parler avec autorité car, en cet instant, elle a l'impression d'être un visiteur non désiré dans son propre appartement.

« Oh, Madame, ce n'est rien. C'est un plaisir ! » répond nerveusement Élise en s'inclinant devant elle. Ce qu'elle n'avait encore jamais fait.

Blanche sourit, perplexe – qu'est-ce qu'Élise attend d'elle, qu'elle lui confère le titre de chevalier ? –, et jette un regard autour d'elle. Les meubles dans le salon sont recouverts des mêmes housses que celles dont elle les avait enveloppés avant de partir pour Nîmes et le lustre est lui aussi protégé par un drap. Le manteau de la cheminée est nu, car ils avaient empaqueté et emporté, pour les mettre à l'abri, les bibelots, les bougies et la pendule, ces objets qui dataient de l'enfance de Claude et dont il avait hérité après la mort de son père. Leurs quelques tableaux – un petit Picasso pour lequel le peintre leur avait fait un prix, une des peintures cubistes de Gerald Murphy, et les habituelles fleurs peintes à l'aquarelle que l'on trouvait dans tous les appartements parisiens – sont remisés au grenier, et les murs sont donc nus, eux aussi. Mais les marques des tableaux subsistent ; les murs sont plus clairs là où ils étaient habituellement accrochés.

Blanche se rend compte que, pendant qu'elle avait le dos tourné, Élise avait filé, et elle entend de lourds bruits de pas, des coups sourds, provenant de la chambre. Élise est probablement en train de faire disparaître les preuves de la présence de l'autre, et Blanche se garde bien de l'en empêcher. Ce n'est pas la faute d'Élise si Claude est un porc, il n'y a aucune raison de l'impliquer dans ces enfantillages. Car ça n'est rien d'autre que ça ; ce n'est pas comme si Blanche cherchait des preuves physiques, un bâton de rouge à lèvres qui ne serait pas de la même couleur que le sien, un déshabillé d'une taille trop grande ou trop petite pour elle. Elle n'a pas besoin de voir ni de toucher ; les objets ne la rendraient pas plus furieuse qu'elle ne l'est déjà.

Par ailleurs, s'il y a bien une chose que sait Blanche à propos de Claude, c'est qu'il est méticuleux à l'excès.

Pour autant, pour permettre à Élise d'en finir, Blanche prend son temps et fait le tour de la salle à manger – la porcelaine est toujours dans le buffet ; ils n'avaient pas eu le temps de tout cacher – et de la petite cuisine équipée, bien en ordre, qui reste le seul endroit accueillant de l'appartement, grâce à la chaleur du four, à l'odeur de l'ail et du romarin.

Finalement, Blanche se rend dans la chambre ; rien ne semble avoir été dérangé. Le dessus-de-lit est tiré, les tables de chevet vides, à l'exception de quelques photos, dont l'une de Claude et elle le jour de leur mariage ; elle espère qu'il a au moins la décence de la retourner quand il fait l'amour avec *l'autre*.

Blanche prend la photo pour l'observer de près ; elle portait alors une élégante robe années vingt – oh mon Dieu, comme cette taille « basse » paraît démodée maintenant ! Claude, quant à lui, portait un costume croisé à rayures.

Ils avaient l'air heureux. Abasourdis, plus exactement – comme s'ils ne pouvaient pas croire à la chance de s'être rencontrés, comme si le monde était trop grand pour eux en cet instant, et que tout ce qu'ils pouvaient faire était de sourire comme des idiots, tant ils étaient stupéfaits.

Blanche fouille parmi ses vêtements, en sort quelques robes et les range, avec la photo qu'elle tient encore à la main, dans une petite boîte à chapeaux qu'elle trouve au bas de l'armoire, et se prépare à partir. Elle ne sait pas quoi faire d'autre. Au Ritz, ce soir, Claude, au moins, verra la photo et saura qu'elle lui a désobéi, qu'elle est allée à l'appartement, et ça suffira. Pour l'instant.

« *Au revoir**, Élise. Je ne sais pas quand je reviendrai, à un moment plus joyeux, j'espère. » Blanche prend dans ses bras Élise, toute raidie et, à sa grande surprise, celle-ci la serre contre elle et l'embrasse sur les deux joues.

« *Au revoir**, Madame. Je resterai ici jusqu'à… jusqu'à ce que ce ne soit plus nécessaire. » Elle a les larmes aux yeux, et quelques mèches de cheveux gris se sont échappées de son habituel et sévère chignon.

Après un dernier geste de la main, Blanche descend l'escalier et réapparaît sur l'avenue Montaigne. Elle marche lentement, la ficelle de la boîte à chapeaux accrochée à un doigt. De même qu'elle n'avait pas envie de traîner dans l'appartement, elle n'est pas pressée de retourner au Ritz. Mais Blanche a perdu le plaisir de simplement flâner comme elle en avait l'habitude – comme Claude lui avait appris à le faire quand il la courtisait. Autrefois, en 1923.

Quand elle était la seule femme qu'il voyait au milieu d'une ville qui en était pleine.

« Paris n'est pas destiné aux gens pressés », lui avait-il dit, en lui tenant la main quand elle le lui permettait. « Paris est comme une belle femme – comme vous, Blanchette.

Il faut prendre le temps de le découvrir. Comme vous », ajoutait-il en la mordillant dans le cou, ce qui la grisait – cet homme, la ville, ces instants-là étaient tellement liés dans l'esprit de Blanche qu'ils ne faisaient plus qu'un et qu'elle n'était pas sûre de qui, de quoi, elle était tombée amoureuse.

Et d'ailleurs, pour être honnête, parfois elle ne le savait toujours pas.

Mais J'Ali… il l'avait su. Oh mon Dieu, oui !

« *Cet homme !* » J'Ali faisait les cent pas dans leur chambre du Claridge, le visage déformé par la colère. Blanche avait les bras chargés de vêtements ; ils partaient le lendemain pour l'Égypte et il lui avait demandé de commencer à préparer leurs bagages.

J'Ali – l'incroyablement beau prince J'Ali Ledene, qui l'avait ramassée dans un studio de cinéma de Fort Lee dans le New Jersey en lui promettant une carrière de star, un avenir digne des contes des *Mille et Une Nuits* – était arrivé depuis une semaine, et Blanche avait immédiatement oublié le frétillant petit Français donneur de leçons. C'est du moins ce qu'elle avait cru pendant que J'Ali et elle prenaient du bon temps, en parcourant la ville au volant d'une voiture de sport, une Stutz Bearcat, et en allant aux courses de Longchamp, ou encore en dansant jusqu'à quatre heures du matin dans les clubs de Montmartre, criant, tout excités, au Moulin Rouge. Frissonnant de plaisir au lit.

Mais la semaine était finie et Blanche préparait leurs bagages. Elle allait en Égypte. Pour devenir une star. Pour devenir…

Eh bien…

« Quel homme ? avait demandé Blanche en laissant tomber les vêtements sur une chaise.

– Ce Français. Le *réceptionniste*, avait-il répondu d'un ton méprisant.

– Claude… mon… Claude ?

– Oui, Claude. *Ton* Claude. Qu'as-tu fait avant mon arrivée, Blanche ? » J'Ali l'avait agrippée par le bras ; elle avait eu beau crier, il ne l'avait pas lâchée. « Qu'est-ce qui s'est passé entre vous ?

– Rien ! Je veux dire, il m'a simplement fait visiter Paris, c'est tout. Tu n'étais pas là, tu t'en souviens ? Tu m'as laissée ici toute seule.

– C'est tout… il n'a été que ton guide ? Pourquoi est-il monté ici tout à l'heure ? Pourquoi m'a-t-il menacé, comme s'il en avait le droit ?

– Quoi ? Claude est monté ici ? »

Blanche avait paniqué. Après tout, elle connaissait à peine ce Claude Auzello. Était-il l'un de ces hommes français dont on parle dans les romans, prêts à se battre en duel ? Elle ne pouvait pas imaginer Claude – le suffisant petit Claude – faire ça, mais qu'en savait-elle ? Il était plutôt du genre passionné, au moment où on ne s'y attendait pas ; et elle avait rougi en se souvenant de ses caresses, de ses baisers, des mots qu'il lui avait chuchotés à l'oreille.

J'Ali, qui lui lançait des regards noirs – après avoir remarqué qu'elle rougissait –, était plus transparent. Il était, *à n'en pas douter*, le genre d'homme capable de se battre en duel.

« Ce petit homme. Il est venu ici et m'a dit qu'il m'interdisait de t'emmener en Égypte.

– Il… quoi ? Comment était-il au courant de nos projets ?

– Je lui en ai parlé, pendant que j'organisais nos moyens

de transport. Il est monté et m'a menacé, moi… *moi* ! Le prince J'Ali Ledene ! Cette petite grenouille ! »

J'Ali l'avait lâchée, mais peu lui importait maintenant de l'apaiser. Elle aussi était en colère ; en colère contre J'Ali, en colère contre Claude. Furieuse que ces deux hommes ridicules veuillent en quelque sorte la revendiquer comme un objet leur appartenant. N'avait-elle pas son mot à dire ?

« Excuse-moi. » Blanche sortit de la chambre d'un pas décidé. J'Ali lui cria après : « Où crois-tu aller, ma p'tite ?

– Là où ça me plaît, merde ! »

Elle appuya d'un coup sec sur le bouton de l'ascenseur, descendit jusqu'à la réception du Claridge et se rendit directement dans le bureau de Claude Auzello.

Il était assis derrière son bureau et se servait un verre de vin. Il avait l'air soucieux, en colère – jusqu'à ce qu'il la vît. Alors, il se leva d'un bond, renversant son verre sur les papiers qui jonchaient son bureau. Blanche vit qu'il mourait d'envie de réparer les dégâts et de sauver ce qu'il pouvait mais, au lieu de ça, il choisit de courir vers elle.

« Blanche…

– Non. » Elle l'arrêta d'un geste de la main. « Non. De quel droit êtes-vous allé parler à J'Ali ? De quel droit lui avez-vous dit que je ne pouvais pas partir avec lui ?

– Le droit d'un homme d'honneur. Un homme amoureux.

– Honneur ? Amour ? » Blanche éclata de rire. « Petit trou du cul prétentieux ! Que savez-vous de J'Ali ? Que savez-vous de moi ? Rien. Peut-être que J'Ali est un saint. Peut-être que je ne mérite pas l'honneur d'un homme… ni son amour.

– Vous ne pensez pas ce que vous dites, rétorqua Claude, ses yeux bleu foncé perçant l'armure de la jeune femme.

– Non, avoua Blanche. Mais je suis quand même en colère contre vous.

– Vous ne serez jamais respectée tant que vous resterez avec cet homme-là. Il va vous traîner à travers toute l'Europe comme il vous a traînée dans tout Paris, dans ces clubs qu'il aime, ces boîtes de jazz ridicules…

– Comment savez-vous ce que j'ai fait cette semaine ?

– Je… » Claude tira sur le col de sa chemise, comme s'il était soudain trop serré. « Je…

– Vous nous avez suivis, n'est-ce pas ? Je le savais ! »

Blanche aurait ri, si elle n'avait pas été aussi furieuse – c'était ridicule, comme les Keystone Kops, ces flics vulgaires dans les films muets. Claude, si convenable, jouant au détective, se cachant derrière les arbres.

« Oui, en effet. Parce que vous avez besoin de moi – vous avez besoin de quelqu'un qui veille sur vous.

– Vous n'avez aucune idée de ce dont j'ai besoin. Je ne suis pas un innocent petit agneau séduit par le Grand Méchant Loup. Je sais exactement ce que je fais. Ah, vous les hommes, vous pensez qu'on vous appartient !

– Non, Blanche, ce n'est pas ce que je pense, mais j'espère… j'espère que vous vous rendrez vite compte que c'est avec moi, ici, qu'est votre avenir. J'espère que vous comprendrez que je vous traiterai comme une déesse, une épouse – et non comme une putain, le seul genre de femmes que cet homme connaît, et que vous deviendrez si vous restez avec lui. La putain de l'Europe. »

Vlan !

Le bruit résonna dans la pièce comme un coup de feu ; elle l'entendit avant même de savoir ce qu'elle faisait, avant de voir sa main retomber, avant de sentir les picotements.

« Oh, Claude, je suis désolée, tellement désolée ! »

Car Blanche l'avait giflé et il avait les yeux emplis de

larmes. De larmes mais aussi d'une certaine déception, comme une désillusion.

« Oh, Claude ! » Blanche se mit à sangloter, éprouvant des sentiments partagés… Comment avait-elle pu le blesser, le frapper ? Savoir qu'elle avait pu le faire l'anéantissait – et s'en rendre compte la stupéfia, la fit regarder Claude comme si elle le voyait tel qu'il était pour la première fois – comme si, pendant la semaine qu'ils avaient passée ensemble, il n'avait été qu'une idée et non une personne. Elle n'aurait pas regretté d'avoir frappé J'Ali ; d'ailleurs ça lui était arrivé plus d'une fois, et, à chaque fois, elle avait su que ce salaud le méritait.

Mais Claude… non, il ne le méritait pas. Claude était honnête, digne – Claude était un homme *d'honneur*.

Et il la voyait comme une femme d'honneur.

Blanche tremblait en sanglotant, tant elle avait honte, et soudain les bras de Claude l'enlaçaient et elle posait sa tête sur sa poitrine étonnamment large et plus musclée qu'elle n'en avait l'air sous les vêtements guindés et convenables. Elle ferma alors les yeux et il lui murmura des mots apaisants en français, qu'elle devina sans les comprendre.

Bien sûr qu'elle comprenait. Elle comprenait que cet homme, en cet instant, l'aimait. Qu'il voulait la sauver de quelque chose dont elle devait être sauvée sans le savoir. Qu'il voyait en elle quelque chose d'une plus grande valeur que ce que voyait le prince dans leur chambre là-haut…

« Blanche ! »

Ils s'écartèrent rapidement l'un de l'autre. J'Ali se tenait sur le seuil du bureau suivi de quelqu'un d'autre – le directeur du Claridge. Le supérieur de Claude, monsieur Renaudin.

« J'Ali ! Qu'est-ce que tu fais là ? » Blanche sentit le

rouge lui monter aux joues. Elle bouillonnait d'émotions inconnues.

Et tout ça l'excitait terriblement…

« Je viens m'assurer que ce petit bouffeur de grenouilles est viré, pour avoir fricoté avec une cliente.

– Je ne fricote pas. Je suis amoureux. Je suis honnête. » Claude s'adressait à monsieur Renaudin : « J'aime cette femme, et je veux l'épouser. Cet homme n'est pas un homme d'honneur. Il la traite comme une concubine.

– Claude… »

Renaudin fut interrompu par Blanche qui en avait assez :

« Nom de Dieu ! » s'exclama-t-elle.

Les trois hommes cessèrent de se lancer des regards noirs et de maugréer, et se tournèrent vers elle.

« Je ne suis la femme de personne, je suis moi, et on ne parlera pas de moi en ces termes. Claude, je suis désolée de vous avoir impliqué dans tout ça, mais c'est aussi votre faute. Toutefois, monsieur Renaudin, je vous en prie, ne mettez pas Claude à la porte.

– Blanche… » commença Claude, mais elle secoua la tête et avança d'un pas décidé vers J'Ali qui gronda :

« Blanche, si tu as couché avec cet homme, je te jure que je…

– Que tu quoi ?

– Que je te tuerai, avant de le tuer, lui. »

Renaudin en eut le souffle coupé. Claude pâlit. À peine.

« Oh, J'Ali ! » Blanche ne put qu'éclater de rire. Il avait l'air d'un acteur dans un mauvais vaudeville, le regard sombre, les cent pas, se tournant vers elle avec de grands gestes théâtraux. C'est lui qui aurait dû être vedette de cinéma, pensa-t-elle. Sa vie était un film, un mélodrame en costumes, avec ses histoires de chameaux dans le désert, ses feuilles de palmiers filtrant les clairs de lune.

Et ses harems.

« Jure-le, Blanche, comme tu le jurerais sur le Coran. Jure que tu ne reverras jamais cet homme.

– Il n'en est pas question. »

J'Ali la regarda, étonné. Claude fit de même. Et, bien qu'elle fût traversée, comme paralysée, par des courants d'émotions contraires, Blanche ne put que remarquer les différences entre les deux hommes. J'Ali était si beau – ses épais sourcils, ses yeux noirs ensorcelants, son menton bien dessiné, comme sculpté au burin. Claude n'était pas si séduisant – pour être honnête, il avait même le menton plutôt fuyant –, mais il était très attirant, il dégageait une telle autorité, un tel calme.

Une telle honnêteté. Une telle *intégrité*.

« Quoi ? Tu me désobéis ? À moi, J'Ali Ledene ?

– Oui. Et ce n'est pas tout. J'ai quelque chose à te demander. Oublie mon contrat, oublie l'idée de faire de moi une star de cinéma. Dis-moi la vérité. As-tu l'intention de m'épouser ? J'ai besoin de le savoir. J'ai besoin de comprendre quels étaient tes projets d'avenir nous concernant...

– Blanche. » La voix de J'Ali – cette voix profonde, teintée de snobisme, une voix des *Mille et Une Nuits* ayant étudié à Oxford – se fit caressante. Oh, Blanche connaissait bien cette voix ; elle s'endormait en en rêvant quand il n'était pas avec elle. Elle savait ce qu'elle signifiait – elle en connaissait l'intention : séduire. Mentir. De beaux, de si beaux mensonges. « Blanche, mon ange. Ne pense pas à l'avenir. Nous sommes ensemble maintenant. Et demain, tu seras en route pour l'Égypte, et tu auras ta felouque sur le Nil telle Cléopâtre, comme le mérite la star de cinéma la plus populaire au monde.

– Oh, J'Ali ! » Blanche laissa échapper un long soupir

fatigué. Elle était lasse – lasse de fantasmer, lasse des belles histoires qu'on s'inventait pour apaiser ses désirs, ses chagrins. Blanche était tombée amoureuse de quelqu'un qui lui racontait de belles histoires, des contes pour endormir les enfants. Mais il était temps de se réveiller. « Non, J'Ali. Dis-moi la vérité. Maintenant. As-tu l'intention de m'épouser un jour ?

– Blanche. Ce n'est pas si simple. Mon père, ma religion, la tienne… C'est impossible. Tu le sais, Blanche… Ne fais pas comme si tu ne le savais pas, depuis le début. Je ne t'ai jamais rien promis à ce sujet.

– Non, c'est vrai. » Blanche dut bien se l'avouer, finalement. « Alors, qu'est-ce que je serai pour toi, une fois en Égypte ? Aux yeux de… eh bien, aux yeux de tout le monde ?

– Mon amour. Mon ange.

– Ta maîtresse. Ta putain.

– C'est toi qui le dis, pas moi.

– Mais tu ne le contestes pas. »

J'Ali eut l'air peiné, il secoua la tête.

« Je ne pars donc pas avec toi. J'aurais dû prendre cette décision depuis longtemps. »

Blanche se hissa sur la pointe des pieds, lui embrassa la joue. « Adieu, mon amour. »

Et, lentement, elle se tourna vers Claude.

Qui avait l'air… stupéfait. Stupéfait de joie ou de frayeur, Blanche ne le savait pas exactement et, l'espace d'un instant, elle se figea, craignant d'avoir fait un très, très mauvais choix. Jusqu'à ce que Claude Auzello lui tende les bras dans lesquels elle se précipita. Elle s'accrocha à son cou, l'attira à elle, l'embrassa passionnément, avant de le sentir se fondre en elle comme elle se fondait en lui.

Quand, enfin, elle reprit sa respiration, J'Ali était parti.

Mais, soudain, le petit bureau surchauffé fut rempli de garçons d'étage et de femmes de chambre qui applaudissaient, les acclamaient et levaient leurs verres à l'amour, le vrai, tandis que monsieur Renaudin rayonnait comme un père fier de son fils.

Claude passa alors son bras autour de la taille de Blanche pour l'attirer à lui, dans une étreinte ferme et possessive. Elle enfouit sa tête au creux de sa poitrine, gênée mais heureuse – et surtout éblouie par l'aspect théâtral si romantique de ce qui venait de se passer. Si éblouie que sa vision en fut faussée, comme elle s'en rendit compte plus tard.

Mais à ce moment-là, elle vit seulement l'avenir qui l'attendait.

À Paris, cette ville magique qu'elle ne voulait plus jamais quitter, cette ville qui l'avait ensorcelée. À Paris, avec Claude, *son* Claude, comme elle l'avait appelé sans savoir exactement pourquoi. Son chevalier dans sa brillante armure, son Don Quichotte, se battant contre des moulins à vent – et contre des princes – pour elle.

Ce qui se passerait par la suite n'aurait pas d'importance ; elle le croyait aussi sincèrement qu'elle croyait à la galanterie des Français.

Dans les deux cas, la réalité lui donna tort, comme l'avenir le lui montrerait.

14

Claude

Automne 1941

Pour la première fois depuis qu'il était marié, Claude, parfois, hésitait à quitter sa femme le soir. Surtout après les neuf mois passés à Nîmes, rien que tous les deux, vivant comme mari et femme, sans room-service, sans ragots brillants et divertissants, sans duchesses séduisantes qui appellent tard, la nuit.

Après leur retour, la première fois que le téléphone avait sonné, juste une fois, Claude s'était figé. Le regard innocent que lui avait lancé sa femme quand il avait allumé avait semé le doute dans son esprit. Mais, finalement, il avait répondu, car c'est lui qui était à l'initiative de cet appel et de la rencontre à venir. À sa décharge, il ne pouvait encore connaître l'issue de ce premier rendez-vous fatidique, il n'avait aucune idée de la situation compliquée à laquelle il se trouverait mêlé, ni combien de temps ça durerait.

Il savait seulement qu'il en était heureux car, pour la première fois depuis l'invasion et la honte d'avoir rendu les armes, d'être vaincu, il se sentait être un homme. Un Français.

Le lendemain du retour des Auzello au Ritz, après leur séjour à Nîmes, le colonel Erich Ebert, caricature du nazi, leur rendit visite dans leur suite – « une simple visite de courtoisie », avait-il dit avec un sourire suffisant. Il avait les cheveux d'un blond presque blanc, coupés ras, une moustache, et était solidement bâti, tout en muscles.

« J'ai beaucoup entendu parler de vous, monsieur Auzello », dit-il en s'asseyant sans y avoir été invité. Claude enfouit ses mains dans les poches de son pantalon et fit un vœu. Celui de ne jamais serrer la main d'un Allemand. Il serait poli avec eux comme il se doit pour le directeur du Ritz, il exécuterait les ordres, dans la mesure du possible, sans se compromettre moralement. Il ne ferait pas d'esclandre, il ne mettrait aucun membre du personnel en danger, ni madame Ritz ni surtout Blanche.

Mais il ne leur serrerait jamais la main.

Par chance, le colonel Ebert ne parut pas avoir remarqué l'affront. Blanche, qui était en train de défaire ses bagages, fourra en hâte de la lingerie dans un tiroir avant de s'asseoir à son tour. Elle était pâle mais calme ; elle prit une gauloise dans son paquet sur la table et au moment où l'Allemand fouillait dans sa poche pour en sortir un briquet, elle gratta une allumette. L'Allemand reposa le briquet avec un petit rire.

« J'apprécie que vous parliez allemand, Herr Auzello, continua-t-il. J'aimerais parler français. Si j'ai bien compris vous êtes plus doué que moi pour les langues.

– Vous croyez ?

– J'en suis sûr. » Le colonel Ebert plongea la main dans sa serviette et en ressortit une liasse de papiers. « C'est votre dossier. Nous savons tout de vos… remarquables… états de service pendant la Grande Guerre, et de votre poste de commandement à la garnison de Nîmes. Nous admirons la manière dont vous avez géré la grève générale de 1936 ici, à Paris. Nous ne pouvions pas trouver mieux pour le

Ritz, et nous sommes donc heureux de vous garder à votre poste de directeur.

– Merci », répondit Claude du bout des lèvres.

Obligé de remercier un Allemand qui lui permettait de continuer de faire son travail !

« Pour le moment, en tout cas », continua Ebert, attrapant une cigarette dans le paquet de Blanche. Elle ouvrit la bouche mais, surprenant le regard de Claude, la referma sans rien dire. « Le général von Stülpnagel va bientôt arriver, et il se peut qu'il change les choses. Allez savoir ! » dit-il en haussant les épaules, comme s'il n'y avait guère lieu de s'inquiéter des moyens d'existence de Claude. « Encore une chose. » Ebert tendit une feuille avec le mot *Enjuivé** écrit en travers avec une encre noire menaçante. « Le Ritz est célèbre pour son hospitalité, mais nous n'autoriserons pas les Juifs à en profiter plus longtemps. Qu'ils restent dans leurs taudis. Ils ne sont plus les bienvenus ici, d'ailleurs, nous sommes contents de savoir que votre hôtel les a toujours accueillis sans trop d'empressement. Vous êtes née aux États-Unis, n'est-ce pas Frau Auzello ? »

Claude, s'efforçant de suivre le brusque changement de sujet, lança un coup d'œil à sa femme. Blanche tirait nerveusement sur sa cigarette.

« Oui.

– Comment se fait-il que vous parliez si bien allemand ? » Ebert sortit une nouvelle liasse de papiers – son dossier à elle, supposa Claude – et l'agita dans sa direction. « Nos soldats ont été très impressionnés hier.

– Je parle l'allemand et le français, ainsi que l'italien. Que dire ? J'ai une bonne oreille.

– Où êtes-vous née aux États-Unis ?

– Cleveland, dans l'Ohio.

– Je suis allé une fois aux États-Unis.

– Vraiment ? Eh bien, c'est formidable.

– Oui. J'ai pris le train de Chicago à New York un 4 juillet. Malheureusement, je n'ai vu aucun de vos feux d'artifice.

– Quel dommage. Mais ça ne me surprend pas.

– Oh, vous connaissez cette partie du pays ?

– Oui. Comme je vous l'ai dit, je suis née dans l'Ohio. » Blanche laissa pendre nonchalamment son bras – celui dont la main tenait la cigarette – par-dessus le dossier de sa chaise. Elle tira une nouvelle bouffée et regarda Ebert d'un air ouvertement amusé. Comme si elle était le chat et lui, la souris. « En fait, en regardant par la vitre du train, vous auriez pu voir ma maison. J'avais d'ailleurs l'habitude d'écouter les trains la nuit. Jusqu'à ce que ma famille déménage et s'installe à New York. Je suppose que c'est là que j'ai développé mon goût pour les langues. Maintenant que j'y repense, nos voisins parlaient allemand. Ils étaient originaires de Munich, je crois.

– Quelle heureuse coïncidence. J'espère que vous connaissez certaines de nos chères traditions.

– J'ai un faible pour les *schnitzel*, les escalopes panées, si c'est ce que vous voulez dire. »

Une remarque qui fit rire Ebert (et, en vérité, Claude faillit rire, lui aussi). Il rassembla ses papiers pour les ranger et quitta les Auzello sur un bref salut militaire en leur assurant qu'ils le reverraient souvent.

Dès que la porte fut refermée, Claude attrapa Blanche par les épaules. Il avait envie de la secouer tant son insouciance le rendait furieux – mais, dans le même temps, il ne pouvait s'empêcher de l'admirer. Il l'attira contre lui, comme s'il pouvait la garder là pour toujours et la protéger du diable qui rôdait autour d'eux. Après tout, il l'avait déjà sauvée.

Mais, en raison des circonstances, même Claude doutait de pouvoir la sauver une seconde fois.

« Quelle idiote, murmura Claude. Quelle belle idiote ! En fait, tu t'es moquée de cet homme.

– Il ne s'en est pas rendu compte. » Elle gloussa. « Mon Dieu, Claude, tu étais aussi blanc qu'un linge, on aurait dit un fantôme, quand il a commencé à m'interroger. Heureusement qu'il ne te regardait pas ! »

Mais elle cessa de rire et, toute tremblante, reprit enfin sa respiration. Elle n'était pas aussi forte qu'elle le paraissait, Claude ne devait pas l'oublier.

« Blanche, sois prudente – c'est plus important que jamais, désormais. Pense au…

– Ritz ? » demanda-t-elle avec ironie. Son regard était noir : accusateur. Plein de ressentiment. « Avec toi, il est toujours question du Ritz et rien d'autre, n'est-ce pas, Claude ?

– Je n'ai pas dit ça ! Tu ne m'as pas donné une chance de… mais, oui, bien sûr, le Ritz. N'oublie pas ma situation. Particulièrement précaire, désormais.

– Comme si je pouvais l'oublier, ne serait-ce qu'un instant. »

Elle le repoussa et se recoiffa.

Claude hésita, mais consulta sa montre ; il avait un hôtel à gérer et, vu les conditions actuelles, il n'avait aucune idée de comment y arriver. Le rationnement, les Allemands, un personnel réduit, des secrets, des secrets, encore des secrets. L'ampleur de la tâche qui l'attendait pesa soudain sur ses épaules, et il sut que même lui, monsieur Auzello, directeur du Ritz, allait légèrement vaciller sous ce poids avant de trouver un équilibre. « Blanche, je suis désolé, je n'ai pas le temps…

– Bon. Eh bien, je vois qu'une chose n'a pas changé. »

Elle reprit sa cigarette restée allumée dans le cendrier et inhala nerveusement la fumée. « Le Ritz t'appelle et tu accours.

– Blanche, c'est mon travail. Un travail grâce auquel, je l'espère, si Dieu le veut, nous serons en sécurité et pourrons nous nourrir. Mais je t'en prie, encore une chose – je pense que cet homme mentait en disant qu'il ne parle pas français. Ils nous écoutent, en permanence. Même au bar. Nous avons eu de la chance aujourd'hui mais, à l'avenir, nous devons être prudents.

– Oh, Popsy ! » Elle reprit le rangement de leurs vêtements. « Tu t'inquiètes trop.

– Parce que tu ne t'inquiètes pas assez », rétorqua Claude avant de sortir pour essayer de gérer cet hôtel quand la majorité des gens qui y séjournaient étaient des envahisseurs haïs du personnel.

Peu de temps après le retour des Auzello, les services postaux et téléphoniques reprirent. Des cartes de rationnement furent distribuées à tous les citoyens – y compris les soldats allemands – et un couvre-feu fut décrété. Le général von Stülpnagel, un homme au nez et au visage anguleux et qui, aurait-on dit, arborait un air méfiant en permanence, arriva en grande pompe, avec le faste dont les Allemands aimaient faire preuve face aux citoyens qu'ils avaient vaincus – un rang d'officiers tout le long des marches de l'hôtel, du côté de la place Vendôme, une fanfare militaire, des talons qui claquent, des épées brandies. Il était accompagné de Hans Speidel, son chef d'état-major. Claude aimait bien Speidel malgré lui ; il avait le visage rond rendu encore plus rond par ses lunettes sans monture, et de bonnes manières – il était simple et chaleureux. Mais Claude se méfiait, naturellement, car cet homme était quand même un nazi.

Göring, l'homme aux plumes de marabout et à la morphine, non seulement disposait de la Suite impériale quand il était en ville, mais il avait aussi réquisitionné un immense manoir dans les environs de Paris. Nombre de Parisiens fortunés délogés par les Allemands – qui disposèrent alors de leurs luxueux hôtels particuliers – avaient décidé de vivre au Ritz pendant toute la durée de l'Occupation. Comme Coco Chanel (dont la suite à la décoration tape-à-l'œil fut déménagée dans l'aile Cambon), et la comédienne Arletty. Des citoyens de toute sorte, qui avaient ouvert leurs portes aux Allemands après l'invasion, avaient accepté, après des conversations extrêmement convaincantes, de troquer leurs logements, leurs tableaux, leur argenterie, leurs meubles et les bijoux de la famille contre un séjour permanent, indéterminé, dans cet hôtel. C'était certainement un meilleur compromis que ce que la plupart des Parisiens pouvaient espérer à cette époque-là.

Malgré les ordres venus du haut commandement auxquels Paris obéissait – la réouverture des théâtres, le retour de Maurice Chevalier et de Mistinguett dans les cabarets, d'Édith Piaf et de ses chansons tristes –, la plupart des Parisiens, au cours des premiers jours, des premières semaines de l'Occupation furent trop atterrés, trop abasourdis, pour penser à rire. Claude ne comprenait pas pourquoi ces artistes montaient sur scène pour les nazis – qui étaient friands des divertissements qui avaient fait la réputation de Paris – jusqu'à ce que Blanche lui fît remarquer que, d'une certaine manière, il faisait la même chose.

« Mais c'est mon travail, répondit Claude sèchement. Et que m'arriverait-il – et, plus important, que t'arriverait-il – si je refusais de le faire ?

– Et ces artistes, s'ils refusent, que crois-tu que les Allemands leur feront ? »

Claude n'y avait pas pensé. Malgré tout, cette situation ne lui paraissait pas normale. Et il commença à saisir combien tout ça allait être glauque, complexe : les choix que devraient faire les Parisiens au quotidien, les questions qu'ils devraient se poser sans avoir la bonne réponse. Pourtant si vous vous trompiez, si vous faisiez le mauvais choix, vous aviez toutes les chances de finir en prison pendant quelques jours. Ou pire. Et si, en revanche, il apparaissait que vous aviez pris la bonne décision à un certain moment, comment savoir ce qu'il en serait par la suite – ne vous en tiendrait-on pas rigueur plus tard ?

Claude n'avait pas la réponse. La seule chose qui atténuait son désarroi était qu'il savait que personne d'autre ne l'avait.

Le soir de son arrivée au Ritz, von Stülpnagel commanda un banquet somptueux.

« Je ferai de mon mieux », lui assura Claude, l'informant dans le détail des fleurs fraîches que le Ritz pourrait fournir, des musiciens qu'on pourrait engager – car Dieu sait qu'il y avait des fleurs fraîches en abondance et de nombreux musiciens désœuvrés. En bien des façons, se dit Claude, ce n'était qu'un banquet identique à ceux dont le Ritz avait l'habitude. Une festivité de plus à organiser.

Malgré tout, il y avait un léger hic.

« J'aurai besoin de vos cartes de rationnement, évidemment », dit-il.

Von Stülpnagel le toisa.

« Je ne pense pas que ce soit nécessaire. Il n'y aura que des officiers de haut rang. Vous allez nous concocter l'un de ces banquets pour lesquels le Ritz est célèbre, Herr Auzello. C'est pour ça que nous avons décidé de vous garder. »

Claude ne répondit pas ; il s'inclina et s'en alla tout préparer.

Mais quand les portes de la salle où se tenait le banquet furent ouvertes le lendemain, révélant des tables parfaitement disposées – croulant sous les fleurs, le cristal étincelant, l'argenterie polie – et un trio à cordes jouant du Strauss, les Allemands s'assirent et attendirent.

Ils attendirent, longtemps.

« Je vous le répète, Herr von Stülpnagel, je dois avoir vos cartes de rationnement avant de pouvoir vous servir. Ce sont les ordres stricts que vous avez donnés. » Claude essayait de ne pas trahir sa nervosité – plus exactement sa peur – en parlant à voix basse à l'oreille de von Stülpnagel. Mais il avait le sentiment qu'il était important de le faire ; pour leur montrer que le Ritz était encore un hôtel, et non le quartier général du haut commandement allemand. Tous les clients dans les hôtels et les restaurants devaient désormais présenter des cartes de rationnement pour récupérer des bons d'alimentation. Claude pensait que si le Ritz devait survivre, il lui fallait traiter les Allemands comme des clients et non des occupants. Ses clients les plus importants, les plus haut placés, certes – des clients armés et qui avaient le pouvoir de jeter n'importe qui en prison, ou pire – mais, naturellement, c'était comme ça que le Ritz avait toujours traité ses hôtes, les rois, les vedettes de cinéma, les couples qui avaient économisé jusqu'au dernier sou pour passer leur lune de miel dans la plus petite des chambres.

Et les Allemands – s'il plaisait à Dieu – respecteraient le personnel (et Claude) pour ça, et, à la fin, ils ne pilleraient pas l'argenterie, les vins, les tableaux, ni le linge, ils ne détruiraient ni ne désacraliseraient le palace de monsieur Ritz. C'était capital pour Claude, même dans ces circonstances – surtout dans ces circonstances. Il était d'une importance vitale que ce fanal dans Paris, cet emblème, ce symbole, à la renommée internationale, du goût et de l'hospitalité français reste ce qu'il avait toujours été – vierge de toute souillure.

Donc Claude tint bon et essaya de ne rien laisser paraître du tremblement de ses doigts tandis qu'il rajustait sa cravate et attendait.

« Très bien, Herr Auzello. » Von Stülpnagel – après avoir rapidement consulté Speidel – éclata de rire. « Vous avez raison de réclamer. Mon aide de camp va aller les chercher et vous les apporter. Toutefois, à partir de maintenant, nous nous procurerons notre nourriture dans nos propres entrepôts, ainsi nous n'aurons pas à nous préoccuper de cette histoire de cartes de rationnement.

– Parfait, rétorqua Claude, tout en réfléchissant très vite. Et je serais heureux de vous aider à vous procurer les meilleurs légumes et les viandes les plus fraîches pour vos entrepôts. Après tout, je suis en relation avec tous les fournisseurs locaux, ce qui n'est pas votre cas. Voulez-vous que je m'en occupe ?

– Bien sûr. »

Von Stülpnagel le renvoya d'un geste de la main. Claude dansait presque en sortant de la salle et s'empressa de demander au personnel de servir ces foutus Allemands, avant de courir jusqu'à son bureau. Arrivé là, il décrocha le téléphone et se débrouilla pour trouver le plus gros camion possible pour le lendemain matin. Il s'occuperait alors de le remplir de nourriture pour les Allemands…

Et pour les autres clients, ceux installés rue Cambon, et tout le personnel de l'hôtel ; et, s'il y avait des restes, il ferait en sorte qu'ils soient distribués aux plus nécessiteux. Ainsi, tous ceux du Ritz pourraient survivre.

Toutefois, il y avait encore une autre chose que Claude devait faire. Un autre désir qu'il mourait d'envie de satisfaire, afin de survivre aussi longtemps que durerait l'Occupation. Car ça ne pouvait pas durer éternellement : si les Allemands avaient toujours été des conquérants, ils n'avaient jamais été capables de garder bien longtemps le fruit de leurs conquêtes.

Peu de temps après le banquet, Claude découvrit que tous les autres grands hôtels avaient aussi été réquisitionnés par les Allemands. Il décida de commencer par aller rendre visite à son égal au George-V, François Dupré, pour voir comment ses collègues directeurs d'hôtel se débrouillaient.

« Claude ! » Dupré, les larmes aux yeux, le prit dans ses bras, lui accordant un baiser humide, que lui rendit Claude, sur chaque joue. Sans compter qu'ils avaient toujours été des amis proches, Claude le considérait maintenant comme son frère. C'était là les effets de la guerre sur les hommes.

Ils étaient à la réception du George-V ; des soldats armés, comme ceux qui étaient postés à l'entrée du Ritz, le fouillèrent quand il entra et lui demandèrent pourquoi il était là mais sans lui prêter vraiment attention. Au contraire du Ritz qui fonctionnait encore comme un hôtel, tout au moins pour la moitié des chambres, les autres hôtels avaient été entièrement réquisitionnés par l'état-major allemand, aucun client n'y était admis.

Ce jour-là, pour la première fois depuis son retour à Paris après l'amère défaite française, Claude se sentit de plus en plus agité, excité même, mû par les rumeurs qui se frayaient un chemin à travers les rues étroites de la ville, comme le vent à travers les ailes d'un moulin par temps de mistral. On parlait de rendez-vous dans les sous-sols. Dans les arrière-cours. D'appels à la résistance. Un général, appelé de Gaulle – l'un des anciens aides de Pétain –, avait fui en Grande-Bretagne pendant l'invasion, et on envoyait des messages radio codés, pressant les Français à continuer de se battre, même si très peu les entendaient, et que tout n'était que ouï-dire. C'était excitant, effrayant, c'était ce dont avait besoin la France.

« Comment vas-tu, François ? » Claude accepta un verre de porto que lui apporta un serveur maladroit ; Claude l'observa et secoua la tête. Ce jeune homme ne resterait pas longtemps en poste. Il était bien trop nerveux.

« Ah, Claude. C'est terrible, n'est-ce pas ? Que s'est-il passé ? *Mon Dieu**. Je ne peux toujours pas y croire même si j'ai tout vu de mes propres yeux. Les Allemands, défilant sous l'Arc de triomphe ! » De toute évidence, Dupré, et Claude en fut consterné, était de ceux qui avaient déjà baissé les bras. Alors que certains citoyens, passé le choc de l'invasion, avaient finalement décidé de se battre, d'autres restaient sans réaction. Depuis le 10 mai, de nombreux suicides avaient eu lieu. Dupré avait le teint gris, ses mains tremblaient comme celles d'un homme de quatre-vingts ans et non de cinquante. Il avait les yeux rouges, comme s'il pleurait jour et nuit.

Mais il était toujours directeur du George-V, un homme que Claude avait longtemps admiré.

« Nous qui dirigeons les hôtels, François, sommes dans une position privilégiée, unique, tu ne crois pas ? Nous sommes au premier rang pour voir et entendre ce qui se passe à l'état-major allemand. Il est fort probable que nous allons savoir qui rencontre qui, qui est nommé à certains postes de commandement et quand, et quand auront lieu les mouvements de troupes.

– Et alors ? » se contenta de répondre Dupré en haussant les épaules, et en tirant sur un fil de sa manchette de chemise. Ses poignets étaient plus qu'usés et Claude en fut étonné, car il avait toujours vu son collègue impeccable.

« Je n'ai pas encore d'idées précises, mais ne crois-tu

pas… », Claude jeta un coup d'œil autour de lui et baissa la voix : « Ne crois-tu pas que nous pourrions tirer avantage de notre position ? Du fait d'avoir toutes ces informations ?

– Claude, Claude. » Dupré tremblait de la tête aux pieds. Il leva ses yeux mouillés vers Claude. « Claude, tu es encore jeune. Tu es un homme. Je comprends ta réaction passionnée. Mais je suis incapable de la partager.

– Je n'ai que dix ans de moins que toi, le coupa Claude. Nous sommes encore français. Nous devons faire *quelque chose* pour ne pas oublier que nous sommes encore français. » Claude avait élevé la voix et certains des soldats allemands se tournèrent vers lui. Il avala alors une gorgée de porto et s'efforça de se calmer. « Nous ne pouvons pas juste faire preuve de notre fameuse hospitalité française face aux *Boches**. Nous ne devons pas nous coucher comme l'ont fait l'armée, la marine – nos soi-disant dirigeants qui vivent sous terre, comme des taupes, à Vichy. Des taupes que la lumière aveugle – ce n'est pas pour nous, nous les hommes, les chefs.

– Je t'admire, jeune homme. » Le ton sur lequel répondit Dupré était empreint de tristesse et non d'admiration. « Mais je ne peux pas être d'accord avec toi. La France est perdue – *mon Dieu**, je n'aurais jamais cru dire une chose pareille de mon vivant. Les Allemands sont les vainqueurs. Alors, essayons maintenant de trouver un moyen de vivre en tant que vaincus.

– Je suis désolé d'entendre ça. » Claude ne savait pas exactement ce qu'il était venu chercher. Un conseil ? Un encouragement à la rébellion ? Ou simplement la confirmation que les hommes français étaient encore des hommes ? Une chose était certaine : il n'était pas venu pour entendre ça. « *Au revoir**, François.

– *Au revoir**, Claude. »

Claude le laissa à sa tristesse – bon sang, même les vêtements de cet homme puaient le désespoir et la lâcheté ! Et Claude se pinça presque le nez en entrant dans les autres hôtels où il retrouva la même odeur méprisable, vile, de la défaite. Il en fut donc réduit à marcher seul le long de la Seine, se parlant à lui-même comme un imbécile, traitant de tous les noms ses collègues français, ce qu'il n'aurait jamais imaginé faire un jour, la plupart d'entre eux ayant pris du service, comme lui, pendant la Première Guerre. Des *imbéciles*. Des *crapules*. Des *bonnes poires*. Des *bouffons*. Des *enfants*.

Des lâches.

Il se laissa tomber sur un banc pour reprendre son souffle. Il était sur la Rive gauche, de l'autre côté de l'île Saint-Louis. Comme d'habitude, la silhouette de Notre-Dame se découpait sur le ciel obscur. Les cloches restaient muettes depuis l'invasion, et la plupart des vitraux récemment restaurés avaient été démontés et cachés quelque part, au cas où les Allemands auraient décidé de les garder en souvenir, s'ils s'en allaient un jour. Il faisait sombre ; tout devenait indistinct. Les réverbères étaient éteints comme partout ailleurs. Paris n'était plus éclairé. Les gargouilles n'étaient guère plus que des formes difficiles à deviner. Mais indistincte ou pas, la cathédrale était toujours là, depuis le douzième siècle – quand Paris n'était qu'un labyrinthe de maisons en bois et bâtiments branlants, quand les vaches se promenaient au milieu des rues et que les saints et les sorcières étaient craints –, ce qui était rassurant.

Que pensaient les saints des Parisiens désormais ? En regardant du haut de leurs perchoirs quand ils avaient d'abord vu les citoyens s'enfuir devant les uniformes vert-de-gris marchant au pas de l'oie, puis revenir en rampant, la tête basse, brisés.

Et où étaient les sorcières ? À part de Gaulle, Claude ne voyait personne pouvant rompre le maléfice de la défaite et de la lâcheté. Et de Gaulle était de l'autre côté de la Manche. Il n'avait pas à marcher, comme Claude allait devoir le faire, sur un sol souillé par la défaite.

« *Pardon**. »

Un jeune garçon était apparu devant Claude. Il portait une veste de motocycliste en cuir, un pantalon resserré en bas, une écharpe de soie autour du cou.

« *Oui** ?

– Vous êtes monsieur Auzello du Ritz. »

Ce n'était pas vraiment une question – en fait, sa perspicacité parut ravir l'inconnu. Il laissa échapper un petit rire, tira une dernière taffe de sa cigarette et jeta le mégot par terre avant de l'écraser du talon de sa botte.

« Qui êtes-vous ? » En regardant autour de lui, Claude s'aperçut qu'ils étaient seuls hormis un jeune couple qui s'embrassait dans le cou sur le pont non loin de là. Ah, certaines choses ne changeaient pas – Claude en fut tout émoustillé et, gêné, dut croiser les jambes ; il lui restait encore au moins un moyen d'être un homme français. Cette pensée l'étonna, mais il ne la renia pas.

« Je m'appelle Martin. » Le jeune homme tourna le dos à Claude en ayant l'air d'observer Notre-Dame, regardant des ombres se faufiler au pied de la cathédrale. La sirène d'un bateau se fit entendre depuis l'autre rive de la Seine ; derrière eux, la musique et les rires habituels s'échappaient des cafés et des boîtes de nuit – en sourdine, toutefois, car le couvre-feu avait lieu à vingt et une heures et il était déjà presque vingt heures.

« Peu m'importe votre nom », répliqua sèchement Claude, en espérant que cet inconnu le trouve grossier et s'en aille. Ce n'était pas le bon moment pour se faire de nouveaux amis, pas quand n'importe qui pouvait disparaître au milieu de la nuit. Car il y avait déjà des rumeurs selon lesquelles les gens disparaissaient, tout simplement ; des histoires de cris entendus derrière les portes, des cris que des voix allemandes faisaient taire.

« C'est dommage. » Martin restait dos tourné. « Parce que je crois que j'ai quelque chose à vous dire que vous aimeriez entendre. D'homme à homme – de *Français* à *Français*. »

Claude s'apprêtait à se lever, mais il se figea.

« Je crois aussi comprendre, continua Martin, toujours tranquillement, que vous êtes marié à une Américaine. »

Claude se rassit.

« Je sais très bien y faire avec les épouses, ajouta Martin en riant. Personnellement, au contraire de vos amis, faire le mort en attendant que tout ça se termine ne m'intéresse pas. Je me reconnais en vous – un homme qui cherche l'aventure, l'amour, les femmes, hein ? Peut-être même en profitant de l'occasion quand elle se présente, en ces temps périlleux. Voulez-vous que je m'explique plus clairement ? »

Qu'est-ce que cet inconnu attendait de lui ? Même s'il n'avait pas mentionné Blanche, Claude aurait continué à l'écouter.

Mais l'inconnu avait évoqué son épouse – son épouse américaine –, raison de plus pour rester.

Claude Auzello écouta attentivement. Il prit des notes. Il fit des projets.

Et désormais, il serait de nouveau un homme.

Un Français.

15

Blanche

Automne 1941

« Madame ! »

Blanche lève la tête, surprise de se retrouver en plein cauchemar, plongée dans le présent, et non dans la vie en rose d'un passé où elle était courtisée – surprise même de tenir à la main la boîte à chapeaux qu'elle a emportée en quittant l'appartement. De plus, elle est désorientée ; elle n'est plus avenue Montaigne, mais dans une petite rue perpendiculaire qu'elle met du temps à reconnaître. C'est une rue remplie de petites boutiques familières – une crémerie, un caviste, une pâtisserie. Elle y venait souvent, avant.

« Madame ! »

Sur le seuil de l'une de ces boutiques, quelqu'un attire son attention avec de petits gestes de la tête, guettant quelque chose. Ou quelqu'un. C'est un vieil homme qui lui tend une boîte de chocolats enveloppée d'un joli ruban.

« Madame, c'est pour vous. Je vous en prie. Venez… c'est un cadeau.

– Pardon ?

– Venez… J'ai un cadeau pour vous !

– Mais qu'est-ce que ça veut dire ?

– Un cadeau ! Pour des retrouvailles ! »

Elle ne devrait pas ; elle le sait. Claude ne le lui avait-il pas suffisamment répété ? N'avait-elle pas entendu parler de gens – des citoyens ordinaires – fureter dans des endroits où ils n'auraient pas dû se trouver avant de disparaître ? Mais elle ne peut s'en empêcher ; elle décide de savoir de quoi il retourne. Après avoir jeté un coup d'œil autour d'elle pour voir si quelqu'un regarde, elle suit le vieil homme à l'intérieur du magasin où il lui fourre la boîte de chocolats dans les mains et dit, excité : « Vous êtes américaine, je m'en souviens ! On ne vous avait pas vue depuis longtemps !

– Oui, euh… »

Blanche ne comprend pas pourquoi il est aussi content de la voir ; ce n'est pas comme si elle avait été l'une de ses meilleures clientes. En vérité, elle achetait rarement des chocolats ici ; il y avait de meilleurs chocolatiers près du Ritz.

« Venez, venez. » Il attrape la boîte à chapeaux et boitille – l'une de ses jambes paraissant plus raide que l'autre – vers le fond de la boutique où il n'y a personne. Elle le suit – elle ne sait d'ailleurs pas pourquoi, si ce n'est par curiosité. Quel étrange petit bonhomme.

« Par ici ! » Il ouvre une porte – une réserve, sans fenêtres – et la presse d'entrer. « Regardez ça », dit-il sur un ton accusateur.

Et là, assis à une table, elle voit un jeune homme dans des vêtements beaucoup trop grands pour lui : un épais pull marin, un pantalon en tweed, des bottes qui bâillent. Il est pâle, il n'a plus que la peau sur les os, avec des cheveux blond vénitien tout ébouriffés. En apercevant Blanche, il cligne des yeux, aussi surpris de la voir qu'elle est surprise de le trouver là.

« Parlez-lui », la presse le vieil homme. Et un homme

plus jeune – qu'on lui présente comme le cousin du propriétaire – insiste d'un signe de tête. « Parlez-lui en anglais. Il ne comprend pas le français.

– Il a échoué devant ma porte, dit le cousin en passant une main sur son visage. Mais je ne peux pas en être responsable !

– Bonjour ? » dit Blanche en anglais en s'adressant au jeune homme. Il éclate alors en sanglots. Inquiets, les trois autres s'interrogent du regard.

« Oh, mon Dieu, je suis désolé ! » Le soldat s'essuie les yeux et hausse les épaules. « Ça fait tellement longtemps que je n'ai pas entendu parler anglais.

– Vous êtes anglais ? Que s'est-il passé ? Pourquoi êtes-vous ici ? »

Blanche s'assied et accepte un verre de vin rouge que lui sert le vieil homme, bien qu'elle eût préféré une boisson plus forte.

« Mon avion a été abattu il y a plusieurs mois déjà et, depuis, je me cache pour que les Boches ne me retrouvent pas. J'ai été transféré d'une planque à une autre, comme un paquet, tout en essayant de rentrer chez moi. La nuit dernière, j'ai raté mon contact, ou lui m'a raté, et j'ai frappé à la porte de ce type-là. » Il pointe du doigt le cousin, qui secoue la tête tant il estime ne pas avoir eu de chance. « Ça n'a pas l'air de lui plaire.

– Non. »

Blanche jette un coup d'œil aux deux hommes, nerveux, comme sur des charbons ardents.

« Vous l'aiderez ? Vous l'emmènerez ? supplie le cousin en français.

– Maintenant ? ajoute le vieil homme sur un ton désespéré.

– Mais que puis-je faire ? » demande Blanche par deux fois, en anglais et en français.

Et personne n'a de réponse, quelle que soit la langue. Elle se lève, fait les cent pas, s'arrête pour regarder attentivement l'aviateur. Il a l'air si jeune ; bien qu'il ne se soit pas rasé depuis longtemps, ses joues émaciées ne sont recouvertes que d'un fin duvet. On dirait presque un enfant.

... Il pourrait être son fils.

« D'accord », dit Blanche. Et une fois que sa décision est prise, elle se rend compte qu'elle est excitée, galvanisée, malgré le danger qui, sans aucun doute, les attend.

Parce qu'elle participe enfin ; enfin, elle *agit*. Elle ne se contente plus de passer devant les blessés qui marchent dans la ville, à peine capables de refermer leur main sur l'argent qu'on leur donne. Elle ne reste pas collée le long d'un mur, témoin silencieux de la rafle d'une famille juste sous ses yeux. Cette fois, elle fait quelque chose... quelque chose...

C'est alors qu'elle se rend compte qu'elle n'a aucune idée de *quoi faire*. Mais elle soupçonne quelqu'un qu'elle connaît de savoir *quoi faire*. « Vous permettez que je téléphone ?

– Si vous croyez que c'est sage. »

Le vieil homme lui désigne l'appareil, un ancien modèle, posé à l'autre bout d'une table branlante. Après avoir composé le numéro du Ritz, elle décline son identité à la nouvelle standardiste – une Allemande, évidemment – et demande à être mise en relation avec le bar. Il va lui falloir être très prudente – Claude l'a mise en garde : les Allemands écoutent toutes les conversations.

« Frank ? Frank, c'est vous ?

– Blanche ? »

Elle entend du bruit sur la ligne mais c'est bien la voix de Frank Meier. Frank qui peut rendre service.

N'importe quel service.

« Frank, je... j'ai un invité imprévu. Vous savez comme le courrier fonctionne mal. Il m'a envoyé une lettre que je n'ai jamais reçue. Le problème, c'est que je... je ne peux pas le loger. Et je me suis dit que vous connaîtriez quelqu'un qui pourrait l'héberger. »

Il y a un silence ; elle entend des verres tinter, le bruit des glaçons, la langue des nazis. Le rire, à gorge déployée, de Spatz, en arrière-fond.

« Et où se trouve votre invité ?

– Nous sommes en train d'acheter des chocolats qu'il pourra rapporter dans son pays. Sept, rue Clément-Marot ? »

Blanche regarde le vieil homme qui hoche la tête en arborant un large sourire de soulagement.

« Restez où vous êtes », répond Frank en raccrochant.

Blanche est si nerveuse qu'elle transpire – son chemisier lui colle à la peau –, elle s'évente alors de la main et demande un autre verre de vin et, s'adossant à sa chaise, elle regarde la pendule. Pendant de longues et pénibles minutes, personne ne parle. Le jeune aviateur pose sa tête dans ses bras et, bientôt, on l'entend ronfler. Les deux Français se regardent, bouche bée. Puis la cloche de la porte du magasin carillonne. Le vieil homme sursaute, le cœur de Blanche bat la chamade ; mais dès que le chocolatier arrive dans la boutique, elle se détend – ce n'est qu'une cliente, une femme qui achète des écorces d'orange confites avec des Reichsmarks de marché noir. Les achats de la cliente terminés, le vieil homme revient d'un pas inégal dans la réserve.

Dès qu'elle le voit, elle bondit sur ses pieds et renverse sa chaise tant elle est soulagée. Car c'est Greep qui accompagne le vieil homme. Greep qui regarde Blanche, puis le jeune soldat ensommeillé, et hoche la tête.

« *Allons-y**. Nous n'avons pas de temps à perdre.

– C'est-à-dire ?

– Je connais une planque. Une barge, sur la Seine. C'est un point de liaison. S'il arrive jusque-là, il pourra rentrer chez lui, si Dieu le veut. Je peux l'y conduire.

– Toi ? » Blanche le regarde attentivement ; Greep a l'air de… eh bien… de Greep. Elle le connaît depuis près de vingt ans, ce petit illusionniste tout ratatiné ; c'est l'un des « amis » de Frank Meier, un spécialiste de l'art perdu – comme il le dit en secouant tristement la tête – de la contrefaçon, l'art des faussaires – le dernier en son genre. Vous aviez besoin d'un acte de décès pour un corps encombrant, mais sans vouloir contacter les autorités ? Greep s'en occupait. Vous aviez besoin d'un acte de mariage afin de recevoir une pension de veuve à laquelle vous n'aviez pas légalement droit ? Greep s'en occupait. Vous aviez besoin d'un nouveau passeport, avec peut-être un nom différent du vôtre, un pays de naissance qui n'était pas le vôtre, une religion qui n'était pas la vôtre ?

Greep en faisait son affaire. Moyennant un certain prix.

Greep sourit, nerveux, comme toujours ; il est accro à la caféine, peut-être originaire de Turquie, pense-t-elle. Comme Lily, Greep est de ceux qui ne parlent pas beaucoup de leur passé et, réalise Blanche pour la première fois, c'est une chose qu'elle a en commun avec ces mystérieux réfugiés à la tête dure vers lesquels elle se sent attirée ces derniers temps. Blanche remarque alors les traces d'encre indélébile sur l'index et le pouce droits de Greep et ne peut s'empêcher de sourire. Mais un expert en contrefaçon n'est pas ce dont elle a besoin en cet instant, n'est-ce pas ?

« Tu as déjà fait ce genre de choses ? demande Blanche, d'un ton dubitatif. Tu as...

– Une fois. Pour un ami.

– Et où est cet ami maintenant ?

– Demande aux *Boches**. Je ne l'ai pas revu depuis qu'ils l'ont fait prisonnier. » Greep éclate de rire comme si c'était une énorme blague. Il s'essuie les yeux – il pleure de rire – et dit, à peine plus sérieusement : « Il y a des sentinelles allemandes sur tout le trajet, il faut donc se dépêcher, pendant qu'il fait jour. Ils arrêtent plus de gens quand la nuit est tombée.

– Mais que feras-tu s'ils vous arrêtent ? »

Et de nouveau amusé : « Je partirai en courant ! »

Le jeune soldat anglais, même s'il ne parle pas français, a l'air inquiet ; il ouvre grand les yeux, terrifié.

« Non, décide immédiatement Blanche. Non, c'est moi qui vais m'en occuper.

– Toi ? »

Elle a l'impression que les quatre hommes présents dans la pièce s'exclament en même temps et dans la même langue.

« Oui, moi. Je parle allemand. Est-ce que quelqu'un d'autre ici parle allemand ? »

Personne ne répond.

« Bien. C'est ce que je pensais. » Jetant un coup d'œil à ses vêtements – simples, rien de spécial, juste une jupe, un chemisier et des chaussures plates –, elle en conclut que ça fera l'affaire. Le jeune homme – eh bien, il n'y a aucune chance ici de lui trouver un uniforme de soldat allemand, même si Blanche est convaincue que Frank Meier pourrait leur en procurer un. Mais dans sa tenue actuelle, beaucoup trop grande pour son corps décharné, le jeune Anglais peut passer pour un malade. Il est si pâle ; Blanche se demande depuis quand il n'a pas vu le soleil.

« C'est un soldat allemand en convalescence, voilà ce qu'il est, explique-t-elle à Greep et aux deux autres. Et je l'accompagne dans sa promenade quotidienne. Si les *Boches** posent des questions, je peux répondre ; ils penseront que je suis son infirmière allemande. Et il a les cheveux blonds. » Elle lui jette un regard auquel il répond avec, dans les yeux, une totale confiance. Une confiance qui n'est pas encore justifiée et qui ne le sera peut-être pas – il leur reste tant d'obstacles à franchir qu'elle préfère ne pas y penser –, mais Blanche représente son seul espoir. Il n'a pas d'autre choix que de se convaincre qu'elle réussira.

Elle non plus n'a pas d'autre choix, d'ailleurs.

« Redis-moi où je dois l'emmener ?

– Une barge. C'est un endroit pour pigeons boiteux. Tu verras. Sous le pont d'Austerlitz.

– Si loin ? »

Pendant combien de temps Blanche pourra-t-elle empêcher ce jeune homme de flancher ? Il a déjà vécu l'enfer, et il n'a pas l'air de pouvoir s'en sortir en jouant la comédie.

Greep hausse les épaules. « C'est comme ça.

– Très bien. » Elle fait signe au jeune soldat et lui explique en anglais ce qui va se passer. « Je suis votre infirmière allemande. Vous êtes un soldat allemand malade, et je vous accompagne dans votre promenade quotidienne. Si quelqu'un vous parle, ne répondez que par *Jawohl*, c'est compris ? Rien d'autre. Pas un mot de plus. Vous pouvez hocher ou secouer la tête, vous pouvez éternuer ou tousser. Mais quoi qu'il arrive, ne partez pas en courant, c'est compris ? Et vous ne dites pas un mot en anglais.

– Je ne crois pas être capable de tenir », dit-il doucement.

Ses yeux se remplissent de larmes. Mon Dieu, il ne doit pas avoir plus de dix-neuf ou vingt ans. Ce que ce putain de monde exige de garçons comme lui met Blanche en colère et lui donne de l'énergie pour deux.

« Si, vous pouvez. Vous pilotiez un avion qui a été descendu par ces salauds. Vous pouvez donc marcher et vous en sortir. » Elle pose une main sur son épaule ; il tremble. « Faites-moi confiance. »

Et, en disant ça, elle se sent remplie d'un calme inédit – presque surnaturel. Fondé sur rien de ce qu'elle a connu jusqu'à maintenant. Si elle était quelqu'un d'autre, elle dirait que c'est l'esprit de ses ancêtres qui la guide. Ou peut-être celui de Lily – quelque part.

« Allez. » C'est le moment de bouger ; Greep a raison. Ils ne doivent pas se trouver dehors quand le soleil commence à se coucher. Blanche attrape son jeune protégé, salue Greep de la tête et lui rappelle : « Si je ne suis pas de retour au Ritz à minuit, raconte tout à Claude. » Elle dit adieu aux deux Français qui se raccrochent l'un à l'autre et pleurent de soulagement en se voyant débarrassés si rapidement de leur fardeau.

Elle est déjà presque à la porte quand elle se souvient de quelque chose.

« J'allais oublier. » Elle repart en courant dans la réserve et revient avec la boîte de chocolats que le vieil homme lui avait proposée – il y a longtemps maintenant, lui semble-t-il, bien qu'en réalité elle ne soit sortie de l'appartement que trois quarts d'heure plus tôt. « Vous me les avez offerts, après tout. Je reviendrai plus tard pour la boîte à chapeaux. »

Tout en fourrant la boîte de chocolats dans son sac à main, elle encourage le jeune homme à sortir du magasin et ils se mettent en marche. Dans la lumière du soleil, le jeune soldat plisse les yeux, aveuglé. Depuis plusieurs mois, il n'a dû sortir que la nuit. Blanche la Yankee traverse un Paris occupé par les Allemands avec un pilote anglais et tous deux risquent de se faire descendre, sans sommation, si jamais ils sont démasqués. Mais le soleil brille – ce qui n'était pas le cas tout à l'heure –, les arbres, orange et or, sont beaux, les feuilles mortes crissent sous leurs pas, des marrons chauds sont vendus au coin des rues, et des enfants jouent dans les parcs. C'est une si belle journée qu'elle manque de le lui faire remarquer en anglais mais, heureusement, elle se mord la langue juste à temps. Le goût du sang dans sa bouche lui rappelle que sa chair peut être pénétrée, ses os brisés et ses veines tranchées. Tu n'es que poussière. Et tu retourneras à la poussière.

Ils continuent à marcher. Ses jambes sont plus solides que ses nerfs ; on dirait qu'elles savent exactement où la mener. Ils descendent dans le métro à la station Champs-Élysées-Clemenceau. Blanche choisit un wagon avec peu de soldats allemands. Elle fait asseoir le jeune homme, décide de rester debout et, ayant réfléchi, s'éclaircit la voix avant de parler.

« *Es ist immer so überfüllt, nich wahr ? Nicht wie zu Hause.* » Blanche se tourne, avec un sourire timide mais charmant (espère-t-elle !), vers un soldat allemand armé, qui se tient à la barre métallique près d'elle. Et bien qu'il sourie, elle sent, tandis qu'elle le surveille du coin de l'œil, le jeune Anglais se raidir.

« *Ja, immer. Und auch schmutzig* », répond l'Allemand, d'accord avec elle.

Blanche lui offre un chocolat, qu'il accepte en souriant, avant de se tourner vers son compagnon pour entamer une discussion sur le mauvais fonctionnement du courrier entre Paris et chez eux, et le jeune Anglais se détend.

Blanche s'en tient là avec le soldat allemand. Soudain, elle se met elle aussi à trembler. Mais elle pense – elle espère vivement – que cette petite conversation a été suffisante.

Blanche et son « pupille » sortent à la station Bastille ; tenant le jeune homme d'une main ferme, elle l'oblige à marcher lentement, sans le lâcher pour autant. Elle lit sur son visage la panique, l'envie de partir en courant. Elle le sent dans la tension de ses muscles ; ils paraissent si durs qu'elle pourrait y frotter une allumette.

Elle-même se sent tendue – elle pourrait courir aussi vite qu'une panthère tant la poussée d'adrénaline est forte. Elle transpire, elle est trempée ; son chemisier lui colle de nouveau à la peau. Mais elle se cramponne toujours au jeune homme et tous deux continuent à marcher, lentement mais sûrement. De temps à autre, elle lui donne l'ordre, d'une voix forte, en allemand, de se reposer et il comprend car, chaque fois, elle lui montre un banc d'un signe de tête. Et donc, par à-coups, ils traversent les rues les plus tranquilles de la ville, jusqu'au pont d'Austerlitz, l'un des ponts les plus laids de Paris. Même Claude n'avait jamais pu faire preuve d'enthousiasme à l'égard de ce pont. Ici, à la place des charmantes petites péniches, avec leurs parterres de fleurs, amarrées près du cœur de la ville, on trouve des barges destinées au transport industriel. Blanche les passe en revue du regard, cherchant un signe de distinction, jusqu'à ce que finalement elle en repère une plus petite que les autres, avec une cage à oiseaux accrochée à l'avant. Dans cette cage, deux oiseaux aux ailes brisées ; les ailes sont bandées, et elles pendent mollement le long du corps des volatiles.

« Les oiseaux boiteux », fait remarquer Blanche en anglais, à voix basse.

Les pupilles du jeune soldat anglais se dilatent, et il regarde dans la même direction qu'elle.

« Là, vous voyez ? »

Il hoche la tête.

« Vous devez y aller seul. Ça serait suspect qu'une femme accompagne un simple manœuvre travaillant sur une barge. Et c'est exactement de quoi vous avez l'air. On ne devrait plus vous poser de questions maintenant. Vous êtes à l'abri.

– Je ne sais… je ne sais pas quoi dire », bredouille-t-il.

Ce qui fait monter les larmes aux yeux de Blanche. Elle est submergée par l'émotion : un élan du cœur, comme elle n'en a jamais connu. Elle secoue la tête ; il ne faut pas qu'il la voie dans cet état. Elle n'est pas sa mère. Il n'est pas son fils.

Alors qu'elle le pousse gentiment et le regarde traverser lentement, les mains dans les poches, la tête basse, le pont pour atteindre l'autre rive, et qu'il descend l'escalier menant au quai, avant de finalement poser le pied sur la barge et disparaître de sa vue, elle se rend compte qu'elle ne connaît pas son nom. Pas une seule fois elle n'avait pensé à le lui demander. Elle a soudain tellement besoin de le connaître qu'elle s'élance presque pour traverser le pont elle aussi. Elle a besoin d'un lien – de quelque chose qui survivrait aux souvenirs de cette extraordinaire aventure. Quelque chose qui la relierait à un autre être humain qu'elle aurait aidé ; vraiment aidé, au lieu de passer devant ou de le regarder de loin, ou encore de lui avoir seulement lancé quelques pièces de monnaie. Si elle connaissait son nom, elle pourrait lui écrire et un jour – mon Dieu, un jour tout ça serait fini, non ? –, un jour, elle le chercherait, à moins qu'il ne vienne la trouver… mais non, il ne connaît pas non plus son nom à elle.

Toutefois, elle comprend que c'est mieux ainsi. Mieux pour eux deux, si jamais ce qu'elle ne peut se résoudre à imaginer arrivait. Et donc Blanche fait demi-tour, clignant des yeux pour chasser ses larmes, et marche d'un pas rapide en direction du Ritz. C'est une longue marche, mais peu importe.

Elle a besoin de rester à la surface, de ne pas prendre le métro, de ne pas être sous terre. Elle veut être au milieu des vivants, de ceux qui sont poursuivis, au milieu de *ceux qui agissent*. Car, après tous ces longs mois d'inaction – après toutes ces longues années, ses années de mariage –, elle a enfin le sentiment qu'elle a trouvé une place légitime au milieu de ces gens-là.

« Claude, je… » Elle entre en trombe dans leur suite dès son arrivée au Ritz, non sans avoir adressé un grand sourire à Frank Meier derrière le bar qui, en retour, lui sourit, soulagé. « Claude ! Popsy… tu ne croiras jamais ce que je viens de faire…

– Où étais-tu passée ? » Son époux lui lance un regard furieux puis consulte sa montre de gousset, démodée, exactement comme lui. « Il est tard, tu es partie depuis des heures. Où étais-tu ? Tu n'es qu'une sale gosse égoïste. Tu n'as donc pas pensé à moi, tu n'as donc pas pensé à quel point j'allais m'inquiéter ? Mais non, tu ne penses qu'à toi, n'est-ce pas ? »

Son mari. Qui, un jour, avait été son sauveur. Il a le visage déformé par la colère. Il ne la voit pas : Blanche – Blanche la Téméraire. Blanche l'Audacieuse. Blanche qui a besoin d'une boisson forte. Non, il ne voit que son épouse, pour laquelle il se fait du souci et qui est un fardeau en ces temps difficiles. Après tout, il a un hôtel à gérer, un hôtel plein d'Allemands auxquels il doit faire des courbettes, pour lesquels il doit courir et dont il doit satisfaire les besoins. Il n'a pas de temps pour ses extravagances, Blanche si Décevante, Blanche l'Emmerdeuse – ne le lui avait-il pas déjà dit et répété ?

Ses mots – ce qu'elle avait à dire de sa réussite, de sa fierté, de son courage – s'éparpillent avant de s'écraser au sol, non dits. Claude ne les voit pas, ces mots brisés, gâchés, mort-nés.

Blanche les voit, elle. Elle marche dessus en allant se réfugier dans la salle de bains dont elle ferme la porte derrière elle avant de vomir dans le lavabo. Dans la chambre, le téléphone sonne, une fois.

La porte s'ouvre, puis se referme.

Quand, finalement, elle émerge de la salle de bains, la suite est vide mais elle peut encore voir sur le sol ses mots piétinés, son histoire. L'histoire qu'elle ne partagerait donc jamais avec son mari.

Car cette histoire est bien trop bonne pour ce salaud infidèle.

16

Claude

Automne 1942

Le téléphone sonne – une seule sonnerie, significative. Claude jette un coup d'œil à sa femme qui est habillée pour sortir sans lui avoir vraiment donné d'explications. Il est tard dans l'après-midi, mais trop tôt pour dîner, bien qu'il ait eu l'intention de l'inviter, même s'il lui aurait fallu utiliser tous ses tickets de rationnement. Habituellement, ils dînent ici, au Ritz, bien évidemment ; c'est là tout l'intérêt de s'y être installés, car il y a toujours des restes quand les nazis organisent des banquets pour les officiers et leurs familles ; de la nourriture qui ne requiert pas de tickets de rationnement.

Mais, récemment, il a remarqué un changement chez Blanche, quelque chose de nouveau, à la fois de l'insouciance et une sombre préoccupation. Ce qui provoque chez lui autant d'inquiétude que de colère. Comme s'il avait le temps d'avoir des soucis en plus ! Parfois, elle commence une conversation, de celles, comme Claude le devine, qu'elle aurait eu envie d'entamer il y a longtemps, pour soudain s'interrompre. Elle parle plus librement – parfois grossièrement, parfois avec malice – aux Allemands, surtout à son vieil ami Spatz. Elle flirte avec lui, effrontément, et Claude craint que Chanel, un jour, ne pousse sa femme dans l'escalier. Lui-même est partagé face à ce nouveau comportement : d'un côté, si elle la joue fine avec les Allemands, il y a de plus grandes chances pour qu'elle ne cause la perte de personne. D'un autre côté, Claude déteste la voir faire ami-ami avec eux comme s'ils n'étaient pas pourris jusqu'à la moelle – le mal incarné.

Mais il suppose qu'elle déteste le voir faire la même chose.

L'autre jour, alors qu'ils étaient au restaurant (la seule salle de l'aile Vendôme où les civils autres que les membres du personnel de l'hôtel étaient admis ; c'est humiliant d'avoir à être fouillé par des gardes armés chaque fois qu'on traverse le passage entre les deux ailes de l'hôtel), von Stülpnagel s'était assis, sans y avoir été invité, à la table des Auzello.

Évidemment, ils ne purent lui dire qu'ils désiraient être seuls – de nos jours, avec les Allemands, il est impossible de ne pas « être en service ». Les employés du Ritz, tous, sont désormais considérés comme faisant partie du personnel adjoint des nazis. Claude, bien sûr, avait l'habitude d'être traité avec familiarité par les gens riches et célèbres. Mais l'honneur qu'il en retirait le payait suffisamment en retour et, pour la plupart d'entre eux, c'étaient d'honnêtes gens. Maintenant, il n'est plus question d'honneur et le paiement en retour est bien maigre.

Quant à l'honnêteté, le mot n'a pas sa place dans le monde qui est désormais le leur.

« Claude, mon ami », dit Stülpnagel en ouvrant grand les bras – l'Allemand paraissait sincèrement heureux de le voir.

« Et son adorable épouse », ajouta-t-il, avec un grand sourire. Était-il ivre ? « L'*Américaine*. Maintenant notre ennemie. Le Reich a tellement d'ennemis. » Il s'adressait à Blanche en hochant la tête, les yeux mi-clos, et avait presque l'air triste.

« Remercions-en les Japonais », répondit froidement Blanche en caressant le pied de son verre de vin. Claude s'était raidi, craignant qu'elle n'ait l'intention de jeter le contenu du verre à la tête rougeaude de cet homme. « C'est grâce à eux si, enfin, l'Amérique entre en guerre.

– Vous vouliez donc que votre pays se batte contre nous auparavant ? »

Von Stülpnagel s'était penché vers elle, s'efforçant d'ouvrir grand les yeux, comme s'il était sincèrement curieux d'avoir la réponse. Claude ne parvenait pas à deviner ses intentions – tendait-il un piège à sa femme ? Les doigts crispés sur le manche de son couteau, il regardait le général von Stülpnagel, essayant de déchiffrer son visage. Mais l'homme ne paraissait absolument pas menaçant, juste passablement éméché et d'une humeur étonnamment joviale.

« Si surprenant que ça puisse paraître, Franklin Roosevelt ne me consulte pas sur ce genre de questions », répliqua Blanche avec une désinvolture que Claude ne put qu'admirer.

Von Stülpnagel éclata de rire et, tout joyeux, il tapa sur la table. « Elle est si drôle ! Vous avez de la chance, Herr Auzello. Je reconnais un homme qui a de la chance quand j'en vois un car moi aussi j'ai de la chance. Ma femme, il faudrait que vous la rencontriez. Elle est presque aussi charmante que la vôtre. » L'Allemand salua Blanche de la tête, s'inclinant avec courtoisie.

Blanche échangea avec Claude un regard surpris. Ni l'un ni l'autre ne savaient quoi faire de leur hôte – qui fit signe à un serveur pour qu'on lui apporte du cognac.

Mais l'un de ses officiers, assis à la table voisine, avait entendu leur conversation ; il se leva, un verre à la main et s'exclama : « À Washington ! À notre nouvelle conquête – *Heil Hitler !* »

Blanche, tremblante, serrait si fort le pied de son verre que Claude craignit qu'il ne se brisât. De l'autre côté de la table, il ne pouvait pas attraper sa main ; von Stülpnagel était entre eux deux, les yeux fixés sur l'officier qui s'était levé. C'est alors, presque avec réticence crut comprendre Claude, que von Stülpnagel se leva à son tour, le verre à la main et bredouilla « *Heil Hitler* ». Et tous les officiers nazis présents dans le restaurant l'imitèrent.

« Excusez-moi », dit Claude en se levant et en entraînant rapidement Blanche vers la sortie, bien qu'on ne leur ait servi que la soupe. « Je viens de me souvenir que je n'ai pas encore commandé le poisson pour demain. » Il s'inclina pour saluer, un geste méprisable – s'incliner devant les nazis – pour lequel il se détesta – mais des décennies d'habitudes professionnelles le trahissaient car nazis ou pas, ils étaient cependant les hôtes de César Ritz. Claude poussa sa femme hors de la salle à manger.

Tandis qu'ils arrivaient à hauteur de la sentinelle armée à l'entrée du long passage menant à l'aile Cambon, le jeune homme leur sourit et adressa un bref salut militaire à Blanche : « Bonne soirée, Frau Auzello.

– Bonsoir, Friedrich », répliqua Blanche sèchement, avant de soupirer et de s'arrêter : « As-tu reçu du courrier aujourd'hui ?

– Oui ! » Le garçon rayonnait, il fouilla dans sa poche. « Voulez-vous que je vous le lise ?

– Une autre fois. » Blanche laissa Claude l'entraîner dans l'interminable passage au sol en marbre. « Pourquoi es-tu si pressé, Claude ?

– Je… j'ai eu peur que tu commettes une imprudence.

– Comme dire à ces foutus nazis ce que je pense de leurs chances de conquérir Washington ?

– Eh bien… oui.

– Oh ! Bon sang, ce que j'aurais aimé pouvoir le faire ! »

Elle le repoussa et accéléra le pas. Il dut courir derrière elle pour la rattraper.

« C'est ce que je devrais peut-être faire, maintenant que tu en parles. »

Elle fit demi-tour et rebroussa chemin. Claude la retint par le bras juste à temps.

« Lâche-moi !

– Non, Blanche. Non, pas ici.

– Et pourquoi pas, merde ? Je n'en ai rien à foutre de ce Ritz qui t'est si cher, Claude Auzello ! Comment peux-tu continuer à t'incliner devant eux comme un laquais ? Je me fous de savoir s'ils sont charmants ou pas – je me fous de Friedrich, désormais, il est comme les autres, non ? même s'il n'est qu'un tout jeune homme, un jeune homme comme… » C'est alors qu'à la surprise de Claude, son épouse se mit à pleurer – des larmes pleines d'amertume. « Oh, Claude ! C'est tellement triste. C'est un tel gâchis. Que puis-je faire ? »

Il finit par conduire sa femme en pleurs dans leur suite – elle voulut s'arrêter au bar mais il était plein d'officiers, et il ne lui permit pas d'entrer dans cet endroit où elle aurait été libre de fulminer et de laisser exploser sa colère contre lui, contre les nazis, contre tous les hommes en général. « Vous vous comportez tous comme de grosses bêtes courageuses, en vous tapant sur la poitrine et en grognant les uns sur les autres simplement parce que vous êtes tous faibles, vous faites tous semblant ; et moi, pendant ce temps, je reste ici, assise – et ça ne te suffit pas, ça n'est jamais assez », lui lança-t-elle.

Blanche finit par s'endormir. Son maquillage avait coulé, le rouge sur ses lèvres avait pâli, et sa bouche ressemblait à un coup de pinceau impressionniste.

Claude s'assit, lissa ses sourcils, et respira plus calmement. En théorie, elle avait raison, évidemment – c'était une honte, un gâchis, une horreur, les hommes étaient, en effet, comme elle les décrivait et plus encore. Les hommes étaient affreux, lui y compris.

Mais dans la réalité, celle dans laquelle ils essayaient de vivre, de survivre, sa femme avait complètement tort. Il fallait qu'elle se tienne à l'écart, qu'elle reste assise et observe, pour son bien à elle, pour leur bien à tous les deux et celui du Ritz.

Serait-il capable, la prochaine fois, d'éviter une crise comme il l'avait fait ce jour-là – éviter que Blanche hurle comme une furie, révélant des choses qui ne devaient pas l'être ? Le fait est qu'il n'avait jamais pu se fier à sa femme, surtout quand elle buvait. Il n'avait jamais pu lui faire confiance comme un homme devrait faire confiance à son épouse : pour sa discrétion, sa capacité à apaiser les choses au lieu de perdre son flegme, à faire passer ses besoins à elle avant ceux de son mari, sa capacité à le comprendre et le réconforter. Et il y aurait sûrement d'autres moments comme celui-là, au vu de la personnalité détonante de son épouse – une Américaine alcoolique, prise au piège d'un nid de vipères nazies : c'était inévitable. Claude pouvait le deviner. Il voyait tout un défilé interminable de petites bombes qu'il devrait désamorcer. Et, pour la première fois, il se demanda si lui – l'inébranlable monsieur Auzello – était à la hauteur de la tâche.

Il se demanda si ce ne serait pas son épouse qui, pour finir, signerait la perte du Ritz, son Ritz, sa mission en temps de guerre – car c'était ainsi qu'il considérait l'hôtel désormais. Il n'avait certes pas de mission à accomplir sur le champ de bataille au vrai sens du terme, mais il considérait de son devoir de sauver le Ritz, de le garder, avec son personnel, intact, vivant.

Sa mission. Sa responsabilité. Son devoir. De Français.

Le téléphone arrête de sonner, et Claude doit répondre à cet appel. C'est un homme, après tout – un homme dont la guerre a attisé des envies familières.

Blanche – qui met ses boucles d'oreilles – se fige. Il recule avant même qu'elle dise un mot ou s'empare de l'objet le plus proche pour le lui jeter à la tête – en levant les bras pour se protéger, anticipant la bataille à venir. Une bataille ancienne, une vieille relique ; une pièce de théâtre rebattue, dont les deux acteurs ont à peine besoin d'énoncer les répliques, jouant de manière mécanique devant un public qui a fini par s'endormir.

Ce soir, toutefois, on dirait que Blanche a changé de rôle. Elle ne dit rien.

Claude laisse retomber ses bras.

Blanche se met à fredonner, l'accompagnement musical d'une pièce de théâtre, un air américain peut-être – vaguement familier à Claude, mais pas assez pour en connaître les paroles. Elle continue à s'apprêter, met du rouge à lèvres, qu'elle unifie à l'aide d'un mouchoir en papier, avant d'accomplir tous ces petits gestes bizarres habituels – elle glisse, en effet, son index dans sa bouche, l'en ressort et essuie la trace de rouge laissée sur son doigt. Elle dit toujours qu'en faisant ça, elle est sûre de ne pas en avoir sur les dents.

Elle enfile une paire de chaussures et attrape son sac.

« Amuse-toi bien, Claude, chéri. Salue-la de ma part et donne-lui du bon temps – oh, et surtout ne m'attends pas pour te coucher !

– Où… où vas-tu Blanche ? Tu sais que je n'aime pas que tu traînes dans la rue. On ne sait jamais ce qui se peut se passer…

– Tant pis, Claude », c'est tout ce qu'elle répond avant de sortir avec un grand sourire.

Claude, pour une fois, reste sans voix. Il ne connaît pas les répliques de cette pièce-là. Il s'assied sur le lit, les idées embrouillées.

Et il devient immédiatement suspicieux. Qu'entend-elle par : « Ne m'attends pas pour te coucher » ?

Bien qu'il ait envie de lui courir après et de lui poser la question – ou de la suivre comme un détective, comme il l'avait déjà fait à l'époque où J'Ali l'escortait dans Paris –, c'est impossible. Il est attendu.

Il s'asperge d'eau de Cologne, rajuste sa cravate, peigne sa moustache, ouvre une penderie et sort un carnet de la poche d'une veste. Claude ferme à clé la porte de leur suite et descend l'escalier à la rampe tournante, jette en passant un regard au domaine débordant d'activité de Frank Meier, espérant, pour la première fois, voir sa femme assise à une table, levant le coude.

Elle n'y est pas.

Frank Meier sait peut-être où elle est, et Claude est déjà presque arrivé au bar en bois d'acajou quand il se ravise. Pour rien au monde, il ne partagerait ses problèmes conjugaux avec Frank qui, après tout, n'est que son employé. Non, c'est impossible ; il y a déjà assez des querelles entre lui et Blanche qui atteignent parfois des décibels que les murs de leur suite ne suffisent pas à assourdir.

Claude rebrousse donc chemin et sort de l'hôtel. Il ne peut vraiment pas faire autrement.

Car il est attendu.

17

Blanche

Automne 1942

Lily est de retour.

Le message – qui accompagne le bouquet de violettes que l'on vient de livrer à Blanche – dit de venir la retrouver sur un banc du marché aux Fleurs, sans préciser lequel. Mais le seul marché aux Fleurs que connaît Blanche est sur l'île de la Cité, près de Notre-Dame, et c'est donc là qu'elle se rend tard dans l'après-midi, après avoir d'abord décidé – oh mon Dieu, la tête qu'il a faite – de semer le trouble dans l'esprit de son mari et de lui gâcher sa soirée. Qu'est-ce qui lui a traversé l'esprit, quel petit diable a chuchoté à l'oreille de Blanche, elle n'en sait rien ; elle est ravie de l'avoir fait et regrette juste de ne pas avoir agi ainsi depuis longtemps. Pourquoi ne pas le tourmenter comme il la tourmente, elle ?

Pourquoi ne pas laisser ce salaud croire qu'elle a un amant ? Ça lui servira de leçon. Et ça lui fera du bien, à elle. Ce n'est pas comme si elle n'avait jamais songé à prendre un amant.

C'est simplement qu'elle n'a jamais pu s'y résoudre. Car il y a des choses chez son mari qu'elle ne peut qu'admirer, des choses qu'elle aime. Et au contraire des Françaises, Blanche a été élevée dans l'idée que l'amour et le sexe étaient synonymes. C'est une habitude qu'elle est incapable de perdre – ce côté puritain est trop ancré chez elle (chez tous les Américains, selon Claude).

Elle aime qu'il soit toujours tiré à quatre épingles – non seulement pour elle mais pour tout le monde. Car même si Claude a un jour de congé et prévoit juste de rester assis dans leur suite, à lire, il se rase, il s'asperge le visage d'eau de Cologne, se coiffe et s'habille impeccablement. Blanche ne peut s'empêcher d'en être touchée.

Elle aime la manière dont Claude trie le courrier en premier, au cas où une mauvaise nouvelle pourrait la bouleverser. Elle aime la manière dont il s'occupe d'elle au lit, quand il l'installe confortablement avant de lui faire l'amour ; il ne manque jamais de gonfler l'oreiller, d'arranger soigneusement les draps, de l'arranger *elle* sous les draps avec la délicatesse d'un artiste choisissant le meilleur encadrement pour son tableau terminé. Elle aime qu'il satisfasse ses besoins à elle avant les siens.

Elle aime la manière dont il lit un livre – lentement, se léchant un doigt pour tourner les pages délicatement, utilisant l'un de ses très beaux marque-pages en cuir avec son nom gravé, prenant des notes dans un carnet relié en cuir lui aussi, doré sur tranche. En vérité, le regarder lire rappelait parfois à Blanche la manière dont il lui faisait l'amour. Et elle n'avait jamais rencontré un homme qui pouvait l'exciter rien qu'en tournant les pages d'un livre.

Elle aime son mari, il n'y a pas à en douter. Mais, pour autant, elle savoure le plaisir d'avoir réussi à le tourmenter.

Toutefois, en traversant la Seine, elle ne pense déjà plus à lui. Elle avance à grands pas décidés, d'une allure presque masculine, impatiente d'arriver au joli petit marché plein de fleurs et d'oiseaux en cage, des oiseaux chanteurs pour la plupart, vifs, aux plumes jaunes et bleues.

Blanche, malgré sa peur des oiseaux, les trouve charmants car elle n'en a jamais vu de pareils en Amérique. Et bien qu'ils ne chantent pas toujours et qu'ils n'aient pas l'air heureux, l'impression d'ensemble de ces cages, posées sur des tréteaux, accrochées à des perches, est un plaisir. C'est tellement *Paris*.

Elle choisit un banc du côté de la Seine, face au marché. Et elle voit Lily. La cherchant des yeux au milieu de la foule et se mettant à rire avant même de la rejoindre, attifée comme d'habitude de vêtements dépareillés : une écharpe à carreaux autour du cou, des gants en dentelle noire, une jupe verte ample en laine, un blouson d'aviateur en cuir, bien trop grand pour elle.

Blanche se retient de bondir sur ses pieds et d'agiter les bras – après tout, Lily est peut-être surveillée. Frank Meier y a fait allusion quand il lui a donné le bouquet de violettes accompagné du message. Et bien évidemment, des soldats allemands patrouillent dans les allées en s'arrêtant de temps à autre pour flirter avec les filles de la campagne qui s'occupent des échoppes sous l'œil vigilant de leurs papas. Et donc Blanche reste où elle est, regardant droit devant elle, jusqu'à ce que Lily s'asseye près d'elle.

La main de Lily attrape celle de Blanche. Leurs doigts s'entrelacent, et le cœur de Blanche s'emballe avant de battre de nouveau régulièrement.

Elle s'était résignée à ne plus jamais revoir Lily. Lily était morte, avait disparu. C'était comme si, après lui avoir rendu un hommage funèbre, elle avait enterré Lily dans son esprit, la rangeant dans les archives du passé – Lily n'était qu'une femme que Blanche avait rencontrée en voyage. Une étrange et amusante petite chose qui l'avait fait rire, c'est tout. Elles ne s'étaient connues que pendant si peu de temps. Les gens font ça, bien sûr – ils débarquent dans votre vie, en éclairent quelque coin sombre que vous ne soupçonniez pas, puis disparaissent. Les liens véritables, ceux qui durent, sont rares. C'est comme ça.

Mais maintenant que Lily est là, Blanche ne peut contenir sa joie. Ce lien inaccoutumé précieux, entre deux personnes qui se comprennent sans avoir à donner d'explications, jamais elle n'aurait pu l'imaginer. Après un seul coup d'œil jeté à Lily, Blanche sait déjà qu'à partir de maintenant quelque chose de bien – ou tout au moins d'excitant – va se passer. Et Blanche a besoin de ça. Depuis son équipée avec le jeune aviateur anglais – c'est ainsi qu'elle voit ça, une aventure, une équipée, une rigolade, essayant de minimiser l'importance, dans son cœur et son esprit, du danger qu'elle a couru –, elle est fébrile, impatiente.

Mais ce n'était pas juste une rigolade. Ce qu'elle a fait *était* dangereux. Important. Elle a été courageuse, elle s'est montrée débrouillarde. Elle a sauvé une vie.

Et elle ne souhaite qu'une chose : recommencer.

Depuis cet inimaginable après-midi, elle s'est demandé comment elle pouvait réellement s'impliquer dans ce que les gens commencent à appeler, dès que les Allemands sont hors de portée de voix, la Résistance. Elle avait même sollicité les conseils de Frank Meier, un de ces rares jours où il était en congé, dans un café du Palais-Royal ; mais il l'avait fait taire d'un geste de la main avant même qu'elle ne puisse finir sa phrase.

« Pas question, Blanche, avait déclaré cet homme, ce costaud. J'ai été heureux d'avoir pu vous aider… cette fois-là. Mais Claude me tuerait dans mon sommeil s'il apprenait que je vous ai embarquée plus sérieusement dans tout ça. Et vous savez pourquoi.

– Oui, mais…

– Blanche, je ne vous envie pas. Je sais qu'en apparence

vous avez tout, mais vous et moi savons que ce n'est pas le cas. »

Ses joues la brûlaient ; elle était bouleversée par cette confession et elle baissa les yeux sur sa tasse de café pour qu'il ne s'en rende pas compte. Pour cacher à quel point elle était touchée que quelqu'un voie qui elle était vraiment. Quelqu'un qui se rendait compte de sa solitude, de sa nervosité – et qui en connaissait les raisons.

« Mais Claude… votre époux est mon employeur. Je lui cache beaucoup de choses, sans que ça me pose un problème. Mais vous, eh bien, c'est différent. Vous êtes sa femme. Et il tient profondément à vous et s'inquiète énormément pour vous.

– Il a une bien étrange façon de le montrer », dit-elle.

Mais sans développer. Frank – qui savait tout ce qui se passait au Ritz – devait sûrement être au courant des activités nocturnes de Claude.

« Je ne suis pas en position de juger qui que ce soit », fut tout ce que Frank répondit.

Le sujet était clos.

Ce qui ne voulait pas dire qu'elle était heureuse de retourner s'asseoir dans l'ombre, à l'écart, réduite à regarder, cachée par les rideaux de brocart du Ritz, l'horreur qui se déroulait sous ses yeux. Mais elle ne savait à qui d'autre s'adresser pour se rendre utile.

Jusqu'à ce que Lily soit de nouveau à ses côtés.

Tout d'abord, Blanche croit qu'elle va se contenter de bavarder, de raconter des anecdotes sur les lieux où elle a voyagé, comment elle en est arrivée à avoir les cheveux coupés ras, à quoi ressemble le vin en Espagne. Le genre de conversations auxquelles Blanche est habituée au Ritz.

Il lui faut donc un certain temps avant de comprendre ce que raconte Lily ; avant de se rendre compte que Lily lui raconte des histoires invraisemblables, des histoires de batailles, de sang, de nuits passées dans des caves avec des paysans, de bombes tombées du ciel. Elle évoque quelqu'un du nom de Heifer, puis un certain Muscat.

Lily lui raconte avoir fait l'amour en plein air la nuit, avec Robert, après s'être battus, leurs armes posées sur le sol à côté d'eux.

Et Blanche se dit que l'amour doit être plus doux quand la mort est si proche qu'on peut la toucher.

Maintenant Lily lui parle de Paris et Blanche doit se concentrer. Elle est tellement bouleversée par les images qui lui viennent à l'esprit qu'elle n'arrive pas à suivre le flot de paroles qui sortent de la bouche de son amie, comme si Lily ne pouvait pas les arrêter, comme si les mots avaient été profondément scellés en elle jusqu'au moment où Blanche lui avait tendu une clé. Blanche observe Lily, soudain inquiète, et voit enfin à quel point son amie est mince, pâle, et combien ses yeux sont brûlants de colère.

Lily parle d'un homme. Un homme qui a fait un nœud à un drapeau tricolore et s'est pendu avec en sautant du pont de l'Alma, le lendemain du jour où les Allemands étaient entrés dans Paris. Et personne ne l'en avait empêché, pas même elle.

Apparemment, Lily et Robert s'étaient battus très tôt, aux côtés d'étudiants. Ils avaient riposté, s'étaient défendus quand les citoyens français ordinaires, en état de sidération, après le raz-de-marée qui les avait balayés, en étaient incapables.

« Comment va Robert ? » Blanche doit finalement endiguer le flot de paroles de Lily – les mots sont trop horribles. « J'espère le rencontrer cette fois. Vous étiez tellement pressés de partir pour l'Espagne…

– Robert, l'interrompt Lily, est mort.

– Oh, Lily. »

Blanche a les yeux qui piquent, ils se remplissent de larmes – c'est ridicule, pense-t-elle, de pleurer quelqu'un qu'elle n'a pas connu. Elle est secouée par l'émotion, alors que les yeux de Lily sont aussi secs et immobiles que ceux d'une poupée. Blanche observe un oiseau dans sa cage, devant l'un des derniers stands dans un coin du marché. C'est un oiseau couleur moutarde aux ailes d'un bleu diapré, qui ne cesse de sautiller, du haut de son perchoir au sol de sa cage et du sol de la cage au perchoir, comme s'il faisait une crise d'épilepsie.

« Dès les premiers jours, continue Lily comme si Blanche lui avait posé la question. Tout de suite après que ces ordures d'Allemands nous ont envahis. Peut-être que je te raconterai un jour. Je prie pour qu'ils brûlent en enfer.

– Je sais que certains d'entre eux sont des salauds, mais d'autres ne sont encore que de jeunes garçons, de jeunes garçons qui ne voulaient pas venir ici, et qui ne sont pas aussi mauvais…

– Ce sont des monstres, Blanche. Les choses ne se passent plus comme dans ton Ritz. Ce qui se passe en Pologne, en Autriche… se passe ici aussi. »

Blanche a l'estomac tout retourné tant elle est dégoûtée et se sent coupable – en cet instant, selon toute probabilité, Claude sert le thé à ces mêmes monstres qui ont assassiné le Robert de Lily. Et elle – pourquoi avait-elle tenu, le matin même, à dire à Astrid qu'elle avait de beaux cheveux ? Pourquoi, hier, s'est-elle assise avec Friedrich pendant qu'il lisait la lettre qu'il avait reçue de sa petite amie ? Elle avait même pris le jeune garçon dans ses bras quand il lui avait révélé, avec de grosses larmes dans ses yeux si bleus, que la jeune fille avait un autre petit ami, un soldat SS stationné à Berlin.

Et Blanche comprend qu'elle doit s'échapper du Ritz. Elle doit voir ce qui se passe dans Paris derrière les murs des maisons. Si elle ne le fait pas, comment pourra-t-elle se supporter ?

Comment pourra-t-elle expier ses mensonges ?

« Te voir me fait du bien », dit Lily. Et Blanche est profondément touchée, même si elle sait qu'elle ne mérite pas l'amitié de Lily. « Et j'ai un nouvel amant maintenant. Il hait les nazis lui aussi et il a de grands projets. » Elle s'essuie le nez avec sa manche, refusant le mouchoir que lui tend Blanche et sourit. Ses taches de rousseur ressortent comme des taches d'encre noire sur ses joues pâles.

« Mais il n'est pas comme Robert, n'est-ce pas ?

– Non, Lorenzo n'est pas mon homme. C'est juste *un* homme. Ce n'est pas la même chose.

– Je ne sais pas », dit Blanche en soupirant.

Elle sait que pour elle Claude n'a jamais été « juste un homme ». Il est exaspérant, arrogant, possessif, immoral. Tous les défauts qu'avait J'Ali – tous les défauts d'un homme. Mais, tout au moins au début, Claude avait été beaucoup plus que ça.

« Viens rencontrer mes amis, Blanche. Enfin, ce ne sont pas vraiment mes amis – je ne me soucie pas d'eux comme je me soucie de toi. Mais nous avons combattu ensemble. Et ça n'est pas rien, tu sais.

– Les combats rapprochent les gens. Claude me l'a dit si souvent.

– Pourtant… je dois aussi les ignorer, ne pas leur attacher d'importance – comment dis-tu ? Les renier ? S'il le fallait. Il me faudrait les laisser tomber pour quelque chose de plus grand. Mais je ne pourrais pas te faire ça à toi, Blanche. »

Blanche la regarde, durement, ne sachant pas si Lily

est sincère ou si elle la flatte pour obtenir quelque chose – car rien de ce que Lily a dit ou fait dans le passé n'a prouvé que, à part Robert, elle était attachée à quelqu'un. Et même lui, soupçonne Blanche, aurait pu être sacrifié pour quelque chose que Lily aurait jugé plus grand.

Mais avant qu'elle puisse lui poser la question, Lily déclare : « C'est l'heure. Allons-y. »

Blanche a le choix, elle s'en rend compte – le moment qu'elle attendait est venu. Elle aurait bien bu une gorgée de gin pour calmer ses battements de cœur et sécher ses mains moites.

Elle jette un coup d'œil autour d'elle. Le marché est bondé de soldats allemands en patrouille, alors même que certains des marchands commencent à recouvrir les cages à oiseaux et à remballer pour partir avant la nuit.

Elle regarde Lily disparaître parmi le labyrinthe des petites échoppes du marché.

18

Claude

Automne 1942

Aussi calmement que possible, Claude sort de l'hôtel et part marcher dans les rues de Paris – il a rendez-vous en début de soirée et du temps devant lui. Il s'arrête donc dans un bar pour boire un verre de vin et faire semblant de lire le journal, qui n'est rien d'autre qu'un tissu de mensonges et de propagande nazie, tout en se posant des questions sur sa femme. Où est-elle allée ? Pourquoi était-elle si calme, si insouciante ? Est-ce possible qu'elle ait un amant ? Comment serait-ce possible alors que tous ces derniers mois, elle était restée la plupart du temps au Ritz, donc sous son nez ?

Mais non, évidemment qu'il est impossible qu'elle ait un amant. Elle est sa femme. C'est impensable…

Alors pourquoi Claude y pense-t-il ?

Il a l'estomac si retourné qu'il peut à peine avaler une gorgée de vin ; mais il sait que les apparences ne sont pas anodines. Donc il finit son verre, paie, salue de la tête un couple séjournant au Ritz qui est de sortie – « C'est une belle soirée pour une promenade, n'est-ce pas monsieur Auzello ? – *Oui*, de loin la plus belle de la saison » – et il poursuit son chemin en espérant pouvoir se calmer et chasser ses soupçons. Car il doit s'acquitter de son devoir, c'est vital.

Croisant des soldats qui le saluent, Claude reste toujours aussi stupéfait de la politesse dont les occupants font preuve – des efforts visiblement déployés pour ne pas offenser la population. Claude a vu des soldats allemands se lever dans le métro pour laisser leur place à une femme. Mais ce n'est qu'une mascarade. Il attend – tout le monde attend – que les masques tombent, que les nazis montrent leurs vrais visages. Surtout après cette ignoble exposition sur les Juifs qu'ils ont organisée : *Le Juif et la France*[1].

Claude continue sa promenade, traverse la Seine, arrive Rive gauche, moins infestée de soldats allemands que la Rive droite. Il se dirige vers le Panthéon en traversant le jardin du Luxembourg rempli d'amoureux, de mères avec leurs enfants – le manège est encore ouvert –, et une fanfare joue sous le kiosque à musique. C'est toutefois une fanfare militaire allemande qui joue de la musique de taverne à bière, des *oom-pah-pahs* qui agressent sa sensibilité, sans parler de ses tympans.

Malgré tout, Claude s'émerveille de voir comment le monde, à une heure où le soleil n'est pas encore tout à fait couché, paraît paisible, si peu menaçant. La nuit, évidemment, c'est différent.

« *Bonsoir, mon ami** ! » Le jeune homme qui appelle Claude est installé à la terrasse d'un café, près de la devanture. La table n'est pas loin d'un brasero de charbon, et Claude garde donc ses gants dans les poches de son man-

---

1. Du 5 septembre 1941 au 5 janvier 1942, l'exposition intitulée *Le Juif et la France* se tient au palais Berlitz, situé dans le deuxième arrondissement de Paris, près de l'Opéra. L'événement est financé et organisé par l'Institut d'étude des questions juives, une association privée créée en mai 1941 avec le soutien du Bureau de la propagande allemande (*Propagandastaffel*) et placée, dans les faits, sous le contrôle direct de l'occupant nazi.

teau. Le jeune homme se lève pour l'accueillir et l'embrasse sur les deux joues.

Les deux femmes déjà assises, une blonde et une brune, sourient, et si, au goût de Claude, elles sont un peu trop maquillées, leur gaieté, leurs rires faciles, leur manière de rougir pour un rien les rendent séduisantes – on les remarque. Il les embrasse toutes deux sur la joue et choisit la chaise vide près de la jeune femme blonde.

Claude observe le jeune homme dont l'air canaille excite sa curiosité, comme toujours. Il est diaboliquement séduisant, avec ses cheveux noirs bouclés et ses yeux verts, et s'habille avec panache – une écharpe en soie autour du cou, comme un aviateur –, et toutes les femmes à la ronde sont toujours irrésistiblement attirées par lui. Claude n'a jamais autant attiré le beau sexe, pas même quand il était plus jeune et, n'étant pas un homme pour rien, il doit bien admettre qu'il est jaloux du jeune homme, qui plus est a bien quinze ans de moins que lui. Claude se félicite que Blanche n'ait que peu de chances de le rencontrer.

Alors qu'il commande un café, il se demande, une fois de plus, ce que Martin faisait avant la guerre. (Il n'a pas la même curiosité à l'égard des deux femmes – même si la blonde niche sa tête au creux de son épaule en jouant avec son col de veste.)

Pour ce que Claude en sait, Martin n'a pas d'adresse permanente ; mais, bien évidemment, Claude n'a aucune raison d'en être sûr. C'est le genre d'informations qu'ils ne partagent pas ; même si Martin sait quel poste Claude occupe au Ritz. Et que, bien évidemment, il a compris, allez savoir comment, dans quelle situation se trouvait Blanche ; ce qui lui permet de faire pression sur Claude.

« Je suis curieux, Martin. » Claude se décide à lui poser la question, car, au cours de ces derniers mois, ils en sont venus sincèrement à avoir de l'estime l'un pour l'autre – c'est tout au moins ce que pense Claude. Ce n'est pas seulement le fait qu'ils sont associés en affaires dans une époque pas comme les autres. Non. Même si Claude l'avait rencontré avant (comme tous les Parisiens, Claude avait découpé sa vie, sa manière de voir les gens et les situations, en un avant et un après l'invasion), il aime à croire qu'il aurait été l'ami de Martin. Claude admire la pensée de son associé, constamment en mouvement, avec toujours trois coups d'avance comme aux échecs. Son *savoir-faire**, sa capacité à donner vie au moindre de ses petits gestes – comme celui pour signifier qu'il souhaite un autre café, ce qu'il fait à cet instant – avec élégance.

« Curieux à propos de quoi, mon ami ? » Se penchant en arrière sur sa chaise jusqu'à ce qu'elle ne soit plus en équilibre que sur deux pieds, Martin sourit, d'un sourire ravageur, à deux femmes assises à la table d'à côté, même si la blonde et la brune – qui s'appellent Simone et Michèle – protestent. Les deux autres femmes pouffent immédiatement de rire et minaudent.

« Que faisais-tu, avant ?

– Claude, Claude, tu connais les règles. »

Ce qui est vrai évidemment. Pas de questions personnelles. Personne à cette table, à part Claude, n'a de passé.

« Claude, ronronne Simone à son oreille. Tu es un vilain garçon ! » Elle lui presse la cuisse, d'une manière fort suggestive.

« Oui », répond Claude en lui souriant, comme on le fait à un enfant agaçant. « Mais j'en ai le droit. J'étudie la nature humaine. C'est nécessaire quand on dirige un hôtel. Et j'ai l'impression que tu en sais beaucoup sur moi. »

Martin soupire. Il redresse sa chaise et se penche par-dessus la petite table. La lumière qui vient de l'intérieur de la brasserie l'éclaire à contre-jour et ses cheveux bouclés forment un halo au-dessus de sa tête. Partout autour d'eux, les gens bavardent ; on entend de la musique, française – un vieil enregistrement de Mistinguett qui chante *Mon homme** –, le disque grésille, la musique presque inaudible, mais c'est français. Si on essayait, on pourrait presque se convaincre que c'est une soirée typique d'un automne à Paris. L'air est chargé des dernières notes de chaleur, et les géraniums en pots commencent à faner, leur rouge et rose osé pâlissant contre le noir des balustrades en fer forgé.

Jusqu'à ce qu'on repère autour de soi les taches vert-de-gris des uniformes allemands dispersés parmi les tables sur la terrasse et qu'on les entende parler leur affreuse langue maternelle. Jusqu'à ce qu'on se rende soudain compte de l'absence totale de circulation motorisée dans les rues. Jusqu'à ce qu'on regarde de plus près les bicyclettes appuyées contre les balustrades ou les réverbères et qu'on s'aperçoive que les pneus en caoutchouc ont été réparés à l'aide de nombreuses rustines. Et que sur chaque table est posé un carnet de rationnement. Sur chaque visage français, de temps à autre, passe un éclair de stupéfaction, comme après un rêve. Un rêve merveilleux, insaisissable.

« Claude, tu as raison. D'accord, mon ami. Tu veux vraiment le savoir ?

– Oui, vraiment.

– Il a dit vraiment », répète Martin à Simone et à Michèle avec un grand sourire.

Les filles rient et secouent la tête.

« Martin est un vilain garçon, lui aussi », dit Michèle avec un clin d'œil complice. Un officier allemand, deux tables plus loin, la dévore des yeux si ouvertement qu'elle lui adresse un clin d'œil à lui aussi, et l'officier – jeune, les yeux vitreux d'avoir trop bu – rougit et détourne le regard.

« Oui, j'étais un vilain garçon », reconnaît Martin. Il se laisse aller contre le dossier de sa chaise et allume une cigarette. Après avoir inhalé et soufflé deux ronds de fumée, il se met à rire. « J'étais un gigolo.

– Un… Pardon ? »

Claude manque de renverser le café que le serveur vient juste de poser devant lui. Le serveur sourit en s'éloignant.

Simone et Michèle éclatent de rire, comme des enfants ; toutes les têtes se tournent vers leur table mais Claude sait que personne ne voit autre chose que deux femmes exubérantes, pleines de gaieté, et leur irrésistible, séduisant compagnon. Claude est invisible. Ce qui, bien entendu, est voulu, quand bien même sa fierté en est blessée.

« Un gigolo, répète Martin avec un haussement d'épaules. On pouvait m'acheter. On m'achetait – et Dieu merci, mon ami, je suis toujours à vendre, n'est-ce pas, mesdames ? » Il fait un clin d'œil aux deux femmes de la table voisine, qui de nouveau rougissent et regardent ailleurs. « Des femmes riches, pour la plupart. Je suis allé à ton Ritz plusieurs fois, mais tu n'as jamais fait attention à moi. J'étais chaque fois au bras d'une femme, une solide *madame** dégoulinante de bijoux. C'était aux femmes que tu prêtais attention et devant lesquelles tu t'inclinais. Et non au jeune homme séduisant accroché à leur bras. C'est comme ça que je t'ai connu, mon ami. Je suis parfaitement au courant de ta réputation et de ton business.

– Mon Dieu. »

Pourquoi cette révélation surprend-elle Claude ? Martin est d'une beauté saisissante, il est si sûr de lui. Ne craignant jamais rien, ce qui est un atout, comme Claude le reconnaît, quand on fréquente des dames parées de bijoux et affublées de maris.

« Tu n'es pas déçu, Claude ? Tu ne m'en estimes pas moins pour autant, non ? » Le regard de Martin trahit une certaine inquiétude qui touche Claude. Il se rend compte que, pour le jeune homme, son opinion compte beaucoup, ce qui est bien évidemment flatteur.

« Non, non, bien sûr que non. Qu'importe ce que nous faisions avant, non ? La guerre, l'Occupation – ça crée de nouvelles opportunités pour ceux qui sont suffisamment malins pour en profiter.

– Je suis heureux de voir que tu prends les choses comme ça, mon ami. Bien. » Martin sort un bon de commande de sa poche. Les filles, qui s'ennuient, commencent à parler des films qu'elles ont vus récemment pendant que les hommes en reviennent à leurs affaires. « Combien de pommes t'a-t-il fallu cette semaine ? Et de combien en auras-tu besoin la semaine prochaine ?

– Pas beaucoup, malheureusement. Environ deux cents. Mais bizarrement j'ai des demandes pour les artichauts. Je dirais que trois douzaines feraient l'affaire. »

Les deux hommes continuent leur marchandage de fruits et légumes ; des produits pour les cuisines du Ritz. Martin remplit un bon de commande, s'arrêtant de temps à autre afin de réfléchir en tapotant sa cigarette pour en faire tomber la cendre. Claude, parfois, revient sur ses décisions quand Martin, après avoir grommelé à voix basse, baisse un prix. Avant même qu'ils aient terminé, c'est déjà le couvre-feu, mais maintenant que les affaires sont faites, ils ne sont pas pressés de rentrer ; et les tables autour d'eux ne désemplissent pas.

Finalement, Simone revient des toilettes et, au lieu de se rasseoir, prend Claude par le bras pour qu'il se lève.

« Viens, c'est l'heure. Je suis fatiguée. Mais pas trop quand même », ronronne-t-elle. Et les autres autour d'eux – y compris une tablée de soldats allemands – éclatent de rire en hochant la tête d'un air entendu, tandis que les deux autres se lèvent aussi.

Michèle se pend au bras de Martin tout en soupirant. Elle lui attrape ostensiblement l'entrejambe et déclare : « Lui n'est jamais fatigué. *Mon Dieu**, impossible de dormir ! »

Et tout le monde rit de plus belle ; les Allemands, comme Claude l'avait déjà remarqué, apprécient que les Français se comportent comme ils pensent que les Français sont *censés* le faire. Excessivement amoureux, très démonstratifs.

« Oh, Claude, encore une chose. » Martin resserre son écharpe autour de son cou, baisse la voix, vite couverte par les manifestations de bonne humeur des tablées voisines : « J'ai entendu dire qu'il y a des déportations massives. Ça ne fait que commencer, mais je tiens l'info de source sûre. Des Juifs, essentiellement. On les arrête la nuit à leur domicile ; des quartiers entiers. »

Claude enfile ses gants pour éviter que ses mains tremblent. Il n'ose pas lever les yeux vers Martin, il n'ose regarder personne – il fait des efforts pour rester impassible. « *Merci**. Je te suis reconnaissant de m'avoir prévenu.

– J'ai pensé qu'il fallait que tu le saches. »

Se retournant brusquement, Martin se penche pour embrasser l'une des deux femmes qui gloussent à la table d'à côté. Tandis que Michèle manifeste son mécontentement, la femme, les yeux brillants, devient écarlate et pousse un petit cri de surprise.

Martin lui fait un clin d'œil, ainsi qu'à Claude, et d'un geste désinvolte les salue en s'éloignant avec Michèle, bras dessus bras dessous, dans la nuit menaçante. Même s'il n'y a pas encore de black-out à cette époque-là, on n'allume plus les réverbères. Seules les lumières des cafés éclairent les rues.

Claude, accompagné de Simone qui, accrochée à son bras, pose sa tête blonde au creux de son épaule, ce qui n'est pas désagréable, se fraye un chemin à travers les tables et le couple s'éloigne aussi. Toujours enlacés, ils traversent le pont de l'Alma et se dirigent vers l'avenue Montaigne, calme, totalement vide.

Malgré tout ce à quoi il pense, et tandis qu'il prend la mesure de la situation, qu'il fait des calculs, Claude n'est pas insensible aux charmes de la jeune femme blonde. Simone sent le lilas, ses cheveux sont doux et soyeux. Comme la plupart des Parisiennes désormais, ses vêtements sont usés, raccommodés, mais ils sont propres et flattent sa silhouette, embellis de petites touches élégantes – une fleur en soie, une broche en strass, un peu de dentelle provenant d'une autre robe. Elle ne porte pas de bas – comme la plupart des femmes à cette époque-là –, mais a dessiné au crayon à sourcils une couture à l'arrière de ses jambes nues. C'est une femme, somme toute. Une femme douce, complaisante, *docile*.

Ils arrivent à l'adresse des Auzello. Claude lève les yeux et voit la lampe briller à la fenêtre. Au moment même où il se tourne vers Simone en souriant – elle a les yeux bleus, et un grain de beauté dessiné sur la joue, ce que Claude désapprouve –, un soldat allemand les croise, un fusil en travers de sa poitrine.

« Dépêchez-vous d'en finir ou entrez, aboie-t-il en allemand. L'heure du couvre-feu est passée. »

Claude et Simone se figent, mais Simone se tourne vers

l'Allemand et, lui adressant son plus beau sourire, elle se passe la main dans les cheveux et roule des hanches.

« Tu veux peut-être te joindre à nous, hein ? »

Le soldat s'arrête, bafouille, manque de laisser tomber son arme. Simone éclate de rire, agrippe le bras de Claude et ils entrent dans l'immeuble avant même que l'Allemand se soit repris.

« Ça lui fera une histoire à raconter », dit Simone tandis qu'ils montent l'escalier jusqu'à l'appartement. « Il n'est pas près de m'oublier. »

Claude est encore sous le choc, à vrai dire. Il a eu peur que l'Allemand accepte la proposition de Simone. Il se contente donc de hocher la tête tandis que la jeune femme – insouciante, désinvolte, courageuse – commence à raconter ce qu'elle a prévu de faire le lendemain : ravauder un mouchoir déchiré, rencontrer une amie pour un semblant de déjeuner, faire la queue pour acheter de la viande – que ne donnerait-elle pas pour un beau morceau de steak… mais, bien évidemment, il ne faut pas y compter. Tout ce qu'elle peut espérer, c'est qu'on ne lui donne pas du chien ou du chat…

Il la suit dans l'escalier, puis dans l'appartement.

Pendant tout ce temps, il se demande où dormira sa femme cette nuit-là.

19

Blanche

Automne 1942

Lily attrape Blanche par la main et la guide dans le labyrinthe des petites baraques débordantes de fleurs – des fleurs d'automne, des tournesols dégingandés, des chrysanthèmes géants et des échinacées – et, après avoir jeté un coup d'œil furtif à la ronde, si discret que Blanche s'en rend à peine compte, Lily l'entraîne dans une petite allée à l'arrière d'une échoppe. Elle soulève la bâche en tissu, et Blanche se retrouve sous une petite tente exiguë, sombre, remplie de caisses retournées, de seaux pleins d'eau dans lesquels baignent des fleurs, au sol jonché de paille. Seuls deux lampions diffusent une lumière jaunâtre ; c'est à peine si elle peut deviner les visages qui l'observent avec un intérêt prudent.

Elle découvre, perchés sur des caisses, les « amis » de Lily. Une seule femme – une fille plutôt boulotte, l'air éteint, avec des cheveux blonds, sales, rassemblés en une natte. Les autres sont tous des hommes. Ils portent tous la barbe, un chapeau ou une casquette de marin bas sur le front. Leurs vêtements sont passe-partout : des vêtements de travail. L'un d'eux attrape Lily pour l'asseoir sur ses genoux en un geste brutal de propriétaire ; ce doit être son amant.

Mais quand Lily la présente – « C'est Blanche, l'amie dont je vous ai parlé » – et qu'elle lui présente en retour chacun d'entre eux, Blanche comprend, à la manière dont ils réagissent à peine, qu'ils ne sont pas là sous leurs vrais noms. Elle comprend aussi qu'elle ne doit pas demander pourquoi.

L'homme que Lily a présenté comme étant Lorenzo – son amant – continue à regarder Blanche longtemps après que les autres ont repris leur conversation. Et, même si c'est ridicule, elle se sent flattée. Perchée en équilibre précaire sur l'une des caisses qu'on lui a indiquée – ce qui n'est sûrement pas bon pour la jupe de soie tissée qu'elle porte –, Blanche écoute ce que les autres racontent, à voix basse, en français, mais avec plein d'accents différents. Elle reconnaît des consonnes dures typiquement russes, un accent polonais fortement prononcé. Aucun d'entre eux ne semble être d'origine française.

Et, peu à peu, elle comprend que les propos échangés – « Demain, nous achèterons des écharpes en soie aux Galeries Lafayette », « La semaine prochaine, nous ne serons que quatre à dîner » – n'ont rien à voir avec leur contenu.

Elle comprend – comme une illumination, comme si un rai étincelant de lumière du jour avait percé la pénombre – qu'ils parlent de sabotages.

D'actions de *résistance*.

« Elle pourrait nous être utile, dit Lorenzo en parlant de Blanche. Regardez-la, elle est très riche.

– Oui, mais… » Lily sourit à Blanche… « Que pour son argent alors.

– Peut-être plus.

– Non ! lance Lily sur un ton sans réplique. Pas Blanche. Je ne veux pas que Blanche s'implique trop, pas comme nous. C'est mon amie. Et, en effet, avec le Ritz, elle peut nous aider à nous procurer de l'argent et peut-être aussi de la nourriture ou des carnets de rationnement. Mais rien d'autre. Ce n'est pas pour ça que je l'ai amenée ici. C'est mon *amie.* »

Lily les foudroie du regard.

Blanche rougit. Toutes les têtes se tournent vers elle, et elle sent leurs regards sceptiques posés sur ses beaux vêtements, ses bas en soie (raccommodés mais présentables), sa coiffure impeccable, résultat de son passage au salon de beauté du Ritz. Elle a honte que ses privilèges soient exposés ainsi, ceux d'une femme qui mène une vie aisée en comparaison de la leur ; personne ici n'a l'air d'avoir pris un bain ou mangé un repas chaud depuis longtemps.

Ils ont l'air de ceux qui se battent contre les nazis pendant que Blanche passe son temps à jouer au bridge avec eux. Malgré ses vêtements et ses bas, ils lui sont supérieurs.

Puis elle se souvient de son « aventure ». Elle pense à Claude, un Français si fier de son pays, si arrogant – mais *lui*, qu'a-t-il fait depuis l'invasion ? Rien. Rien à part donner aux conquérants – ses hôtes – tout ce qu'ils désirent. Avec le sourire et en leur faisant des courbettes, ce qui révulse Blanche.

Et, soudain, elle est en colère, à bon escient. L'un des Auzello doit défendre l'honneur du Ritz.

« Je veux faire partie de votre groupe », dit Blanche.

Ce n'est pas aussi difficile qu'elle l'avait cru, après tout.

20

Claude

Hiver 1943

Depuis un certain temps, chaque jour, un membre du personnel disparaît du Ritz. Cette absence est alors signalée au cours de la réunion ayant lieu tous les matins. Chaque fois, les visages pâlissent, les regards se perdent par peur de se poser trop longtemps sur quelqu'un. Des pieds raclent le sol – éventuellement, une femme de chambre récite d'une voix sourde, étranglée, une prière adressée à la Vierge Marie. Claude a appris à ne pas demander si quelqu'un connaît les raisons de cette absence.

Personne ne sait rien, même s'il a tout vu, tout entendu. Ça se passe comme ça dans Paris à cette époque-là.

Parfois, la personne refait surface quelques jours plus tard, accueillie par des cris de joie. « Une bouteille de champagne », réclame alors Claude. Et une bouteille provenant de la réserve cachée aux Allemands apparaît. Parfois, la personne a des ecchymoses récentes, des coupures à vif qui, très vite, laisseront d'épaisses cicatrices. D'autres fois, c'est un bras en écharpe, ou encore une main bandée avec des doigts coupés.

Pendant les jours qui suivent, Claude surveille de près la personne qui est de retour. Il garde dans un tiroir de son bureau fermé à clé ce qui pourrait faire office de poison et il dort avec la clé sous son oreiller. Il n'y aura pas de soude versée accidentellement dans la soupe servie de l'autre côté, à l'autre bout du passage qui relie les deux ailes de l'hôtel. Il n'y aura pas de ciguë cachée au milieu des feuilles de salade. Claude craint ce genre de représailles – car pour un Allemand de moins combien de ses employés seraient tués ? Or son devoir c'est de garder tous ces gens-là – *ses* employés, car c'est *son* Ritz – en sécurité, autant que possible. Il ne veut rien savoir de ce qu'ils font en dehors de leurs heures de service. Il ne veut pas avoir à s'en préoccuper.

Parfois aussi, certains des employés ne reviennent jamais. On a, certes, appris à attendre – une semaine, peut-être deux ; mais après ça, Claude pourvoit le poste alors disponible.

Il note le nom des personnes disparues et garde la liste dans le tiroir où sont cachés les poisons et le revolver que Frank Meier lui a procuré. Pourquoi fait-il ça ? Peut-être a-t-il vaguement l'intention de les retrouver quand… eh bien, quand tout sera fini, si jamais ça finit un jour. Peut-être a-t-il tout simplement besoin de témoigner de leur existence en notant leur absence.

La liste s'allonge de jour en jour après la tragédie du Vel' d'Hiv. Ce jour-là fut d'ailleurs pour Claude une journée noire, car les responsables de la rafle étaient français, et non allemands. Les Français ont arrêté leurs propres compatriotes, pour la toute première fois, et personne n'a pu convaincre Claude que c'était dans l'intention de protéger tous les citoyens. Ils ont arrêté des Juifs qui étaient venus en France, certains récemment, d'autres il y a des dizaines d'années, pour y trouver refuge, accéder à une vie meilleure. Ils ont arrêté des Juifs – des immigrés venus d'autres pays – qui étaient devenus des citoyens français.

Ils ont arraché des nourrissons à leurs berceaux, ils ont emmené des mères en train d'allaiter leurs bébés, des enfants agrippés à leurs poupées de chiffon. Des femmes et des enfants, essentiellement – les hommes avaient déjà été pris, plus discrètement, et envoyés dans des camps qui, selon les Allemands, étaient destinés à la fabrication de munitions et de matériel de guerre.

Quelle menace représentaient donc ces femmes avec leurs enfants ? Elles étaient déjà suffisamment affligées d'avoir à attendre leurs hommes et n'existaient plus qu'à l'état de fantômes – et, comble d'ironie, la seule note de couleur dans leur vie était l'étoile jaune de David cousue sur leurs vêtements. Pourquoi les arracher à leurs mansardes, leurs placards, leurs petits appartements d'une seule pièce et les entasser sous la verrière du vélodrome, les privant de nourriture et d'hygiène – sans même un trou en guise de sanitaires ? C'est la police française qui est responsable, les préfets. Ils ont conduit les camions, ont fermé les portes et les ont menacées de leurs fusils. Ils ont entassé ces pauvres âmes dans une serre qui s'est transformée en enfer – cinq jours presque sans eau, sans air et sans espoir. Cinq jours plus tard, ceux qui avaient survécu ont été emmenés dans les camps de Drancy, Beaune-la-Rolande et Pithiviers. Et puis ailleurs, sans qu'on sache où exactement.

Qui en avait donné l'ordre ? C'était la question brûlante, partout dans Paris, que se posaient tous ceux qui avaient eu la chance s'y échapper. C'était le sujet de conversation au bar du Ritz. Frank Meier s'entêtait à dire que c'était le gouvernement de Vichy – les autres ne pouvaient y croire, ils disaient que c'était les nazis qui avaient obligé Vichy à exécuter les ordres. Claude était d'accord avec Frank, il était conscient de l'antisémitisme inhérent à la culture française. Lui, comme tous ceux de sa génération, avait grandi avec l'*affaire Dreyfus**.

Ce jour-là, le Ritz perdit dix membres de son personnel, des employés fiables, qui travaillaient dur, essentiellement des femmes. Elles ne revinrent jamais.

Les Allemands fêtaient l'événement ; ils trinquaient, jubilaient ; Adolf Eichmann vint au Ritz participer aux réjouissances avec le général von Stülpnagel. Eichmann, dont le nom évoquait déjà la terreur. Assis dans le patio – nous étions en juillet, et c'était une si belle journée que Claude se souviendrait toujours des lys en pleine floraison et du parfum des roses que butinaient les abeilles –, ils riaient, ils chantaient, ils exultaient à l'idée qu'« aujourd'hui, il y a une dizaine de milliers de Juifs de moins qu'hier dans Paris », comme le disait Eichmann.

« On dirait déjà que l'air est plus pur », acquiesça von Stülpnagel.

Claude, qui observait la scène, se précipita vers eux quand ils l'appelèrent. Il s'inclina devant eux et demanda aux serveurs d'apporter du caviar et plus de champagne.

Toutefois, malgré la jubilation d'Eichmann, il y avait encore des Juifs dans Paris. La plupart de ceux qui y étaient nés étaient restés. Quelques-uns partaient plus discrètement, à la faveur d'un coup frappé à la porte au milieu de la nuit au lieu d'une convocation dans la lumière crue du jour. Mais tous les Juifs de Paris portaient maintenant une étoile jaune, et tous étaient fichés au quartier général de la Gestapo. Personne n'était en sécurité – c'était de la folie de croire que les Allemands allaient s'arrêter là et se contenter d'arrêter des Juifs. Qu'arriverait-il aux jeunes gens aux mœurs dissolues que Claude employait et qui étaient les préférés des dames, ceux qui portaient un œillet vert au revers de leur veste quand ils étaient de repos ?

Qu'arriverait-il aux estropiés – comme Greep, dont Frank Meier pensait que Claude ne connaissait pas l'existence ? Greep qui est boiteux. Qu'arriverait-il aux quelques Américains restés à Paris et dont Blanche faisait partie ?

La première fois que Blanche et Claude virent les étoiles jaunes, ils restèrent sans voix. Oui, ils étaient au courant du décret, mais ce n'était encore qu'une abstraction, une réalité inimaginable. Ils en avaient même plaisanté – Chanel ne déciderait-elle pas d'en dessiner une, une étoile jaune stylée, qui coûterait une fortune ? Jusqu'à ce jour où ils rentraient d'un agréable déjeuner dans un café.

Tenir Blanche à l'écart de Lily depuis que – malheureusement – elle était de retour faisait partie des plans de Claude. S'il passait plus de temps avec son épouse, pensait-il – temps dont il ne devrait pas se montrer avare –, elle ne rechercherait peut-être pas la compagnie de cette femme. Car fréquenter Lily fait ressortir les plus mauvais côtés de Blanche.

Toutes deux donnent l'impression de ne rien faire d'autre que boire toute la journée et toute la nuit. Elles titubent à travers le Ritz, s'accrochant l'une à l'autre, en essayant de marcher droit, en riant comme des folles. Lily doit souvent rester dormir dans leur suite, recroquevillée dans l'un des fauteuils, pendant que Blanche ronfle sur le lit et que Claude passe une mauvaise nuit sur le petit canapé de son bureau.

« Claude, tu es formidable », avait murmuré Lily un soir en envoyant valser ses chaussures – une paire de rangers pour homme, bon sang ! – tout en s'installant dans le fauteuil, les yeux mi-clos, en se roulant en boule comme un chat.

« Claude est un chou, n'est-ce pas Popsy ? » avait ajouté Blanche dans un hoquet.

Claude avait pris un air dédaigneux et les avait laissées cuver leur cuite, tout en se demandant dans quel pétrin elles s'étaient mises, car Blanche avait tendance à raconter n'importe quoi quand elle était ivre.

Tout en se demandant si Lily n'était pas seulement un alibi, si Blanche ne voyait pas un autre homme. Claude se posait des questions à propos de tout dans ce monde sens dessus dessous !

Et donc, le jour où les Auzello avaient vu des étoiles jaunes dans la rue pour la première fois, Blanche s'était agrippée à son bras tout comme il s'était agrippé au sien. Et, alors même qu'en vérité on n'en voyait pas tant que ça – tout simplement parce que le décret interdisait aux Juifs de se rassembler dans les lieux publics ou de se promener dans les artères principales de la ville –, ils avaient l'impression que partout où ils regardaient, ils voyaient ces insignes pleins de haine. Parfois cousu au revers de la veste d'uniforme d'une écolière – une veste d'uniforme trop petite pour elle qui n'avait plus la possibilité d'aller à l'école depuis que les nazis avaient émis un décret interdisant aux enfants juifs d'être scolarisés. Pour autant, la fillette portait son uniforme et Claude se demanda pourquoi. Était-ce de l'espoir, purement et simplement ? De la nostalgie ? Ou rien qu'un caprice d'enfant ?

Parfois, sur la poitrine d'un homme vêtu d'une veste de tweed bleue, un homme qui ressemblait à Claude – un homme au physique loin des représentations caricaturales de l'homme juif. Une petite moustache. Des ongles manucurés. Des cheveux coupés de frais toutes les semaines et lissés par une pommade parfumée. Des chaussures si impeccablement cirées qu'à chaque pas l'étoile jaune s'y reflétait.

Parfois encore, un couple âgé, l'étoile jaune de l'homme

sur un pull-over effiloché, celle de la femme sur un manteau de fourrure antédiluvien – qui datait probablement de l'époque victorienne. Ils s'étaient assis l'un à côté de l'autre sur un banc, à l'ombre d'un arbre. Récemment, Claude avait remarqué que les Juifs avaient tendance à ne pas trop s'éloigner de chez eux, dans les quelques rues, les quelques parcs et dans les allées où ils avaient encore le droit de se promener. Ils essayaient toujours de se cacher, même s'il n'y avait pas d'endroit à Paris où ils pouvaient échapper à la surveillance. En s'asseyant, l'homme avait posé sa main sur le genou de la femme en un geste possessif. Elle tenait l'anse de son sac à deux mains. Ils restèrent assis là, sans jamais cesser de cligner des yeux en voyant le monde passer devant eux, un monde qu'ils ne reconnaissaient plus. Le sac était énorme, et Claude se demanda si, à l'intérieur, étaient entassées toutes les choses qui leur étaient chères – des photos, leurs certificats de naissance, des bijoux. Des vêtements de rechange. Au cas où.

Claude, pas plus que Blanche, ne fit de commentaire sur ces étoiles jaunes. Ils ne s'attardèrent pas. Sans dire un mot, ils s'éloignèrent, marchant plus rapidement que d'habitude pour rentrer au Ritz, retrouver leur suite et, toujours sans un mot, ils s'étaient couchés, tout habillés, sans se glisser sous les draps. Ils étaient restés ainsi, allongés côte à côte. Blanche tremblait, à moins que ce ne soit Claude, ou peut-être les deux. Et finalement, ce jour-là, pour la première fois, elle parla de la chose dont ils n'avaient jamais réussi à parler.

« Heureusement que nous n'avons jamais eu d'enfants, Claude », dit Blanche, son épouse depuis dix-neuf ans.

Il ne put qu'acquiescer d'un hochement de tête, tandis qu'il la serrait contre lui. Elle, son épouse. La princesse qu'il avait sauvée et qui s'était transformée en une femme déroutante, au corps plein de vie, à l'esprit vif, au cœur si généreux. Sa bonté, son audace, son courage, ses peurs. Son imprudence, son obstination. Ce tempérament bouillonnant, à peine caché derrière ses vêtements de marque. Parfois, il devait bien l'admettre, il oubliait de se souvenir que son épouse était une *personne* et non une abstraction (agaçante, le plus souvent) – un magnifique, exaspérant ensemble de cellules vivantes, un mélange de douceur et de dureté, de raison et d'émotion – comme toutes les femmes.

Mais, aux yeux des *Boches**, un assemblage de cellules vivantes, une combinaison de chair et d'os, du sang qui circulait, des cœurs qui battaient, n'étaient pas des personnes.

« Blanche, je t'en prie, arrête de voir Lily », lui souffla-t-il à l'oreille. Immédiatement, elle se raidit. « Je t'en prie, j'ai un mauvais pressentiment. Je ne sais ce qu'elle est capable de te faire faire. Mais tu dois être prudente, et quand tu bois…

– Quoi, quand je bois ? demanda-t-elle sèchement, d'un ton méfiant.

– Tu deviens imprudente. Tu ne peux pas te le permettre. Personne ne le peut, de nos jours.

– Concluons un accord, Claude. » Elle roula sur le côté, s'assit et lissa ses cheveux en lui tournant le dos. « Tu arrêtes de sortir chaque fois que ce foutu téléphone sonne la nuit, et j'arrêterai de voir Lily.

– Blanche… »

Pour la première fois, Claude fut tenté. Tenté d'arrêter ses activités nocturnes, auxquelles il s'adonnait de plus en plus fréquemment, devenues aussi plus exaltantes, maintenant que les *Boches**, après la rafle du Vel' d'Hiv, serraient la bride aux Parisiens.

Le couvre-feu est désormais strictement appliqué – ce qui rend les réunions clandestines encore plus excitantes.

Les rassemblements de plus de quatre personnes ne sont pas autorisés, pas même dans les cafés ou les boîtes de nuit. Des soldats nazis avaient été tués et, en représailles, des rafles eurent lieu et des citoyens furent abattus – surtout des Juifs, mais pas toujours.

Mais non. Il est plus important que jamais de soulager la pression qu'il subit, car il doit sans cesse jongler pour plaire à tout le monde – sa femme, ses employés, ses hôtes qui ne sont pas vraiment des hôtes. En mémoire de César Ritz. En mémoire de Claude, de celui qu'il avait été. Ce n'est qu'à l'extérieur du Ritz que Claude peut se retrouver, et il ne cessera pas d'aller à ses rendez-vous avec Simone – et Michèle et Martin. Des rendez-vous qui ne concernent plus seulement l'achat de légumes – Martin s'occupe désormais de vendre autre chose. Des choses dont Claude a besoin, et d'autres dont il aimerait pouvoir se passer, mais qu'il accepte de la part de son ami, parfois en les gardant – les placards du Ritz, réaménagés discrètement, sont profonds et, pour la plupart, dissimulés aux regards –, parfois en les donnant à quelqu'un d'autre.

Bien qu'il se sache d'une parfaite discrétion, Claude fait très attention à ne pas commettre d'impair, à toujours accomplir son travail au mieux. Il a parfois commis des erreurs – il lui coûte de l'avouer. L'autre soir, il était descendu dans les cuisines tout de suite après vingt-deux heures trente, tandis qu'avait lieu une attaque aérienne – les bombardiers anglais lâchaient leurs charges explosives sur les usines en banlieue parisienne, des usines participant à l'effort de guerre allemand. Si quelqu'un laissait la lumière allumée la nuit dans les cuisines, le Ritz, grâce à la latitude à laquelle il se situait, permettait à ces bombardiers de se repérer au-dessus de la ville plongée dans le noir...

Claude avait trouvé les lampes allumées malgré le

black-out. Si les nazis s'en apercevaient, s'ils découvraient qui était responsable... Claude, en y pensant, avait frissonné. Il avait touché l'une des ampoules ; elle était à peine chaude. La personne qui l'avait allumée venait donc juste de partir. Il avait eu l'impression de reconnaître une odeur qui lui était familière – un parfum, peut-être, ou une lotion capillaire – mais n'y avait pas vraiment prêté attention. Il s'était demandé qui avait fait ça.

Il avait fait demi-tour et avait monté l'escalier qui menait à leur suite, où Blanche était en train de quitter ses chaussures et ses bas, la respiration lourde, irrégulière – « Ce foutu black-out, impossible de trouver mon chemin pour rentrer ! ». Et Claude était si en colère qu'elle rentre si tard un soir d'attaque aérienne qu'il en avait oublié cette histoire de lampes allumées. Ils s'étaient disputés si violemment que le bruit des vibrations des bombardiers dans le ciel de Paris en avait été assourdi.

Le lendemain matin, il avait été convoqué dans le bureau de von Stülpnagel pour être interrogé « sans ménagement », avant d'être renvoyé avec un avertissement lui signifiant que l'incident n'était pas clos. Car les lumières dans les cuisines avaient tracé comme un chemin lumineux, facilement repérable d'en haut par les aviateurs et menant directement aux usines. Apparemment, les Alliés avaient fait du bon boulot.

Claude doit donc être prudent – il ne doit pas laisser sa passion interférer avec son travail ni attirer de gros ennuis au Ritz.

D'une certaine manière, il était fier de ses activités nocturnes. Jusqu'à ce qu'il aperçoive la tristesse dans les yeux de sa femme – comme résignée à ce qu'il ne soit pas à la hauteur de ses attentes. Il la déçoit – son infidélité la déçoit, ses trahisons la déçoivent. Il ne peut ignorer le dégoût avec lequel Blanche se moque de lui quand elle le voit faire des courbettes aux nazis – l'empressement avec lequel il exécute leurs ordres. Dans les jours qui suivirent l'attaque aérienne, Claude avait redoublé d'efforts pour complaire à ses hôtes nazis, allant jusqu'à cirer lui-même les bottes de von Stülpnagel, le général s'étant plaint du travail du cireur qui en était chargé.

« Claude, vous feriez un bon Allemand », lui avait dit von Stülpnagel, en admirant la perfection avec laquelle le cuir noir de ses bottes reluisait. « Vous pourriez peut-être venir avec moi et diriger l'un des hôtels de Berlin. »

Claude avait souri et répondu : « *Merci**. Rien ne me ferait plus plaisir. »

Et ce soir-là, quand le téléphone sonne, Claude est plus pressé que jamais d'y répondre. Blanche sourit, de ce sourire mystérieux qu'elle lui adresse depuis peu et le gifle – à peine, sans conviction, plutôt comme un rappel des jours meilleurs –, et sort la première. Depuis peu, c'est toujours elle qui sort en premier. Et qui rentre tard, tenant des propos incohérents, les yeux vitreux, les vêtements puant le gin et le vermouth. Pendant que Claude fait ce qu'un Français doit faire, même dans le Paris de 1943.

Il ferme les yeux et voit des étoiles – les étoiles qui accompagnent la gifle qu'elle lui a donnée. Les étoiles jaunes qu'on voit dans les rues de Paris.

Pendant un court instant – il regarde sa montre, compte les secondes, ne s'accorde qu'une minute – Claude méprise ce monde, cette guerre, l'Occupation, cette tache, ce fléau, ce cauchemar. Il ne sait plus comment qualifier cette situation.

La minute est passée et il ravale sa haine, l'enferme à double tour dans un petit coin de son cœur et jette la clé là où il pourra facilement la retrouver. C'est l'heure. Il doit y aller. Claude s'asperge le visage d'eau, rajuste sa cravate.

Et s'aventure dehors, dans la nuit, pour retrouver une très belle femme.

21

Blanche

Hiver 1943

Quelques mois après le retour de Lily, un autre bouquet de violettes est livré au Ritz pour Blanche. Un autre rendez-vous sur un banc du marché aux Fleurs est prévu – avec Lorenzo, cette fois.

« Où est Lily ? » demande Blanche, blottie dans son manteau de fourrure pour lutter contre le froid ; elle oublie toujours que l'hiver à Paris peut être rude.

Lorenzo se contente de lui lancer un regard furieux, et elle se souvient de la première chose qu'elle a apprise à propos de la Résistance : *pas de questions.*

« J'ai quelque chose pour toi », lui dit Lorenzo. Blanche tord le petit bouquet de violettes entre ses doigts et écoute. Il ne lui cache pas que c'est dangereux. Ils – un « ils » à l'identité non précisée et Blanche se garde bien de poser des questions – sont en possession d'un microfilm qui reproduit des documents décrivant les mouvements de troupes prévus le long des côtes françaises. Les Allemands essaient à tout prix de mettre la main dessus. Ce microfilm doit être remis à un contact gare du Nord, qui le fera sortir du pays pour le donner aux Alliés. Et Blanche sera l'agent de liaison. Elle parle français, elle pourra donc se faire passer pour la femme de ce contact.

Elle peut refuser, elle le sait. La Blanche d'autrefois aurait refusé. La Blanche qui, un jour, avait cru que déjeuner avec le duc et la duchesse de Windsor était un événement dont on pouvait être fier (elle avait même envoyé une lettre à ses parents accompagnée d'une photo) – Blanche qui passait son temps sur un canapé de velours, à regarder les gens riches et célèbres, les excentriques, se pavaner dans l'entrée du Ritz en exhibant leurs bijoux.

Aujourd'hui, Blanche suit Lorenzo à l'arrière d'une échoppe de fleurs sans un mot. Il lui tend une gamelle en fer-blanc et une carte d'identité française au nom de Berthe Valéry. Elle écoute attentivement Lorenzo et comprend qu'elle doit simplement apporter à son mari, Moule Valéry, qui travaille sur le quai numéro cinq, son déjeuner. Il lui montre une photo de cet homme – il a l'air morose d'un homme dont on vient de tuer le chien – avant de la fourrer dans une boîte de café et de la brûler. Il lui tend une robe toute simple et un foulard, et se rend soudain compte du manteau en chinchilla qu'elle porte.

« Tu as vraiment trop l'air de sortir du Ritz », grogne-t-il. Il fouille dans une pile de vieux vêtements et en sort un manteau en tissu dont une poche pend, déchirée. « Laisse cette fourrure ridicule ici – je pourrai la vendre et récupérer des sous.

– Mais… C'est… »

Claude lui avait offert ce manteau pour leur premier anniversaire de mariage ; elle se souvient comme il avait été fier de pouvoir lui offrir ce cadeau avec son premier salaire de directeur du Ritz. Elle ne veut pas s'en séparer, c'est comme se séparer d'un souvenir – l'un de ces souvenirs, si rares, d'un passé tendre, rempli d'espoir, un passé révolu.

« Tu veux nous aider, oui ou non ? Nous pouvons acheter des passeports, de l'essence, des billets de train, des choses utiles. Des armes, aussi. Je croyais que vous étiez prête à vous battre, madame Ritz ? » Lorenzo la regarde d'un air dégoûté, avec arrogance. Alors, en cet instant, une seule chose compte pour Blanche : effacer cette expression du visage de Lorenzo.

« Bien sûr, prends-le. Essaie d'en tirer le maximum. »

Il ne la remercie même pas. Il dit : « Pars dès que tu lui as donné son déjeuner. Tout de suite après. Ne t'attarde pas. Tu es sûre de pouvoir faire ça ? » Il se penche vers elle, plonge son regard dans les yeux de Blanche, un regard suspicieux qui la défie. Elle comprend alors que pour lui elle ne compte pas, qu'elle n'est ni plus ni moins utile que son manteau de fourrure.

« Passer à l'action ne me fait pas peur.

– Tu en es sûre ? » demande-t-il à nouveau, la mine renfrognée. Il ôte sa casquette, se gratte la tête, regarde autour de lui, presque comme s'il espérait que quelqu'un surgisse de derrière l'un des seaux remplis de fleurs et prenne la place de Blanche. « Tu comprends ce qui est en jeu ? Tu sais que tu ne peux parler de ça à personne, et que, si tu es prise, tu ne peux compter sur personne. Tu ne peux dénoncer personne, tu ne peux pas parler. Sinon…

– Sinon quoi ?

– Si les nazis ne te tuent pas, c'est nous qui te tuerons. »

Elle réprime un frisson mais ne dit rien.

« Quand ce sera fait, ne reviens pas ici.

– Je vais où ? Mes vêtements… » Blanche lisse sa robe, un imprimé en soie, qu'elle avait enfilée ce matin avec soin. « J'en fais quoi ?

– Je vais aussi les vendre. »

L'inquiétude de Blanche pour de telles futilités, tellement féminines, le fait rire. Il reste là, bras croisés, en attendant qu'elle se déshabille.

Blanche hausse les épaules et se change. La robe est un peu trop serrée, tandis que le manteau est un peu trop grand. En ressortant de la tente avec la gamelle, elle arrange son foulard afin qu'il descende assez bas sur son front. Lorenzo reste en retrait. Elle ne reconnaît personne en traversant le marché, s'arrêtant ici et là pour regarder les fleurs – essentiellement des branches de bouleau séché et quelques fleurs de serre sous verre – comme n'importe quelle femme française au foyer pouvant dépenser quelques sous pour égayer la maison. Mais chaque soldat nazi qu'elle frôle lui procure une décharge électrique, chaque fois elle recule, le cœur battant à tout rompre, tenant fermement l'anse de la gamelle ; toutefois, personne ne lui prête attention. Elle s'apprête donc à traverser la Seine en direction de la gare du Nord.

C'est différent de l'autre fois, avec le jeune aviateur. Elle avait été complètement emportée par le moment présent, une aventure enivrante, téméraire, comme si elle avait été une doublure de cinéma soudain appelée à jouer un rôle pour lequel elle n'aurait pas répété. Elle n'avait pas eu le temps de penser aux conséquences.

Que se passerait-il si elle ne revoyait jamais Claude ? La question la prend au dépourvu et lui fait songer, une fois de plus, au manteau dont elle vient de se défaire, et à tous les souvenirs qui y sont liés. Elle se rend compte qu'elle n'avait pas pensé à son mari en tant que personne depuis longtemps ; il est la cause de ses souffrances, la raison pour laquelle elle s'enfuit quelquefois, il sert d'excuses à son alcoolisme. Le regretterait-elle si elle ne le revoyait jamais ?

La regretterait-il ?

Cette énigme chasse toutes ses autres pensées du moment, terrifiantes, jusqu'à ce qu'elle s'aperçoive qu'elle est presque arrivée à la gare et qu'elle est en train de balancer la précieuse gamelle à bout de bras, comme un sac à main ou un panier de pique-nique et non la cachette d'un microfilm volé que tous les officiers nazis de France recherchent. Pendant quelques secondes angoissantes, Blanche craint d'avoir perdu sa fausse carte d'identité – l'a-t-elle laissée au marché aux Fleurs, avec ses vêtements ? – avant de se souvenir qu'elle est à l'intérieur de la gamelle, au-dessus de la serviette de table à carreaux posée sur le sandwich dans lequel est caché le précieux microfilm. Elle se tapote la joue pour dissimuler sa peur et se donner une contenance, puis montre la carte aux Allemands à l'entrée de la gare. Elle s'efforce de les regarder droit dans les yeux, il ne faut absolument pas qu'elle éveille les soupçons en ayant l'air nerveuse. Le soldat lui jette à peine un coup d'œil avant de la lui rendre et de poursuivre sa conversation avec son copain.

Aussitôt qu'elle pénètre dans cette immense gare bruyante, Moule – l'air aussi triste que sur la photo – court vers elle (comment est-ce possible ? Pour ce qu'elle en sait, il ne l'a encore jamais vue avant ce jour-là), il l'attrape par les épaules et l'injurie en français.

« Qu'est-ce que tu foutais ? Je crève de faim ! Comme si c'était pas assez que je trime toute la journée pour toi, tu n'es même pas capable d'apporter mon déjeuner à l'heure. »

Pendant quelques secondes, Blanche est trop surprise pour réagir ; cet homme a-t-il perdu la tête ? Mais, très vite, elle retrouve son instinct d'actrice.

« Tu parles d'un mari ! Tu es gonflé. J'ai essayé de me faire belle pour toi !

– Eh ben, c'est pas joli. »

Un public fasciné s'est soudain rassemblé pour assister à cette scène de ménage explosive.

Blanche gifle Moule. Il ronchonne, juste avant qu'elle ne l'attrape par le col de sa veste et l'embrasse, avec passion, sur la bouche. L'homme est si surpris qu'il en lâche la gamelle.

Elle étouffe un cri de panique, les pupilles de Moule sont dilatées par la même peur que la sienne.

Tous deux baissent les yeux au même moment.

La gamelle ne s'est pas ouverte – le sandwich est intact. Grisée par le soulagement, elle attrape de nouveau Moule et lui plante un autre baiser, encore plus passionné, sur la bouche, auquel il répond cette fois.

Les soldats allemands qui avaient assisté à leur dispute applaudissent et l'un d'eux crie : « *Vive la France** *!* » Blanche – qui finit par lâcher un Moule stupéfait – est si excitée qu'elle est sur le point de saluer la foule. Mais elle se ressaisit, juste à temps, tourne les talons et s'en va, maudissant à voix haute tous les hommes français et leurs extravagances.

Elle entre au Ritz presque en sautillant, un grand sourire aux lèvres – c'est à peine si, au fond d'elle-même, elle pense qu'elle pourrait être arrêtée ; elle veut croire qu'elle n'aurait pu être arrêtée qu'au cours de la livraison. *La livraison* – elle pense déjà comme une activiste, une espionne.

Elle est de retour au Ritz où rien de mal ne peut lui arriver ; et elle peut donc se laisser aller, se repaître de la sensation forte qu'elle vient de vivre. Elle a réussi, brillamment – elle revoit la scène et sourit, se rappelant la manière dont elle a embrassé ce pauvre idiot qui en a eu le souffle coupé. Oh, comme elle aurait aimé que Claude l'ait vue ! Elle aurait tant aimé que *quelqu'un* la voie, quelqu'un comme…

Lily. Qui est assise sur une chaise à l'extérieur du bar au

moment où Blanche pousse les portes de l'entrée rue Cambon, toujours aussi exaltée, mais avec un besoin urgent de boire un alcool fort, un remontant, une récompense pour un boulot bien fait. Lily fond en larmes dès qu'elle voit Blanche. Alors Blanche l'attrape par le bras, l'entraîne à l'intérieur du bar, ignorant les regards étonnés qu'on lui jette – évidemment, qu'on la regarde : elle a gardé ses vêtements loqueteux, même si elle arrache son foulard et essaie de se recoiffer. Frank Meier, sans un mot, se contentant d'un coup d'œil interrogateur, leur sert deux martinis.

« J'avais dit non à Lorenzo… je lui ai dit de ne pas te confier cette mission. Il m'a employée ailleurs pour que je ne puisse pas m'y opposer. Oh, Blanche… tu n'aurais pas dû. Tu es folle. C'est très dangereux. Je le tuerai, ce Lorenzo !

– Chut… » siffle Frank entre ses dents en inclinant légèrement la tête en direction des officiers allemands installés au fond du bar et dont les conversations se sont tues à mesure que l'échange entre Blanche et Lily devenait plus animé.

Lily finit par se calmer.

« Mais tu t'en es bien sortie, Blanche ?

– Mieux que bien, Lily. J'ai été grandiose !

– C'est moi qui aurais dû aller là-bas. Mais je dois faire profil bas… Je ne devrais pas être ici. » Elle jette un coup d'œil en direction des Allemands. « Mais il fallait que je te voie. Je n'ai pas confiance en Lorenzo. Il ne se soucie pas des gens. Pas du tout, pas comme Robert. Blanche, j'ai peur pour toi.

– Lily, je peux me débrouiller toute seule. Je veux faire ça. Je veux aider. Je veux sauver des vies. Tu ne peux pas m'enlever ça, n'est-ce pas ? »

Blanche passe son bras autour des épaules de son amie.

Lily secoue la tête, mais hoquette un peu en essayant de réprimer ses sanglots. Et soudain, Blanche pleure elle aussi, bien qu'elle ne sache pas pourquoi – probablement les nerfs qui lâchent. Et toutes deux sont affalées sur le bar, pleurant en silence, tandis que Frank leur ressert deux martinis.

« Blanche ! »

Blanche sursaute, relève la tête et reste bouche bée devant son mari qui jette à Lily un regard noir et prend un air ostensiblement dégoûté, avant de se tourner vers elle.

« Blanche, bon sang… où sont tes vêtements ? » Elle baisse les yeux sur sa robe trop serrée à l'imprimé délavé, sur le manteau loqueteux tombé en tas à ses pieds. Elle se souvient alors, avec un petit sursaut de culpabilité, des conditions dans lesquelles elle a renoncé à son manteau de fourrure. Son manteau *à lui*.

« Je… euh…

– Blanche… a renversé des choses sur ses vêtements, alors je lui en ai prêté d'autres. Elle était dans un sale état… on s'amusait, comme maintenant ! » Lily se penche vers Blanche, dans l'attitude de quelqu'un qui a trop bu, et lève son verre de martini pour porter un toast. « À la tienne, Claude ! Viens t'amuser avec nous ! »

Claude ignore Lily. Il attrape Blanche par le bras, prêt à l'entraîner hors du bar. « Viens t'allonger. Tu ne peux pas te montrer dans cet état. Pas ici. »

Les Allemands, remarque Blanche – les martinis n'ont pas encore fait effet, bien qu'elle sente déjà un certain bourdonnement à la base de son crâne et que sa vision commence à devenir floue –, s'amusent de ce spectacle, le regard averti. C'est si typique, tellement *français* – deux femmes saoules. C'est tout ce qu'ils voient. C'est tout ce que Claude voit.

Lily et Blanche – deux amies, complètement saoules, en train de faire la fête.

Blanche embrasse son mari sur la joue – c'est un baiser très humide et elle y laisse une trace de rouge à lèvres qu'elle tente vainement d'essuyer d'un revers de manche et dit : « Je suis désolée, Claude, mais j'ai eu une journée infernale. »

Elle essaie de sourire en voyant la tête que fait son époux. Mais le visage de Claude est trop égal à lui-même – cet air suffisant, résigné – et, prise de vertige, elle ferme les yeux, sachant qu'elle les fermera à de nombreuses reprises, à l'avenir, pour ne pas voir son air écœuré, car elle va le décevoir quotidiennement et pendant encore un bon moment.

Et elle va aussi laisser Claude croire ce qu'il veut – ce qu'il a tellement envie de croire à son sujet –, afin de lui cacher ses activités. S'il pense qu'elle n'est qu'une souillon alcoolique, une nuisance, il ne sera pas interrogé, il ne pourra pas être accusé de quoi que ce soit au cas où elle se ferait prendre. Et c'est aussi comme ça qu'elle pourra cacher Lily.

« *Popsy wopsy was a bear, Popsy wopsy had no hair*[1] », chantonne-t-elle, les yeux mi-clos, en regardant le front de son mari se plisser de répulsion. Satisfaite, elle ferme de nouveau les yeux et pouffe de rire. « *Ol' Popsy wopsy*. La prochaine tournée est pour lui ! »

Elle entend son mari soupirer puis s'éloigner, tandis qu'elle tend la main pour attraper son verre.

---

1. Allusion à la comptine *Fuzzy Wuzzy was a bear, Fuzzy Wuzzy had no hair.*

22

Claude

Hiver 1944

C'est cette femme, évidemment. Cette Lily.

Lily ! Cette minuscule personne, si mince ! C'est elle qui corrompt Blanche, son épouse, qui réveille et encourage les aspects les plus irresponsables de la personnalité de sa femme. Oh oui, Claude sait que Blanche aime boire – il l'a su dès l'instant où ils se sont rencontrés. Son infatigable campagne pour que les femmes puissent avoir accès au bar – pour quelle raison, si ce n'était le besoin d'étancher sa propre soif ? Le plaisir qu'elle prenait à passer la journée à boire des verres et à raconter des histoires avec Hemingway et Fitzgerald. Claude se dit que boire lui permet d'oublier ; d'oublier sa famille, qui est si loin, d'oublier la vie qu'elle a laissée derrière elle, les choses auxquelles elle a renoncé pour devenir son épouse. Mais, et Claude est vite sur la défensive – il n'est qu'un homme après tout –, il ne lui avait jamais demandé d'y renoncer.

Par ailleurs, elle n'avait guère hésité, elle y avait renoncé facilement.

Mais avec Lily, l'envie de faire la bringue devient risquée, comme si elle recherchait le danger à tout prix. Comme si le danger ne se cachait pas déjà partout. Même au Ritz.

Un jour, Hans Elmiger, le gérant, lui dit, sur un ton

parfaitement désinvolte : « Claude, j'ai cru comprendre que vous… que vous travaillez très tard le soir, parfois. Si vous le souhaitez, je serais heureux de pouvoir vous aider. Je saurai ne pas divulguer votre secret. »

Claude assure Hans (qui n'est ni allemand, ni hollandais, Dieu merci !) qu'il doit faire erreur. Comment Claude peut-il savoir si c'est un ami ou un traître ? Comment Claude peut-il savoir de quel secret parle Hans ? Faire confiance à qui que ce soit est trop risqué en cette période, tout le monde est un ennemi potentiel. Jusqu'à cette libération miraculeuse pour laquelle chacun prie, quand les masques tomberont. Ce qui, à cette époque-là, paraît encore impossible.

Frank Meier aussi jette le trouble chez Claude. Oh, Frank est toujours le même – circonspect, méfiant, gardant un œil sur toute chose, sans jamais rien divulguer –, celui qu'il a toujours été depuis que Claude le connaît, quand il était déjà en poste, avant même que Claude ne devienne directeur. Il observe, ne cesse jamais d'observer, derrière son bar en acajou ; on dirait qu'il n'en sort jamais. D'ailleurs Claude le soupçonne, de temps à autre, de dormir derrière. Cet homme à la carrure imposante venu d'Autriche, qui, apparemment, n'a pas de famille et pas de vie en dehors de ces murs. Dans sa veste blanche, il est indéchiffrable, tant dans ses manières que dans son comportement.

Pourtant.

Claude en sait plus sur Frank – et, en fait, sur tout le monde au Ritz – qu'on ne le pense. Par exemple, Claude sait que Frank se livre à certaines activités non officielles – comme son cercle de jeu. Claude connaît aussi l'existence et les activités de ce Turc, un petit gars réputé pour ses talents de faussaire : passeports, certificats de décès et autres documents officiels. Ce que Claude ne parvient pas à savoir, toutefois, c'est si Frank ou Greep se sont engagés dans la Résistance.

Et *qu'est-ce* exactement que la Résistance ? Ce n'est pas un groupe de gens défini, comme certains voudraient le croire ; pas de signe de reconnaissance officiel, pas de cotisation d'adhésion. C'est flou, sans formes précises, ça surgit ici et là. En font partie des gens qui n'ont jamais tenu d'armes avant. Ça nécessite à la fois de la réflexion, une activité purement cérébrale, une diplomatie feinte, mais aussi une activité sacrément violente, qui vise à faire sauter des ponts et des régiments allemands entiers. Parfois, Claude se dit que c'est plus une question d'esprit que d'action : si vous faites quelque chose, un geste, aussi infime soit-il, pour mettre vos « hôtes » mal à l'aise et que ça les dérange, ou que leur vie est en danger, vous êtes un résistant.

Frank passe des messages, Claude en est certain. De la part de qui – agents, agents doubles, résistants, Alliés, et aussi certains Allemands qui, écœurés, après que des millions de leurs compatriotes ont été tués pour rien en Russie, commencent à comploter contre Hitler –, *ça*, il ne le sait pas. Mais Frank détourne aussi de l'argent qui devrait entrer directement dans les caisses du Ritz ; et c'est ce qui sème le trouble dans l'esprit de Claude. En temps normal, il n'aurait pas d'autre choix que d'accuser Frank de détournement de fonds et de le renvoyer.

Pourtant.

Où va l'argent ? Frank permet-il à ceux qui n'en ont pas les moyens de faire la traversée jusqu'en Amérique ? Se procure-t-il, pour lui-même, des vêtements élégants achetés au marché noir ? Qui sait ? Qui oserait poser la question ? Et donc Claude le laisse détourner de l'argent qui appartient à madame Ritz car, à cette époque, les seuls accusateurs sont les Allemands, et Claude ne veut pas que Frank, ni qui que ce soit d'autre parmi ses employés, leur soit jeté en pâture.

Après l'incident dans les cuisines – Claude ne sait toujours pas qui a allumé –, il est lui-même devenu suspect ; en fait, il a passé deux jours en prison. Deux jours pendant lesquels il a été traité très correctement. L'officier qui l'a interrogé avait plus d'une fois été invité à déjeuner au Ritz par von Stülpnagel, il connaissait donc bien Claude et l'appréciait énormément, car Claude avait toujours fait en sorte qu'on puisse lui servir son vin préféré, un bourgogne, et les quenelles dont il était friand. L'interrogatoire s'est donc déroulé dans la bonne humeur, avec un esprit de camaraderie propre à ceux qui ont l'habitude de partager de bons repas. Il s'était dit que même les Allemands devaient trouver difficile de torturer ceux qui leur fournissaient leurs mets préférés. On a demandé à Claude, gentiment, qui il pourrait soupçonner d'avoir allumé dans les cuisines. Il a été accusé – là encore, avec circonspection – d'être communiste ; une liste – de provenance mystérieuse – était apparue et, sur cette liste, dans la catégorie « suspectés d'être communistes », on trouvait son nom : *Auzello*. L'officier lui avait dit que, évidemment, c'était sûrement une erreur, mais il était obligé de poser la question.

Cette accusation, aussi légère fût-elle, lui avait été insupportable. Aussi Claude avait répondu à l'officier – après lui avoir rappelé à quel point il aimait les quenelles –, sans mâcher ses mots, ce qu'il pensait vraiment des *communistes*, des gens qui pourraient infiltrer la société, en démanteler les institutions, tout ça au nom du mal. Il avait rappelé à cet officier qu'il avait lui-même fait la chasse, de la cave au grenier, aux employés connus pour être des sympathisants de cette vile engeance.

Entre deux interrogatoires polis, Claude avait été détenu dans une cellule pas plus grande qu'un placard à balais du Ritz, mais sans être mêlé aux autres détenus auxquels il n'osait pas jeter un seul coup d'œil de peur de reconnaître l'un d'entre eux. Et, alors que la nourriture était infecte – *mon Dieu**, il fallait voir ce qu'ils appelaient de la soupe ! –, le châlit était confortable. Et la cellule avait une fenêtre ; une fenêtre à travers laquelle il la vit, *elle*.

Pendant les deux jours qu'il avait passés enfermé, vers quatorze heures, l'épouse de Claude était venue s'asseoir au café juste de l'autre côté de la rue, et avait fumé gauloise sur gauloise, pâle, nerveuse. Mais elle était là. Montant la garde en face de la prison où il était détenu. Comme si elle savait que Claude la verrait. Que sa présence lui donnerait de la force. Ce qui avait été le cas. À sa plus grande surprise. Car depuis longtemps son épouse n'était pour lui rien d'autre qu'une succession de problèmes.

Quand on l'avait relâché – avec une tape dans le dos, des rires et la menace à peine voilée que si de nouvelles activités malheureuses avaient lieu au Ritz, quenelles ou pas quenelles, il en serait tenu pour personnellement responsable –, Claude avait taquiné sa femme, car il ne pouvait se résoudre à admettre à quel point la voir dans ce café avait été important pour lui. Il ne pouvait se résoudre à avouer combien il avait craint de l'apercevoir pour la dernière fois.

Claude ne pouvait pas non plus lui dire à quel point son angoisse l'avait touché ; il avait même été surpris et étonné de se rendre compte qu'ils pouvaient encore être profondément affectés tous deux, lui par sa présence et elle par son absence.

« Tu vois ? » En arrivant au Ritz, il l'avait embrassée, un

baiser désinvolte, sur la joue, tandis qu'elle l'avait pris dans ses bras en étouffant un sanglot. « Pauvre Blanchette… tu ne supportes pas d'être loin de moi, même pendant deux jours seulement !

– Ne te vante pas, Popsy », lui avait-elle rétorqué en s'écartant et en remettant du rouge à lèvres. « Je mourais seulement d'envie de savoir si ta maîtresse se pointerait, elle aussi. »

Mais ses mains tremblaient autour du bâton de rouge.

Claude avait pincé les lèvres et était retourné à ses obligations.

Toutefois, quand il avait refermé la porte de son bureau, il l'avait entendue éclater en sanglots, et lui aussi avait été submergé par la tristesse, tel un lourd pardessus à l'odeur de moisi pesant sur ses épaules. Bon sang, qu'étaient-ils devenus à cause de la guerre ? Leur relation, avant ça, n'était pas parfaite, certes non, Claude ne pouvait que l'admettre, et admettre qu'il en était en partie responsable. Mais la guerre ne devrait-elle pas rapprocher les gens au lieu de les séparer ? N'est-ce pas Hemingway qui, dans son livre sur la guerre civile espagnole, avait écrit sur ce sujet, l'amour et la passion au milieu des combats ?

Il fut un temps où Claude avait cru que leur histoire était la plus romantique de toutes celles qu'il connaissait. Aujourd'hui, il ne lui en restait que l'amertume d'un rêve brisé.

Peu de temps après, Blanche le croisa dans l'entrée, alors qu'elle était prête à sortir. Pour boire avec Lily.

Lily.

Qui, Claude le savait – ce n'était plus qu'une question de temps –, les mettrait tous en danger.

23

Blanche

Hiver 1944

« Nom de Dieu, ce que je peux puer ! Tu crois que j'ai renversé beaucoup de gin sur moi ?

– Tu as renversé toute la bouteille.

– Et toi, tu bredouillais tellement que j'ai cru que tu avais inventé un nouveau langage. »

Lily éclate de rire. « J'ai été bonne, hein, Blanche ?

– Très bonne. Comme d'habitude.

– Et toi aussi. »

Immédiatement, Lily redevient sérieuse, pendant que Blanche se change. Elle a beau aimer le gin, c'est trop ; l'odeur est si forte qu'elle a l'impression d'être au milieu d'un buisson de genévriers.

« Comment ça s'est passé, Blanche ? Raconte-moi. Je n'aime vraiment pas ça, même si tu as prouvé que tu étais très bonne.

– Tu crois ? »

Blanche sort la tête de derrière la porte de leur suite, heureuse au-delà de toute commune mesure. Elle *est* bonne pour « ça », elle le sait – ce qui ne l'empêche pas d'aimer entendre les autres le dire. Elle aurait tellement envie de partager ça avec Claude, qu'il puisse la voir telle qu'elle est, qu'il puisse voir celle qu'elle est vraiment et pas celle qu'il croit voir.

Mais elle ne peut pas ; elle doit donc se contenter de l'admiration de Lily. Pour ce que Claude en sait, Blanche passe ses journées – quand elle n'est pas au Ritz en train de jouer à des jeux de cartes ennuyeux avec des femmes ennuyeuses qui en sont encore à regretter la perte de l'élégance plutôt que celle de nombreuses vies – à l'extérieur avec Lily. À faire la bringue. À boire. À faire la folle et à se ridiculiser, comme d'habitude.

Et Blanche le laisse penser le pire d'elle. Car ainsi, elle ne mêlera pas Claude et son foutu Ritz si précieux à ces activités secrètes. Il pourra continuer à ignorer le boulot sale et dangereux des résistants et à servir ces monstres de nazis en leur faisant des courbettes. Parfois, Blanche ne supporte même plus de regarder celui qui a été son preux chevalier et qui maintenant n'est plus que le serviteur on ne peut plus servile du plus dangereux de tous les dragons.

« Tu ne pourras jamais en parler à Claude, l'avertit Lily. Nous ne pouvons pas lui faire confiance. Il est trop proche d'eux. Il ne pense qu'à sa propre survie. »

Blanche hoche la tête. Si elle est déçue, ce n'est pas d'entendre parler de Claude en ces termes. Son désenchantement est plus intime, il est de l'ordre de la tragédie : voir un homme, d'une si grande éthique, réduit à une marionnette.

Claude n'est donc pas au courant. Il *ne peut pas* savoir qu'au cours de cette fameuse nuit où il avait cru qu'elle était trop imbibée pour rentrer et qu'elle avait donc dû atterrir chez Lily, elle était dans un train pour Le Mans, une autre fausse carte d'identité dans son sac, et avait passé la nuit à échanger des banalités avec deux officiers allemands qui ne voulaient pas la laisser seule, tandis qu'elle jouait le rôle d'une infirmière allemande, accompagnant un autre aviateur, dont l'appareil avait été abattu, déguisé en soldat convalescent. (Ils tombaient du ciel comme des mouches à cette époque-là, alors que les Alliés intensifiaient leurs bombardements en Allemagne.) Les deux officiers allemands s'étaient entichés d'elle – ils avaient flirté, ils avaient même essayé de la convaincre d'accepter un rendez-vous une fois qu'ils seraient arrivés en ville. Elle ne pouvait pas s'en dépêtrer quoi qu'elle leur dise et, pendant tout ce temps, l'aviateur américain était resté assis, la tête entre les genoux, vomissant dans sa musette, sans que les Allemands ne songent à partir. Elle avait finalement réussi à leur échapper en arrivant à la gare, quand elle avait installé le jeune Américain, désormais trop faible pour marcher, dans un fauteuil roulant qu'elle avait poussé en se frayant un chemin à travers la foule – s'attirant des regards étonnés, mais sans qu'on lui pose de questions, peut-être parce qu'elle faisait preuve d'un culot incroyable. Quand elle l'avait finalement laissé entre les mains de son contact, un fermier qui vendait des légumes sur le marché, elle était épuisée d'avoir eu à pousser cet Américain d'un mètre quatre-vingts dans un fauteuil roulant.

Ce fut la première fois où elle avait été autorisée à porter une arme – un petit revolver que lui avait donné Lorenzo, caché dans son sac à main. Il n'était pas différent de celui de Claude – ce revolver dont elle connaissait l'existence sans que Claude le sache.

Mais elle était au courant ; elle l'avait trouvé dans le tiroir du bureau de son époux un soir où elle avait fouillé (elle avait la clé, évidemment ; ce qu'il ne savait pas non plus), cherchant le passe de la cave à vins dans laquelle elle avait caché, derrière des bouteilles de bourgogne de trente ans d'âge, des uniformes allemands volés. Elle avait été stupéfaite, Claude n'était pas le genre d'homme à se trimballer avec une arme dans la poche, surtout au Ritz où tout le monde, peu importait son titre, risquait d'être fouillé à tout instant. Elle l'avait alors tenu dans sa main et admiré comme il était propre, bien entretenu, froid au toucher.

Et elle avait essayé – en vain – d'imaginer un scénario dans lequel son mari s'en servirait.

Claude ne se douterait jamais non plus que le jour où il avait réprimandé Lily et Blanche qui avaient été virées de la brasserie Lipp pour avoir trop chahuté, elles créaient une diversion qui avait permis à Lorenzo et Heifer – la grosse fille avec des nattes – de voler les papiers militaires d'un officier allemand. L'officier, amusé, était trop occupé à regarder deux belles femmes se donner en spectacle (Blanche avait ajusté l'une de ses robes du soir aux formes de Lily avec des épingles), se crêpant le chignon pour un jeune lieutenant nazi qui n'avait aucune idée de qui elles étaient, mais qui appréciait l'intérêt qu'elles lui portaient.

Claude, Blanche en était persuadée, ne pouvait pas non plus imaginer que Frank Meier passait des messages codés à des agents doubles dans le bar. Il ne se douterait jamais que c'était Blanche qui avait allumé dans les cuisines, un soir, pour aider les Alliés à trouver des entrepôts ferroviaires à la périphérie de Paris au cours d'une attaque aérienne.

Claude ne sait rien. Blanche est en sûre. Il ne voit rien, ne sait rien, ne pense à rien d'autre qu'à son foutu Ritz adoré.

Duper Claude est facile – trop facile –, ce qui la rend euphorique. Car qui ne se réjouirait pas d'entretenir aussi bien le mensonge et de donner aussi facilement le change ? Elle en reste donc là concernant la perte de ses illusions au sujet de son époux. Blanche est ravie de se rendre utile ;

de faire quelque chose d'autre contre les nazis que de leur donner un coup de pied dans les parties. Ses activités secrètes lui permettent de continuer à se comporter avec insouciance au Ritz de nouveau, elle peut jouer aux cartes avec Spatz et Chanel – cette salope squelettique qui collabore – sans avoir envie de leur jeter à la tête, à l'un ou l'autre, le contenu de son verre. Elle plaisante même avec von Stülpnagel – autant qu'il est possible de plaisanter avec un porc sans humour. Ils ont parié pour savoir lequel de ses officiers attrapera le premier la chtouille car, selon lui, toutes les prostituées françaises sont malades, évidemment.

Blanche a toujours ses préférés parmi les sentinelles allemandes, même si Friedrich, qui comme beaucoup de jeunes Allemands a été envoyé sur le front russe, lui manque. La plupart des soldats en poste au Ritz sont plus vieux, désormais, renfrognés. Plus faciles à considérer comme des nazis que comme de simples individus.

Blanche peut s'asseoir à côté de ces *Haricots Verts** dans les brasseries et, au lieu de perdre son sang-froid et d'avoir envie de les gifler, elle sirote tranquillement son café en riant de leurs blagues stupides.

Et, chaque fois qu'on lui livre un bouquet de violettes, elle a une nouvelle occasion de porter un coup.

Toutefois, que Claude se laisse si facilement abuser, qu'il se méprenne sur elle à ce point, lui fend le cœur. Seront-ils un jour capables de surmonter tout ça, une fois que la guerre sera terminée ?

Car il devient de plus en plus évident que, pendant la guerre, on manque de temps pour s'occuper de son couple.

24

Claude

Printemps 1944

« Monsieur Auzello ! Monsieur Auzello ! » Sans même prendre la peine de frapper, le jeune garçon d'étage, qui a rejoint l'équipe du Ritz il y a quelques semaines seulement, entre en trombe dans le bureau de Claude. Claude a des doutes sur les compétences de ce jeune garçon – il n'a aucune référence, a l'air d'avoir ni famille ni passé connu –, mais il l'a quand même engagé. Le garçon est jeune, valide, pas bête et, à l'époque à Paris, ils ne sont plus si nombreux dans ce cas-là. La plupart des jeunes gens ont été mobilisés et envoyés dans des camps de travail pour fabriquer des armes pour les Allemands (qui ne feraient pas confiance à des Français de naissance armés, et c'est la raison pour laquelle ils ne sont pas envoyés au front).

« Que se passe-t-il ?

– Le général von Stülpnagel demande à vous voir immédiatement.

– Pourquoi ?

– Il n'a rien dit. »

En soupirant, Claude pose les papiers qu'il feuilletait et traverse le bâtiment jusqu'à l'aile Vendôme, saluant d'un signe de tête les soldats montant la garde postés dans les couloirs, leurs armes dans leurs étuis, ne s'inquiétant pas de sa présence à cet endroit. Après tout, il est Herr Auzello – il fait presque partie des leurs.

Ces derniers temps, von Stülpnagel est devenu plus imprévisible que d'habitude – donnant soudain l'ordre d'arrêter et de fusiller des civils, en représailles à chaque fait de résistance – une centaine à chaque fois.

Une centaine de civils pour un Allemand à la con, deux tout au plus. C'est étrange comme les Parisiens ont intégré cette situation, à la fois dans leur esprit mais aussi dans leurs conversations. C'est comme ça, on n'y peut rien. Ils sont dangereusement en passe de devenir indifférents aux horreurs qui les entourent. C'est comme ça que réagit un pays occupé – car c'est une situation usante et, à force, vous n'avez pas d'autre choix que d'accepter le mal. Jusqu'au moment où vous ne pouvez même plus le repérer comme tel.

Suite à quoi, von Stülpnagel redevient jovial, amical et invite Claude dans son bureau pour boire un verre de cognac en sa compagnie, comme s'ils étaient véritablement amis. Dans ces occasions, il paraît presque humain.

Jusqu'aux prochaines arrestations de civils.

Ces derniers temps, en raison de son caractère imprévisible, Claude essaie d'éviter von Stülpnagel autant que possible. Pour autant, une convocation reste une convocation.

À moins qu'il ne s'agisse d'autre chose… Quand Claude arrive dans le bureau de Stülpnagel après que le soldat montant la garde l'a fait entrer, le général nazi lui jette un regard confus.

« Non, je ne vous ai pas fait demander, Herr Auzello », dit l'Allemand et Claude remarque que, ce jour-là, c'est « Herr Auzello » et non « Claude, mon ami ». Une différence qui n'est pas anodine, il est donc immédiatement sur ses gardes.

Le bureau de l'Allemand est jonché de papiers. S'empêcher d'y jeter un coup d'œil pour voir s'il s'y trouve les noms de gens qu'il connaît – et qu'il a peut-être aimés – demande à Claude un effort surhumain.

« Excusez-moi. » Et, saluant d'une inclinaison du buste, Claude fait demi-tour pour repartir.

« Mais attendez... puisque vous êtes là, Auzello, mon thé est froid. »

Ah. C'est simplement « Auzello » maintenant.

« Je vais demander qu'on vous apporte une théière avec de l'eau chaude sans plus tarder. » Claude se retourne avec un sourire lisse, professionnel.

« Puisque vous êtes ici, occupez-vous-en. »

Claude se raidit, ce n'est pas son travail et cet homme le sait parfaitement. Le général sourit d'un air suffisant, il regarde Claude trop attentivement, presque comme s'il espérait que Claude refuse. Mais Claude se dit : ne le mets pas en colère. Ne mets aucun d'entre eux en colère. S'ils sont heureux d'être ici, entre ces murs somptueux dont j'ai la direction, peut-être n'arrêteront-ils pas autant de civils aujourd'hui.

Ces derniers temps, comme en cet instant, Claude s'émerveille parfois d'être capable de porter ses vêtements, pour ressembler à un corps bien charpenté – des os et des muscles –, alors qu'il se sent liquéfié par la colère et l'impuissance. Des cellules et des molécules – comment peuvent-elles conserver leur structure, quand un tel fléau s'abat sur le Ritz, le monde, souillant tout de sa pourriture ?

Quand les Allemands partiront, Claude en fait le vœu, il récurera l'hôtel de haut en bas, de ses propres mains s'il le faut. Il persuadera Marie-Louise de changer les tapisseries, les rideaux, d'arracher les moquettes et les tapis et d'en acheter de nouveaux. Tout devra être neuf – le cristal, la porcelaine, le linge et même les lustres, la grande fierté de madame Ritz. Tout pour se débarrasser de la moindre odeur, du plus petit souvenir de ces hommes ignobles.

Et se débarrasser du souvenir de lui-même se soumettant à leurs ordres, faisant son travail comme il l'avait toujours fait. Il sait qu'il va continuer à leur obéir et à s'incliner devant eux dans les jours, les semaines, les mois, les années qui viennent.

« Bien sûr, Herr Stülpnagel. » En sortant, Claude s'empare de la théière froide comme si c'était un honneur.

Tandis qu'il repart en direction de son bureau, il se met en quête du jeune homme qui est venu le chercher, mais le garçon a disparu. Toutefois, il reconnaît son épouse assise dans l'entrée du côté de la rue Cambon, en train de lire le journal avec nonchalance – elle ne lit jamais le journal –, et un air inconnu lui vient à l'esprit, celui de l'intuition, du soupçon. D'autant qu'elle abandonne sa lecture dès que Claude réapparaît pour adresser un signe de tête à quelqu'un au bout du couloir.

Le jeune garçon d'étage, dont les joues s'embrasent en voyant Claude, détale sans demander son reste.

Claude confie la théière à un autre garçon, repart dans son bureau, prend deux comprimés pour l'estomac et attend.

Il n'a pas à attendre très longtemps.

À la tombée de la nuit, l'aile Cambon grouille d'officiers allemands, l'alerte a été donnée : des membres de la Résistance se cacheraient quelque part au Ritz, à Paris, place Vendôme.

Il ne faut pas longtemps à Claude pour découvrir la

vérité. Un verre de vin et la promesse d'une promotion suffisent à persuader le jeune garçon d'étage de cracher le morceau. Le garçon fait partie de la Résistance, dit-il avec trop d'empressement – Claude secoue la tête, craignant pour la vie du jeune homme, trop enclin à avouer la vérité quand on l'en presse. Il raconte qu'un de leurs hommes a été blessé par balle et a besoin d'un médecin. La femme de Claude – sa très belle femme, dit le jeune homme admiratif, sa *merveilleuse* épouse – a proposé que le blessé reste dans une chambre du Ritz le temps qu'il guérisse de sa blessure, en compagnie de son amie.

Et quand Claude demande le nom de cette femme, il connaît déjà la réponse.

Lily, évidemment. Lily Kharmayeff.

Il apparaît que lorsque Claude était dans l'aile Vendôme, occupé à faire des courbettes à von Stülpnagel, l'homme blessé et Lily se sont installés dans la chambre quatre cent quatorze, sous prétexte d'y passer leur lune de miel – grâce à l'intervention de Blanche. Claude renvoie le jeune homme, attrape son trousseau de clés et monte les marches quatre à quatre jusqu'à la chambre quatre cent quatorze. Il est si furieux qu'il en oublie de frapper avant d'ouvrir et déboule sans crier gare dans la pièce. Il a eu de la chance, pensera-t-il plus tard, qu'on ne lui ait pas tiré dessus directement.

Lily porte des vêtements appartenant à Blanche – Claude les reconnaît immédiatement – et est assise sur le bord du lit qui est occupé par un homme à la peau mate, torse nu ; Claude voit qu'il a le ventre enveloppé d'un bandage couvert de sang. Agacé, Claude grimace ; le sang est la seule chose que les blanchisseuses ne parviennent pas à faire disparaître. Et il est très difficile, à cette époque-là, de se procurer des draps neufs.

À l'instant où Claude entre dans la pièce, Lily bondit et attrape un revolver posé sur la table de chevet. Quand elle voit que c'est lui, elle repose l'arme et éclate de rire.

Elle rit !

« Claude, tu nous as foutu la trouille, dit-elle joyeusement. Mon Dieu ! Je te présente Lorenzo. »

L'homme – les yeux mi-clos de douleur – émet un grognement.

« Bon sang, qu'est-ce que vous faites là ? » demande Claude sèchement en essayant de ne pas crier. Il ne sait pas si la chambre est surveillée ou si quelqu'un n'est pas collé à la porte pour épier. Il essaie d'être toujours vigilant mais, en vérité, on ne sait jamais. Claude soupçonne certains – pas beaucoup, un ou deux – membres de son personnel d'être des espions à la solde des Allemands. Il ne peut d'ailleurs pas en être autrement. Les *Boches** ne seraient pas assez idiots pour ne pas avoir infiltré des espions dans l'aile Cambon de l'hôtel, même s'ils maintiennent que Claude seul en a la surveillance.

Lily baisse la voix, elle aussi ; elle a cessé de rire. Pas un instant elle ne quitte Claude des yeux en racontant ce qui s'est passé. « On a tiré sur Lorenzo. On a riposté et on a tiré sur le nazi. Seul Lorenzo s'en est sorti vivant… On ne savait pas quoi faire de lui et j'ai donc fait appel à Blanche. On l'avait caché dans l'arrière-boutique d'un café au coin de la rue. Blanche nous a dit que nous pouvions venir au Ritz et qu'il pourrait s'y reposer – qu'elle connaissait un médecin. Il a donné de la morphine à Lorenzo et nous nous sommes fait passer pour un jeune couple venant de se marier. Blanche, elle… elle s'est débrouillée pour que tu ne sois pas dans les parages à ce moment-là. Elle t'a envoyé ailleurs pour détourner ton attention.

– Oui, je sais. »

Claude tremble de colère mais aussi de peur. C'est la première fois, à sa connaissance, que le Ritz héberge un membre de la Résistance activement recherché. Les Allemands doivent être en train de frapper aux portes dans tout Paris pour le retrouver. Et il est ici. Dans son hôtel.

Et Lily a impliqué Blanche dans cette affaire.

« Comment as-tu osé demander à Blanche de vous aider ? » Claude est trop furieux pour être autant sur ses gardes que d'habitude.

Lily se contente de hausser les épaules.

« On ne peut pas lui faire confiance, Lily. Je n'aime pas dire ça de ma femme mais elle boit trop – je sais pourquoi elle boit et ne lui reproche rien, Blanche est comme une enfant qui refuserait de grandir ! Et vous n'arrêtez pas de faire la bringue, de faire les imbéciles – comment vous êtes-vous retrouvées embarquées dans toute cette histoire ? »

Lily se rassied sur le lit, faisant attention de ne pas gêner Lorenzo qui s'est assoupi.

« Ne sois pas fâché contre Blanche. Tout est de ma faute. Je te promets qu'elle… c'est la première fois qu'elle fait une chose pareille, elle n'a jamais rien fait de dangereux. J'étais désespérée, tu comprends ? » Les yeux de Lily se remplissent de larmes et, alors qu'elle s'apprête à s'essuyer le nez avec sa manche, Claude, à contrecœur, lui tend son mouchoir.

« Désespérée », poursuit-elle, ses épaules secouées de sanglots, levant vers lui ses grands yeux baignés de larmes, dans une attitude contrite. « Blanche est mon amie, une amie très chère, et je l'aime, je ne veux surtout pas la mettre en danger. Pas plus que toi. Mais toi et moi sommes différents, Claude. » Soudain, ses yeux sont secs, accusateurs ; et ce changement déconcerte Claude.

« Que veux-tu dire ?

– Moi, je vois Blanche. Je vois qui elle est vraiment. Pas comme toi. Mais, comme toi, je ne veux pas qu'il lui arrive du mal. Je te promets que ça ne se reproduira pas.

– Très bien. Comment va-t-il ? »

Claude ne peut s'empêcher d'être inquiet. Lorenzo gémit dans son sommeil.

« Ça va aller. Mais on ne peut pas le bouger.

– Pendant combien de temps ? »

Elle hausse les épaules. « Deux ? Trois jours ? »

Le revolver toujours à portée de main, Lily regarde Claude faire les cent pas, mais il ne lui prête pas attention. Il réfléchit. Une autre livraison pour Martin – il peut l'appeler, lui dire qu'il a deux paquets en trop dont il n'a pas besoin, Martin pourrait-il s'en charger ?

C'est le nom de code qu'ils ont inventé quelques mois plus tôt : « paquets » pour ceux qui ont besoin d'être cachés, « colis » pour ceux qu'on doit voir, « cageots de pommes » pour des mouvements de troupes. Des noms de légumes comme noms de code des membres du haut commandement allemand – ils ont choisi, en jubilant, « pomme de terre » pour Göring.

Ça, c'était le jeu auquel participait Claude. Ce qui lui permettait de marcher fièrement, tête haute, et d'être de nouveau français. C'était ce pour quoi il partait quand le téléphone sonnait la nuit. Il ne sortait pas, au contraire de ce que croyait Blanche, rejoindre sa maîtresse. Non, il partait – avec autant d'empressement, d'ardeur, qu'un amant – rejoindre Martin qui avait réussi à mettre sur pied une association de directeurs d'hôtel. Grâce au « business » de Martin pour ravitailler les hôtels via des contacts en Suisse, ils pouvaient transmettre aux Alliés ce qui s'y passait. Tout avait commencé par un simple partage d'informations.

Mais, désormais, il s'agissait de tout autre chose que des informations ou de la marchandise : ils avaient aussi affaire à des gens. Heureusement, le Ritz avait de très grands placards muraux – comme la plupart des hôtels que les Allemands avaient réquisitionnés et qui restaient ouverts.

Les femmes – Michèle et Simone – n'étaient que des leurres, de la poudre aux yeux (même si Claude pense qu'elles jouent à d'autres jeux plus dangereux quand elles ne sont pas pendues au bras de Claude ou à celui de Martin – mais la règle qu'a imposée Martin, *pas de questions*, ne lui permet pas d'en être certain). Les nazis sont généralement si éblouis par ces deux femmes à la beauté remarquable qu'ils ne prêtent pas attention aux discussions de Claude et de Martin, assis à la table à côté de la leur, ou dans un club de jazz où ils prétendent écouter de la musique ou encore sur un banc le long de la Seine. Et quand deux Français se lèvent et partent, bras dessus bras dessous, avec deux Françaises… les nazis pensent que c'est normal et les laissent tranquilles.

Personne n'avait besoin de savoir qu'une fois arrivés dans l'appartement des Auzello, Claude et Simone dorment dans deux lits séparés ; et Simone part toujours avant l'aube. Et ce n'est pas comme si Claude n'avait pas l'occasion de faire l'amour avec cette femme magnifique – elle lui avait fait comprendre qu'elle n'aurait pas été contre, et, certaines nuits, il est suffisamment excité, exalté par le jeu qu'ils jouent tous les quatre, les coups qu'ils portent aux *Boches**.

Mais Claude avait promis, ce jour-là dans son bureau, avant qu'ils ne partent pour Nîmes. Il n'avait encore jamais fait une promesse pareille depuis qu'il était marié ; il avait donc vécu ses aventures sans culpabilité tout au long de leurs premières années de mariage. Mais depuis, il avait promis, et Blanche était une femme fragile, instable. Qu'elle puisse *penser* qu'il couchait avec une autre femme le contrariait, mais ne pas le faire le dotait d'un sens pervers de l'honneur. Même en temps de guerre.

Surtout en temps de guerre.

En regardant Lily – si déterminée, si fatiguée, si sale –, Claude prend une décision.

« Si tu ne sors pas de cette chambre, si en aucune circonstance tu ne décroches le téléphone pour demander quelque chose, si tu ne réponds pas quand on frappe à la porte, et si tu n'ouvres pas les rideaux, vous pouvez rester – et je peux le faire sortir du pays pour qu'il puisse ensuite récupérer, si tu penses que c'est nécessaire. J'ai… certains contacts. »

Les yeux noirs de Lily papillonnent… de surprise. Claude s'en rend compte. Puis il tressaille en lisant l'étonnement grandissant sur son visage.

« *Toi ?* Toi, Claude… toi ? Je ne peux pas… comment… Je n'aurais jamais deviné ! »

Claude se tient bien droit, comme s'il était beaucoup plus grand ; il la regarde de haut. « Après tout, je suis français, Lily. Mais promets-moi une chose : tu ne dois rien dire à Blanche. Pas un mot. Il ne faut pas qu'elle sache, qu'elle ait un doute, rien qui puisse la mettre en danger. Il y a des choses – des choses que tu ne sais pas à propos de ma femme, crois-moi. Je pense que, toi aussi, tu devrais quitter le pays. Franchement, si tu le faisais, je serais soulagé car Blanche ne doit pas être mise en danger une fois de plus.

– Je pense que pour certaines choses concernant ta femme, tu as tort, Claude Auzello. Mais ce n'est pas à moi de te l'expliquer. Je te remercie mais nous allons rester à Paris, Lorenzo et moi, aussi longtemps que ces foutus nazis seront ici. Nous avons une mission à accomplir.

– Trois jours, alors. C'est tout. Compris ? Je ne peux pas le garder plus longtemps. Je ne peux pas mettre la vie de mon personnel en danger. Mais je peux vous envoyer ailleurs, près d'ici. »

Elle hoche la tête et se penche pour écarter les cheveux de Lorenzo et lui dégager le front. Et en cet instant, Claude voit une femme en Lily, une femme au cœur tendre. Il cesse alors de la mépriser.

« Je vous fais monter de quoi manger.

– Blanche s'en est occupée.

– Naturellement. Bon, laisse Blanche tranquille maintenant. Lily, tu m'as entendu ? Je ne peux pas me permettre tout ça.

– *Tu* ne peux pas te permettre tout ça ? » De nouveau, elle a l'air amusée et plisse les yeux. « Vraiment ?

– Oui. Et maintenant, fais comme j'ai dit. »

Elle acquiesce d'un signe de tête et entreprend de dérouler une bande de pansement propre. Claude s'apprête à partir.

« Tu es quelqu'un de bien, Claude Auzello », dit-elle.

Il ouvre la bouche pour rétorquer, mais se ravise. Ils en restent là ; que lui importe ce que cette femme pense de lui ? Pourtant, il se sent réconforté, ce qui l'oblige à s'avouer qu'en fait ça lui importe car il a besoin qu'une femme l'admire de nouveau.

Non, pas seulement *une* femme. Il a besoin que *sa* femme l'admire et le regarde comme elle le regardait *avant*.

Il ne peut toutefois pas s'accorder cette vanité, pour de trop nombreuses raisons, l'une étant que, malheureusement, il ne peut pas lui faire confiance. Il ne peut donc pas dire à Blanche qu'il est au courant du rôle qu'elle a joué dans cette histoire. Il lui faut laisser son épouse croire qu'elle le déçoit. La laisser s'amuser, la laisser à ses frasques infantiles – elle le mérite, se dit-il. Après tout, elle doit vraiment s'ennuyer désormais, à ne rien faire qu'attendre, traîner – même au Ritz.

Pourtant…

La chance a voulu, tandis que Claude parlait à Lily et Lorenzo, que la situation au Ritz devienne encore plus chaotique et, cette fois, Coco Chanel elle-même en est la cause. Car Mademoiselle s'est débrouillée pour se faire enlever par deux *autres* membres de la Résistance. On aurait dit qu'ils s'étaient multipliés dans le court laps de temps pendant lequel Claude avait parlé à Lily.

Bon, peut-être que « enlevée » était un mot trop fort. Les deux résistants avaient attendu Chanel dans sa suite – personne n'avouera comment ils avaient pu entrer, mais Claude a sa petite idée – et lui avaient jeté un sac sur la tête avant de l'emmener dans un entrepôt désert où ils lui avaient raconté qu'ils étaient au courant de sa relation avec von Dincklage et que, à la fin de la guerre, elle le paierait.

Deux heures plus tard, elle était de retour. Elle allait bien et n'était pas trop secouée. Naturellement, Claude lui rendit aussitôt visite, l'assurant de sa sympathie, exprimant ses regrets quant à ce qui venait de se passer, et lui promettant de chercher à connaître tous les détails de l'histoire, dans la mesure de ses moyens – qu'une chose pareille puisse arriver à mademoiselle Chanel ! Au Ritz ! C'était impensable ! Affreux !

(Tout à fait mérité, pensa Claude, tout en tempêtant, jurant vengeance, et en la rassurant. Cette femme était une honte pour son pays, une traîtresse.)

Le petit numéro de Claude avait peut-être calmé Chanel, mais von Dincklage est furieux. Si furieux qu'il fait savoir à Claude qu'il pense que les deux résistants sont encore dans l'hôtel et que les Allemands vont fouiller toutes les chambres de l'aile Cambon. Et si Claude ne les aide pas, ils défonceront eux-mêmes les portes – évidemment, les remplacer sera à la charge du Ritz, et le nom de Claude apparaîtra sur une liste où il est préférable de ne pas être mentionné.

Spatz, Claude s'en rend vite compte, ne se laissera pas distraire par des quenelles.

Hochant la tête, il essaie de gagner du temps en cherchant son trousseau de clés. Car même si les nazis ne sont pas après Lily et son amant, le fait est qu'ils sont toujours là et que Lorenzo risque d'être reconnu. Lily, évidemment, est connue comme compagne de beuverie de Blanche et elle ne sera donc probablement pas inquiétée – et, pour la première fois, Claude pense à ça, se disant que ce serait bien commode, après tout, qu'elle le soit ; mais il chasse vite cette idée car il a d'autres chats à fouetter.

Puis il finit par « retrouver » ses clés et suit les quatre officiers allemands qui sortent de son bureau arme à la main. Le sang bat à ses tempes et ses mains tremblent tellement que les clés s'entrechoquent tel un accompagnement musical joyeux.

Claude n'en revient pas. Il ne peut tout simplement pas le croire. L'hôtel Ritz, place Vendôme, est fouillé, arme à la main. Pour la première fois, le danger, le vrai danger, celui qui existe ailleurs dans Paris – dans les impasses, les terrains vagues, les rues plongées dans le noir le soir –, s'est glissé à l'intérieur des murs vénérables du palace de César Ritz.

Finalement, la guerre est venue frapper le Ritz. Et une part de Claude – la part qui, au même moment, n'est pas anéantie par la peur – en est soulagée. Peut-être même s'en réjouit-il ? Car ils participent tous à la lutte désormais.

Mais l'horreur prend le dessus. Jusqu'à ce jour, Claude n'avait jamais eu à tambouriner aux portes de ses hôtes et à les interpeller sans ménagement, sans aucune considération pour ce qu'ils étaient en train de faire.

Ils s'attaquent d'abord au deuxième étage – il n'y a pas de chambres au premier – et commencent les perquisitions, méthodiquement. Claude frappe aux portes, qui s'ouvrent ou pas ; si la porte ne s'ouvre pas, il glisse son passe dans la serrure et les Allemands déboulent dans la pièce pour regarder sous les lits, derrière les rideaux, dans les baignoires, mais aussi à l'extérieur sur les corniches, car il n'y a pas de vrais balcons. Ils fouillent avec brusquerie les malles et les tiroirs, jetant par terre les chemisiers, les déshabillés en satin, les vestes pied-de-poule comme de simples chiffons. Ils renversent les lampes. Ils attrapent les serviettes de toilette de leurs mains sales et les balancent dans les lavabos.

Claude ne peut pas s'empêcher de calculer le nombre d'heures de travail qui seront nécessaires pour tout remettre en ordre, mais finit par renoncer, car c'est déjà impossible.

Si la porte s'ouvre, les soldats le tiennent à l'écart et aboient leurs questions à des hôtes stupéfaits de se retrouver avec le canon d'un fusil allemand sous le nez. Des pensionnaires du Ritz interrogés sous la menace d'une arme – Claude ferme les yeux, remerciant Dieu que César Ritz ne soit plus en vie pour voir ça.

Et, tandis qu'ils fouillent chambre après chambre – des voix allemandes, qui n'avaient encore jamais été entendues dans l'enceinte de ces murs, aboient maintenant des menaces et des avertissements –, Claude est conscient de l'agitation derrière lui et à l'étage au-dessus. Il ne pense pas que les Allemands s'en rendent compte ; ils sont trop absorbés dans leur tâche. Mais, du coin de l'œil, il voit le jeune garçon d'étage membre de la Résistance (il devrait être viré, bien sûr – ou promu, Claude n'a pas encore décidé) aller et venir. Claude entend des chuchotements fébriles chaque fois qu'il apparaît au détour d'un couloir accompagné de ces chiens d'Allemands. C'est comme si l'aile Cambon était soudain devenue une fourmilière sur laquelle on aurait marché et que toutes les fourmis détalaient dans tous les sens complètement déboussolées.

Quand ils arrivent devant la suite des Auzello, Claude hésite.

« Vos appartements ? » demande l'un des soldats. Claude acquiesce d'un hochement de tête, mais malgré tout le soldat pointe la porte de son arme.

« On doit les fouiller. »

Claude frappe à la porte. Blanche lui ouvre et pâlit quand elle voit les soldats allemands en armes. Les Auzello laissent donc ces abominables créatures mettre à sac leur suite sans piper mot. Claude raconte à sa femme, tendue, sur le ton, normal, de la conversation, ce qui est arrivé à Chanel et pourquoi cette fouille est nécessaire. Elle se contente de hocher la tête tout en se glissant à ses côtés. Elle ouvre la bouche, et Claude comprend qu'elle s'apprête à lui chuchoter quelque chose – à lui parler de Lily et de Lorenzo –, mais il secoue la tête juste à temps pour l'en empêcher.

« Je n'en ai pas pour longtemps », dit-il d'une voix si aiguë, si faussement désinvolte, qu'elle le surprend. « Pourquoi ne restes-tu pas ici en attendant, ma chérie ? Je reviendrai dès que ces gars-là en auront terminé. »

Blanche hoche la tête, sans un mot, mais serre les poings. Afin que les nazis ne la voient pas dans cet état, Claude la prend dans ses bras. « Ne t'en fais pas pour tes amis », lui murmure-t-il à l'oreille.

Blanche tressaille ; elle lève la tête vers lui, d'un air incrédule, ses yeux écarquillés soudain se remplissent de larmes.

« Claude… »

Il secoue la tête, l'embrasse sur le front et sort à la suite des Allemands en jetant un dernier coup d'œil à son épouse qui le regarde enfin comme l'homme qu'elle mérite. Si seulement ce regard pouvait ne pas s'éteindre – ça faisait si longtemps qu'il n'avait vu cette preuve tangible qui lui coupait le souffle, comme une arme, comme l'instrument contondant de l'amour. En cet instant, il sait qu'il est prêt à tout pour que ça dure. Même si ça signifie faire barrage de son corps aux armes des Allemands afin de protéger Lily et Lorenzo.

Évidemment, il espère ne pas avoir à en arriver là – ne serait-ce que parce qu'il veut avoir une nouvelle chance de savourer l'amour et l'admiration que sa femme lui voue, et qui le submergent, doucement, telle une vague apaisante étanchant une soif à laquelle il s'est tellement habitué qu'il ne s'était même pas rendu compte que sa peau était parcheminée. Sans vie.

Ils arrivent devant la porte de la chambre quatre cent quatorze.

« Ah », fait Claude d'une voix forte en consultant la liste des résidents de l'hôtel. « Un couple en lune de miel. Laissons-les à leurs affaires, hein les gars ? » Claude leur adresse un clin d'œil qui se veut complice, priant pour que – étant des hommes, ils ont tous ça en commun – ils respectent le plaisir de la chair et passent sans s'arrêter.

Mais les soldats secouent la tête.

Il frappe donc et, comme personne ne répond, il introduit la clé dans la serrure d'une main qui tremble si violemment qu'il se demande comment il parvient à ouvrir – il lui faut d'ailleurs s'y reprendre à deux ou trois fois. Retenant son souffle, les yeux fermés, il pousse ce battant en grand, se préparant à des cris, des coups de feu, il ne sait pas exactement quoi. Les Allemands peuvent tout aussi bien retourner leurs armes contre lui avant d'aller chercher Blanche…

Tout étonné, Claude entend rire. De bons gros rires allemands.

Ouvrant les yeux, il aperçoit une Lily merveilleusement nue chevauchant un Lorenzo, nu lui aussi, respirant difficilement mais se prêtant au jeu de bon cœur. Lily se tourne vers la porte, donnant à voir ses petits seins, émouvants – si émouvants. Avec une pointe d'admiration, Claude se rend compte que les Allemands ne penseront même pas à regarder le visage de Lily – ni celui du pauvre Lorenzo qui suffoque en essayant de terminer ce qu'il est en train de faire.

« Quoi ? Bande de salopards ! Qu'est-ce que vous faites ? Vous n'avez pas honte ? Vous voulez voir de plus près ? Hé, les gars, regardez ça ! » Elle prend ses seins en coupe dans le creux de ses mains, les secoue doucement et, finalement, les Allemands referment la porte et s'écroulent de rire.

Heureusement, ils ne voient pas Claude sortir un mouchoir de sa poche pour essuyer son front en sueur.

« Ah, l'amour, s'esclaffe l'un des soldats.

– Le salaud, quel veinard ! » lâche un autre avec un petit geste obscène.

Et, tout en longeant le couloir, ils se mettent tous à parler de leurs petites amies restées au pays.

Après que tout s'est calmé – sans que les Allemands trouvent les deux qui ont kidnappé Chanel –, Lily et Lorenzo, peu après minuit, se glissent discrètement dans l'un des camions de blanchisserie du Ritz, conduit par le jeune garçon d'étage.

Claude est surpris quand il se rend compte qu'il n'a pas envie que Lily parte. Il aurait aimé qu'ils se retrouvent tous les deux, assis quelque part à boire un verre pour parler de ce qu'ils font. Il éprouve un vif désir de raconter ses activités, ses faits de résistance – une envie profondément enfouie en lui, cachée depuis longtemps. Mais ce jour-là, ce désir se fait violent, presque trop pour être refréné. Et il aimerait entendre ce que Lily a fait, elle aussi. Au vu des deux derniers jours, il se doute que c'est beaucoup plus dangereux que ce qu'il a fait lui, mais Claude, qu'il soit militaire ou directeur, reconnaît que tous les soldats ne peuvent participer au combat – les tâches administratives sont aussi nécessaires pour gagner une guerre.

Mais Lily est partie avec son homme qui, probablement, se remettra de sa blessure. Pour la première fois, Claude espère qu'elle reviendra. Même si ça veut dire plus d'ennuis pour Blanche. Blanche qui doit certainement être au courant des activités de son amie, non ? Sinon, pourquoi Lily serait-elle allée la chercher quand elle était dans le pétrin ? Blanche avait dû… Avait-elle *fait* quelque chose, par le passé, pour gagner la confiance de Lily ?

Mais non ; bien sûr que non. Claude a mis Lily en garde, lui expliquant qu'on ne pouvait pas faire confiance à son épouse. Ce n'est certainement rien de plus qu'un concours de circonstances : Blanche réside dans un hôtel, Lily en a donc profité.

Claude retourne dans leur suite, avec une bouteille de cognac et deux verres pour rassurer Blanche sur le sort de Lily et de Lorenzo, maintenant hors de danger. Il résiste à sa propension naturelle typiquement masculine de s'étendre sur le rôle qu'il a joué dans cette affaire. Elle est soulagée et pleine de reconnaissance – et, étonnamment, elle a les yeux secs. Claude s'était attendu à ce qu'elle éclate en sanglots, pour le moins. Elle lui tend les bras et il s'y précipite, profitant de cet élan de tendresse, de son calme.

Claude se rend compte que c'est la première épreuve qu'ils ont affrontée ensemble, et à laquelle ils ont survécu, depuis leur retour de Nîmes. Il ne partage plus son quotidien avec elle depuis longtemps – de crainte qu'en la contrariant, il ne puisse plus contenir son caractère explosif, et la mette en danger.

Cette nuit-là toutefois, Claude et Blanche s'autorisent un intermède de réconciliation. Ils se couchent, sans dire un mot – les mots peuvent être blessants et ils ne savent que trop bien, l'un comme l'autre, qu'ils sont capables de choisir précisément ceux qui gâcheraient un tel moment. Ils s'aiment, ils font l'amour sans se quitter des yeux et, avant de s'endormir, s'embrassent passionnément. C'est la nuit la plus parfaite depuis qu'ils sont de retour.

Mais ni Claude ni Blanche ne sont dupes. Ils comprennent tous deux que ce moment ne va pas durer, pas tant que les Allemands resteront au Ritz et patrouilleront dans les rues de Paris. Procédant à des arrestations, fauchant des vies, se livrant à des agressions. Complotant. Planifiant.

Toutefois, ce que ni l'un ni l'autre ne peuvent savoir…

… pas plus que le général von Stülpnagel, d'ailleurs, qui cette nuit-là ne cesse de se tourner et retourner dans son lit, son cerveau moulinant des listes de noms et de mots de passe, en essayant de se convaincre qu'il ne fait que son devoir, qu'il agit correctement pour sa famille, pour l'Allemagne, et que lui et ses complices n'ont pas le choix, pas s'ils veulent sauvegarder la mère patrie et les pays annexés, car le Führer est fou, tout simplement : il demande trop, il est sans pitié, égocentrique ;

… pas plus que Chanel, aiguisée comme une lame, courroucée, qui cette nuit-là fait les cent pas dans sa suite, en fumant, planifiant, intriguant pour assurer son avenir, un avenir dont elle vient seulement d'avoir un aperçu si jamais les Allemands étaient vaincus – ce qui est inimaginable, mais quand même ;

… pas plus que Lily et Lorenzo, cachés dans un camion de blanchisserie secoué par les pavés, Lorenzo gémissant mais de temps à autre se tournant vers Lily avec un sourire suffisant pour avoir été à la hauteur de la situation, sans se douter qu'elle ne pense pas à lui mais à Robert, l'homme pour lequel elle devrait risquer sa vie, celui pour lequel elle aurait été heureuse de prendre une balle à sa place ;

… pas plus que Martin, assis sur une chaise quelque part dans un immeuble à la périphérie de Paris, seul, buvant de l'absinthe, après avoir renvoyé Michèle pour la nuit, réfléchissant à la solitude d'un homme qui voudrait aimer, mais n'ose pas, et qui risque donc tous les jours sa vie afin de ressentir quelque chose, peu importe quoi ;

… ni Blanche ni Claude, donc, dormant profondément dans un lit qu'ils partagent, nus sous les draps pour la première fois depuis l'invasion, car ils ne se sont pas sentis obligés de dormir tout habillés au cas où l'horreur viendrait leur rendre visite pendant la nuit…

… ce qu'aucun d'entre eux ne peut savoir, c'est que le début de la fin – non, pour citer quelqu'un de l'autre côté de la Manche, « la fin du début » – s'organise sur un rivage lointain.

Montant à bord de navires de transport, à bord de bombardiers.

Se préparant à poser le pied sur le sol français, pour la première fois depuis 1940.

25

Blanche

Juin 1944

Les Alliés sont arrivés ! Les Américains sont en route – *les Yankees arrivent, les Yankees arrivent*[1], ces paroles ne cessent de résonner en elle, les paroles de cette chanson à l'air entraînant qui datait de la guerre précédente. Ils seront bientôt là – à Paris, tout le monde le sait, prie pour que ce soit vrai, le dit à voix basse.

Les Allemands le savent aussi, et sont encore plus paranoïaques qu'avant, comme les animaux traqués qu'ils sont devenus. En représailles des actes de bravoure, de plus en plus nombreux, commis contre eux, les exécutions de civils se multiplient ; des camions qui s'arrêtent de plus en plus souvent dans un crissement de freins devant des immeubles, et de plus en plus de gens – juifs ou non – sont arrachés de leurs lits et jetés à l'arrière de ces camions, avant de disparaître dans la nuit. Car les braises couvent chez les Parisiens ; mais ce n'est que maintenant qu'elles

1. Extrait de *Over There* écrit et composé le 7 avril 1917, le lendemain de l'entrée en guerre des États-Unis contre l'Allemagne, l'Autriche et leurs alliés. George Cohan, l'auteur et compositeur d'*Over There*, lance cette phrase, « The Yanks are coming », qui sera le cri de guerre d'une nation volant au secours de ses alliés européens.

sont attisées. Les Parisiens marchent d'un pas plus alerte, sourient plus souvent, osent fredonner des couplets de *La Marseillaise*, osent se retrouver par petits groupes dans les rues de la ville pour répandre des rumeurs à voix basse, de bonnes rumeurs, de libération, et non de mort – ils se rendent compte à quel point et depuis combien de temps elles manquent, depuis 1940. Juin 1940, pour être précis.

L'horreur avait commencé exactement quatre ans auparavant.

Et les Yankees arrivent. C'est obligé ! Les Alliés ont débarqué en Normandie, sur la côte, le six juin. Nous sommes aujourd'hui le dix. Et Blanche se sent d'humeur à faire la fête.

Claude, bien évidemment, est plus réservé. Comme toujours. « Blanchette, nous ne devons pas anticiper. Les Alliés sont sur le sol français, certes. Mais si j'étais eux, j'éviterais Paris pour filer directement en Allemagne. Paris n'est pas sur leur chemin, tu comprends – ils n'auront pas envie de gaspiller de l'essence, un carburant si précieux, sans parler des hommes et des munitions, pour libérer Paris quand leur véritable objectif est d'aller à Berlin.

– T'es dingue, Popsy ! » Il a l'impression qu'elle ne l'a pas appelé comme ça depuis une éternité. Car, sans qu'on puisse vraiment l'expliquer, quand le monde est sombre et dangereux, les surnoms affectueux ne semblent guère appropriés. « Les Américains arrivent ! Évidemment qu'ils vont libérer Paris. C'est symbolique, tu comprends. Le monde saura alors que les nazis sont cuits. Vaincus !

– Oui, c'est symbolique. »

Claude a l'air inquiet, il se frotte le nez avec l'index. Ses cheveux sont clairsemés désormais. Blanche s'en rend compte pour la première fois ; il a les tempes grisonnantes. Des rides sont apparues à la commissure de ses lèvres. Et alors ? Il a vieilli, c'est tout. Quatre ans de plus. Toute une vie.

Elle aussi, probablement – mais aujourd'hui elle refuse de se regarder de trop près dans le miroir. Ce n'est pas un jour pour faire le point, pour faire le compte, pour comprendre – ça viendra plus tard. C'est le moment de faire la fête et non de pleurer sur le passé.

« Un symbole, reprend Claude, pensif. Un symbole que les nazis pourraient avoir envie de détruire, en fait. Si les Alliés ne sont pas les premiers. Pense à ce que ça signifierait, Blanche, pour les nazis de faire sauter la tour Eiffel, l'Arc de triomphe, le Louvre – de réduire la ville en cendres, et qu'il ne reste plus rien à libérer. Ça m'étonnerait qu'Hitler n'y ait pas pensé.

– Oh, Popsy. » Blanche refuse de le laisser lui miner le moral. Elle ne s'est pas sentie aussi gaie depuis des années. « Tu ne vas pas me gâcher cette journée. Je vais chez Maxim's pour fêter ça. Tu viendras avec moi ?

– Maxim's ? » Il fronce les sourcils. « Blanche, tu es sérieuse ? Tu sais que les Allemands en ont fait leur quartier général. C'est trop dangereux.

– En quoi est-ce plus dangereux qu'ici ? Après tout, le Ritz est aussi l'un de leurs quartiers généraux.

– C'est juste que… C'est plus dangereux, c'est tout, Blanche !

– Oh, Claude, quel vieux prétentieux tu fais ! Tu ne peux toujours pas supporter que quelqu'un critique ton précieux Ritz, n'est-ce pas ? » Elle l'embrasse sur la joue pour qu'il ne soit pas fâché. « Champagne et caviar chez Maxim's ! Je n'ai pas mangé de caviar depuis une éternité et, aujourd'hui, je vais en manger, même si j'utilise jusqu'à mes dernières cartes de rationnement et que je dois sortir toute la panoplie de mes atouts féminins. Je vais m'amuser, merde ! Je le mérite – nous le méritons tous. Tu m'accompagnes ou pas ?

– Non. » Il secoue la tête, de cet air guindé qui est le sien. « J'ai du travail. Car, malgré ton enthousiasme, les Allemands sont encore bel et bien là, et plus exigeants que jamais. Sois prudente, Blanche, je t'en prie. Tu promets ?

– Quel vieil enquiquineur. » Elle l'embrasse de nouveau sur la joue. « Mais, même jeune, tu as toujours été rabat-joie. Je vais appeler… je trouverai quelqu'un d'autre avec qui m'amuser.

– Pas Lily, s'il te plaît, Blanche », la met en garde Claude.

Même si Blanche admet qu'il a été, disons *courtois* et qu'il s'est montré élégant avec Lily et Lorenzo, le temps a passé depuis. Et Claude éprouve de nouveau de l'aversion pour son amie, et pour la manière dont elle corrompt Blanche si facilement.

À plusieurs reprises – à des moments inattendus particulièrement tendres entre elle et son époux –, Blanche avait été tentée de lui révéler ce qu'elle et Lily faisaient vraiment. Mais elle avait décidé – et c'était nouveau – de ne pas le faire pour le protéger, inversant ainsi les rôles.

Auparavant, elle avait envie de punir son époux. Maintenant – peut-être parce que le téléphone sonne moins souvent –, elle sait qu'elle doit le préserver pour qu'à la fin de la guerre leur mariage ait une chance d'être sauvé. Une possibilité qu'elle ne doit pas négliger, entraperçue le jour où Claude avait sauvé la vie de Lily et de Lorenzo.

Et donc Blanche sourit, gentiment, poliment, comme il convient à une bonne petite épouse française. « Bien sûr que non, Claude.

– Bien. Trouve-toi quelqu'un de convenable. Ou bien reste ici. »

Claude plonge ses yeux dans ceux de son épouse, espérant adoucir la sévérité de son regard.

Et elle comprend alors – une révélation étourdissante – que lui aussi s'est rendu compte qu'il était possible de sauver leur mariage. Ce doit être la raison pour laquelle, soudainement, ils sont désormais gentils et particulièrement attentionnés l'un envers l'autre. Parfois, en présence de Blanche, il a l'air presque timide. De son côté, elle fait davantage d'efforts afin de se faire belle pour lui, notamment en se coiffant comme il aime, et pour ne pas passer trop de temps au bar. Et s'il existe toujours de la méfiance entre eux, cette méfiance n'est plus systématique – rien à voir avec les soupçons et les désillusions de ces dernières années.

« Je vais trouver quelqu'un de convenable. » Blanche commence à s'habiller. Elle sort un chemisier en soie qu'elle n'a pas porté depuis des mois ; elle cherche, en vain, des bas qui ne seraient pas filés et fait donc ce que toutes les Parisiennes font depuis plusieurs années : elle dessine un trait à l'arrière de sa jambe avec un crayon à sourcils. Elle attrape sa dernière paire de chaussures d'avant guerre rangée dans le bas de sa penderie et l'examine ; malgré un accroc dans le cuir que le cordonnier a essayé de réparer avec de la colle, ce sont ses chaussures les plus présentables – la seule paire sans semelles en bois. Elle avait usé toutes ses chaussures au cours de ses déambulations et de ses activités au sein de la Résistance. Elle est donc désormais comme tout le monde à Paris – le cuir est réservé aux Allemands, et tous les Parisiens doivent se contenter de semelles en bois dont le bruit sourd résonne sur le pavé parisien et se mêle au martèlement métallique des bottes nazies en un tel vacarme que les oreilles de Blanche bourdonnent. Bien que Paris soit une ville soumise depuis un bon moment, elle reste une ville bruyante, mais différente.

Tout le monde est différent.

Ayant décidé de s'habiller de manière provocatrice – c'est-à-dire aux couleurs du drapeau français et de la bannière étoilée –, Blanche assortit une écharpe rouge à son chemisier blanc et choisit une jupe bleue.

Après un baiser étonnamment fougueux de la part de Claude, qui lui fait recroqueviller les orteils dans ses chaussures rapiécées, elle quitte le Ritz pour essayer de trouver Lily dans l'une des différentes chambres où elle a l'habitude d'« accrocher son chapeau ».

Mais Blanche sait qu'elle va se pointer d'elle-même. Cette fille a un don pour flairer la possibilité de se voir offrir un repas.

« Ah, Blanche, c'est si beau », chuchote Lily, les yeux écarquillés face à la magnificence de chez Maxim's. Blanche est heureuse d'être celle qui fait découvrir le restaurant à son amie, car c'était l'un de ses lieux préférés avant la guerre.

« On ne peut pas le nier. » Blanche se détend, installée sur une somptueuse banquette, s'abandonne à la splendeur du décor Belle Époque – des lampes Art nouveau aux abat-jour Tiffany en verre, des miroirs partout, des boiseries sombres. Le lieu est légèrement défraîchi, fatigué – les moquettes sont abîmées, les nappes toujours d'un blanc immaculé mais raccommodées –, comme tous ceux qui, jusque-là, ont survécu.

Après un verre de champagne – Blanche passe la commande en allemand, d'un ton assuré, afin d'être mieux servie –, Lily cesse d'être impressionnée et se détend, elle aussi. Blanche a insisté pour l'habiller pour l'occasion ;

elle ne pouvait pas l'amener ici attifée comme d'habitude. Et donc Lily est vêtue d'une jupe chic, raccourcie avec des épingles pour qu'elle ne se prenne pas les pieds dans l'ourlet, et d'un pull en cachemire à manches courtes qui avait rétréci et était devenu trop petit pour Blanche, mais parfait pour son amie. Elle lui avait aussi trouvé une paire de chaussures plates pour femme d'une pointure adaptée à ses petits pieds. Ses cheveux avaient repoussé ; ils étaient soyeux, raides et lui arrivaient juste au-dessus des épaules.

Lily soupire d'aise en contemplant les miroirs dorés, le papier peint rouge, les lustres. Le restaurant paraissait n'avoir guère changé depuis la Belle Époque, quand les hommes français exhibaient fièrement leurs maîtresses en passant de table en table. Si ce n'est que, désormais, ce sont des soldats allemands qui exhibent leurs maîtresses.

Mais plus pour longtemps, se dit Blanche. Plus pour longtemps.

« J'aime bien… » Lily a le hoquet et pouffe de rire. « J'aime bien cet endroit. Tu sais, la guerre m'a changée.

– Comment ça ?

– Je pense que j'ai appris à mieux apprécier les choses. Se battre – toujours se battre. Je suis fatiguée. Il faudra toujours se battre plus. Et toujours plus de fascistes, plus de dictateurs. Plus de monstres – hommes et femmes. » Lily jette un coup d'œil explicite en direction des femmes françaises qui dînent avec des soldats allemands. « Mais peut-être que j'ai fait mon temps. Robert me manque », dit-elle, d'une petite voix, au bord des larmes.

Blanche est bouleversée, car elle n'a pas vu Lily pleurer depuis longtemps, pas même quand elle a eu la main coincée dans la portière d'un camion rempli de légumes (d'armes et de munitions) une nuit sans lune où elles se dépêchaient de partir effectuer une livraison dans la campagne orléanaise. Lily avait eu trois doigts cassés sans moufter.

Mais désormais, alors que la fin approche, Lily pleure. Elle lève les yeux sur Blanche, sourit d'un air piteux en lui demandant un mouchoir.

« Tu n'as jamais de mouchoir sur toi, la gronde Blanche, lui tendant le sien.

– J'en aurai peut-être un maintenant, Blanche. Maintenant que je pleure plus souvent.

– Pourquoi maintenant, Lily ? C'est le moment de se réjouir, ce n'est pas le moment d'être triste. Nous avons accompli des choses merveilleuses, toi et moi ! La dernière chose dont j'ai envie, c'est de pleurer. On a réussi. C'est fini.

– Pour toi, oui, dit Lily en lui souriant, admirative. Tu sais quoi, Blanche ? Je ne t'en ai jamais parlé, mais quand j'ai perdu Robert, je n'avais plus envie de faire partie de ce monde. Il était... comment on dit... mon ancre. Mais maintenant, c'est toi, Blanche. Tu me fais voir les choses différemment, comme Robert le faisait. Les choses agréables, les belles choses. Parler et non se battre. Tu me donnes envie de faire attention de nouveau – je ne veux pas qu'on te fasse de mal. Et c'est bien de ne plus être indifférente. Ne plus se sentir si seule.

– Vraiment ? »

Blanche est stupéfaite et touchée au plus haut profond d'elle-même.

« Je ne t'ai jamais raconté comment Robert était mort ? » demande Lily à voix basse.

Blanche secoue la tête.

« Il a été arrêté, avec plusieurs étudiants. Ils ont tous été torturés et mutilés. Puis on les a alignés devant un mur pour les fusiller. Comme des chiens. Je n'ai pas pu voir le corps. Ils n'ont laissé personne approcher. Je ne sais pas où ils l'ont emmené après ça.

– Lily, je…

– Non, laisse-moi finir. Suite à ça, j'ai fait certaines choses. J'ai attiré des soldats nazis dans ma chambre, je les ai étripés, et j'ai donné leurs corps à manger aux cochons. J'ai oublié de me nourrir – Heifer a essayé de me faire avaler de la soupe, de temps en temps. Mais j'étais incapable de la voir, je ne voyais rien. Et un jour, je t'ai vue, *toi*. Les nazis emmenaient de force une famille dans un camion, dans le Marais, et tu étais là, tu regardais. J'ai vu quelque chose de nouveau pour moi sur ton visage. Tu étais bouleversée, mais aussi… comment dit-on ? Vulnérable ? Te voir comme ça m'a donné envie d'être bonne à nouveau afin de pouvoir aller vers toi. Je ne pensais pas que tu m'aimerais comme j'étais, si mauvaise. Et j'ai donc essayé de vivre à nouveau, de mener une bonne vie, pour que tu sois de nouveau mon amie. Merci, Blanche. »

Blanche est incapable de regarder Lily, elle garde donc les yeux baissés en tripotant sa serviette de table, ou le pied de son verre de champagne. Il est vrai qu'elle s'était souvent demandé ce qui, chez elle, avait attiré Lily, pourquoi elle était revenue dans sa vie – et pourquoi elle y était restée. Était-ce seulement pour ce que Blanche pouvait lui donner, matériellement – de l'argent, des vêtements, de la nourriture, des tickets de rationnement ? Seulement pour l'enrôler dans sa lutte sans fin contre le fascisme ? Savoir que c'était autre chose, de plus important – de vital, même –, la laisse sans voix.

Elle espère seulement qu'il n'est pas trop tard.

Récemment, Blanche s'est rendu compte qu'elle considère les gens uniquement comme des problèmes d'arithmétique – trois ont disparu, deux sont revenus, il en manque un pour agir. Cinq nazis, c'est mieux que dix, mais zéro serait préférable. Dix mille Juifs ne sont plus que huit mille qui ne sont plus que cinq mille et les nazis continuent à réduire leur nombre. Et ce changement, chez elle, l'horrifie ; elle a peur de tomber dans… eh bien, dans ce que Lily a décrit… comme quelque chose de sombre, elle a peur de se consumer. À la différence de Lily, Blanche n'a pas besoin de continuer à se battre.

En revanche, elle a besoin de *sauver*. Elle a besoin de trouver quelque chose, quelqu'un qui, dans ce monde, vaut la peine d'être sauvé.

Blanche reprend une gorgée de champagne, s'en délecte – comme elle se délecte d'une vision autre de l'avenir, un avenir sans les nazis, mais avec Lily. Son amie, qu'elle a ramenée à la vie – nom de Dieu, n'est-elle pas merveilleuse ? Lily n'est-elle pas remarquable ? Ne sont-elles pas *épatantes* ? – elle se rappelle Pearl, morte depuis longtemps déjà, qui disait souvent : *c'est épatant, non ?* Blanche lève son verre à la santé de Pearl.

Puis à celle de Claude.

C'est drôle, pense-t-elle souvent. Elle a aidé tellement de gens pendant cette guerre – des gens qui n'étaient que des étrangers pour elle – et elle n'a jamais su si c'étaient des gens bien ou pas, s'ils trompaient leurs femmes ou s'ils frappaient leurs chiens. Elle les a aidés sans poser de questions, simplement parce qu'ils ne portaient pas l'uniforme nazi. Elle peut alors au moins essayer de sauver l'homme qu'elle a un jour tellement aimé. Elle peut au moins rester à ses côtés, sans plus jamais s'enfuir, et l'aider à redevenir l'homme qu'il avait été.

Elle se rend compte qu'elle est très bonne pour ça. Sauver. Sauver des pilotes d'avion tombés du ciel, des résistants blessés, des soldats isolés, Lily. Maintenant Claude. Cette foutue guerre lui aura au moins appris ça.

« Alors, peut-être que maintenant tu vas me voir au Ritz. Je vais vivre là… avec toi ! dit Lily avec un grand sourire. Et Claude… il sera sacrément surpris, non ? J'aurai une chambre, nous ferons des choses agréables ensemble – tu me montreras comment devenir une dame ! Et tu as des amis, des amis importants. Ils raconteront peut-être mon histoire dans l'un de leurs livres, hein ? Ça me plairait. J'aimerais bien être célèbre.

– Je suis sûre que Hemingway adorerait parler de toi dans l'un de ses livres – il pourrait se servir de nous deux comme personnages dans quelque chose comme *Pour qui sonne le shaker.* » Blanche lève son verre pour porter un toast, Lily trinque avec elle et elles en commandent deux autres. « Je me demande où il est en ce moment… En train de disputer une partie de bras de fer avec un Allemand quelque part ? »

Elles étaient grises, ces deux guerrières qui se cachaient sous de jolis vêtements. Toutes les fois où elles avaient prétendu être ivres, tombant de leurs tabourets de bar, chantant dans l'ascenseur, elles ne s'étaient jamais autant amusées, elles n'avaient jamais autant ri que maintenant. Le monde leur paraît différent – les couleurs paraissent plus vives ; il y a de la musique dans l'air même quand les violonistes du restaurant cessent de jouer. Il y a de la musique partout ; Blanche a les oreilles qui bourdonnent. Et tout le monde rit – elle rit, les Allemands rient, et les filles qui les accompagnent rient pareillement.

Et ce sont ces filles qui commencent à agacer Lily.

« Regarde-les, chuchote-t-elle. Ces filles. Ces moins-que-rien. Elles n'ont donc pas honte ?

– Oh, laisse-les. » Blanche attrape un morceau de melon

avec sa fourchette et en savoure la fraîcheur. « Il sera bien temps pour elles d'avoir honte quand les Américains seront là. »

Elle parle fort – plus fort qu'elle ne l'aurait voulu. Les Allemands à la table voisine se figent. Lily, elle aussi, est immédiatement sur ses gardes.

Mais – après avoir avalé une autre gorgée de champagne, en pensant à la promesse d'un avenir si radieux et si proche qu'elle pourrait le toucher – Blanche décide qu'elle s'en moque. Parce que c'est vrai, plus rien n'a d'importance ! Les Américains arrivent, et *eux* seront bientôt partis, ces infâmes nazis, ces hommes grossiers, dans leurs uniformes kaki, avec leurs visages porcins, leurs voix insupportables, gutturales, qui rient toujours trop fort, qui braillent, ces hommes mauvais, mauvais en pensées et en actions. Des gens ont quitté Paris – ont disparu à jamais. À cause d'*eux*.

« Aux Américains ! » lance Blanche d'une voix forte. Le monde est radieux, presque trop. Elle ne s'est pas sentie aussi vivante depuis si longtemps qu'elle a besoin de crier, de danser – elle essaie de se lever en riant et, tout de suite après, Lily fait de même. Elles trinquent ensemble et Blanche lance de nouveau, haut et fort :

« Aux Américains ! Qui arrivent pour nous débarrasser de ces cochons d'Allemands ! »

Elle est vaguement consciente qu'on lui dit de se taire et d'être entourée de visages choqués, aux sourires figés, mais merde qu'importe ! Elle est *formidable*, et Lily aussi – deux femmes formidables qui ont fait des choses héroïques. Bientôt, tout ça sera fini, et à partir de là, le soleil ne cessera plus jamais de briller.

À côté d'elles, les soldats allemands se mettent brusquement debout. Ils lèvent leurs verres pour porter un toast – et trinquer avec Blanche et Lily.

« *Heil Hitler !* »

Blanche tend le bras et jette son verre de champagne à la tête de l'un des soldats.

« Que Hitler aille se faire foutre et vous aussi, tous autant que vous êtes », dit-elle en éclatant d'un rire triomphal – jusqu'à ce qu'elle se fige… en se rendant compte de ce qu'elle vient de faire. Elle a la respiration coupée, elle peut à peine penser. Face au visage furieux du soldat, elle sait qu'elle devrait le supplier de la pardonner, mais les mots lui manquent, tout aussi bien en allemand qu'en français ou même en anglais. Il s'essuie avec sa serviette de table, impassible. Ses compagnons, en revanche, réagissent vivement, l'un d'entre eux fonce sur les deux femmes avant d'être arrêté par celui que Blanche a si imprudemment baptisé. Le devant de sa chemise est taché mais les boutons de son uniforme étincellent, dégoulinants de champagne.

« *Nein* », dit-il à ses compagnons.

« Lily, je… » Mais Lily lui jette un coup d'œil, et Blanche comprend immédiatement. Dans un silence de sidération, tout le monde entend son nom – le nom de la compagne de la femme qui vient de jeter son verre de champagne à la tête de l'officier nazi. Or ce nom est fiché. Et d'ailleurs, peut-être qu'à partir de maintenant, celui de Blanche aussi. Son nom est plus connu, sans aucun doute, tout au moins de certains des Allemands, car la plupart d'entre eux sont des clients du Ritz.

« Sortons d'ici », dit Blanche à voix basse, tandis que le maître d'hôtel fait preuve d'un zèle exagéré et tend d'autres serviettes de table à l'officier allemand pour réparer les dégâts. Blanche est persuadée qu'elles vont être arrêtées avant même d'avoir franchi le seuil du restaurant, mais elles doivent au moins essayer de s'échapper.

Elles parviennent à sortir, en tremblant. Blanche a l'impression que chacune de ses respirations sera la dernière et s'étonne chaque fois qu'elle reprend son souffle. Elle guide Lily jusqu'au bout de la rue, l'entraîne loin de chez Maxim's, en direction du Ritz ou ailleurs, là où ces jours-ci Lily a posé ses valises. Elles ne parlent pas.

Elles finissent par arrêter de courir et se font face pendant quelques minutes. Blanche ouvre la bouche pour dire quelque chose – qu'elle est désolée, qu'elle n'est pas… mais, avant que les mots lui viennent, Lily a déjà filé.

Puis elle fait demi-tour, revient en courant vers Blanche, la serre dans ses bras, de toutes ses forces, avant de disparaître dans la nuit.

Blanche parvient à rentrer au Ritz, sans cesser de regarder par-dessus son épaule tout le temps du trajet. Elle monte l'escalier en trébuchant et fonce dans leur suite, verrouille la porte derrière elle et s'assied en attendant Claude, tandis que la lueur étincelante de ce jour radieux – un jour d'espoir, un jour de réjouissances – s'éteint et que tout retombe dans une habituelle et sinistre obscurité. Chaque pas dans l'escalier lui est destiné, pense-t-elle – il ne peut en être autrement. Elle attend, elle ne cesse d'attendre qu'on frappe à la porte, qu'on vienne la chercher, c'est inévitable. Et quand Claude finit par arriver, qu'elle entend la clé tourner dans la serrure et que la porte s'ouvre, elle est si confuse qu'elle court vers lui et se jette dans ses bras en éclatant d'un rire hystérique.

« Oh, Claude, Claude… tu ne croiras jamais ce que je viens de faire ! »

26

Claude

Juin 1944

« Quoi ? Blanche, que se passe-t-il ? » Elle est si désemparée, hagarde ; et son maquillage a coulé, dessinant un masque grotesque. Claude la prend par les épaules et la fait asseoir en regardant sa montre. Il est tard, il a faim. Qu'a-t-elle encore fait ?

Elle commence à expliquer, d'abord de façon hésitante, avant de tout raconter comme si elle se confessait. Elle lui raconte ce qu'elle a fait chez Maxim's, avec Lily. Elle lui raconte tout, en finissant par l'épisode du verre de champagne jeté à la tête de l'officier allemand.

Blanche a donc jeté un verre de champagne à la tête d'un Allemand.

« Mon Dieu ! » C'est tout ce que Claude est capable de dire, dans un premier temps. Il fonce à la fenêtre, scrute la rue Cambon, ne voit rien que d'habituel, mais il tire les rideaux. Comme si ce geste pouvait empêcher les nazis d'entrer en trombe dans le Ritz, de passer l'hôtel au peigne fin et d'emmener Blanche.

Elle a l'air si fragile, si meurtrie, assise là, sur le lit. Comme au cours de leur lune de miel quand elle avait fait une chose presque aussi folle – en essayant de se jeter du train –, quand elle s'était enfuie et qu'il l'avait trouvée à la gare, les yeux rougis par les pleurs. Elle a l'air trop fragile, trop frêle pour avoir fait ce qu'elle raconte. Claude a d'abord envie de la prendre dans ses bras, de l'apaiser, de l'aider à se ressaisir.

Mais soudain, alors qu'il revient vers elle et s'apprête à la prendre dans ses bras, la colère le submerge. Il repense à la prudence dont il a fait preuve pour qu'elle ne soit pas en danger, pour que personne ne soit en danger. Cette responsabilité qu'il a endossée pour préserver le Ritz qui signifie tant pour lui. Oui, c'est important pour lui, cette petite partie de France qu'il lui revient à lui d'empêcher d'être souillée, d'empêcher d'être piétinée par les bottes aryennes. Oui, il repense à tous les efforts qu'il a déployés – au point d'en attraper un ulcère, il en est convaincu – pour maîtriser son humeur quand, chaque jour, alors qu'il devait servir, se soumettre, faire profil bas, ses muscles étaient tendus par l'envie de gifler, d'agresser, de rouer de coups. Combien de fois Claude avait-il eu envie de jeter un verre de champagne à la tête d'un gros Allemand ? Et de lui dire d'aller se faire foutre, lui et Hitler ? De foutre le camp de son Ritz, de son pays ?

Mais Claude s'est toujours retenu. Parce qu'il est raisonnable, adulte. Au contraire de son épouse, si imprudente. La colère prend le dessus et il y donne libre cours :

« Blanche, Blanche, je te l'ai dit. Je t'ai dit de ne pas revoir cette femme, qu'elle était dangereuse. Je te l'ai interdit ! Et regarde-toi, espèce d'idiote, *imbécile*. Tu ne m'as pas écouté, tu m'as désobéi, et n'est-ce pas ce que tu fais toujours ? Tu n'es pas une femme, tu es une enfant. Une enfant gâtée, car je te protège depuis trop longtemps. As-tu la moindre idée de ce qu'ils vont faire ? Ils tuent même ceux qui ne font que les regarder de travers. Ils savent que les Américains arrivent – ils sont condamnés et ils ripostent.

– Peut-être qu'ils ne feront rien », répond-elle d'une voix hésitante, comme si elle ignorait tout de la situation. « Après tout, toi… le Ritz…

– Le Ritz ne peut plus rien pour toi maintenant, Blanche.

– Mais j'ai fait tellement…

– Qu'est-ce que tu as fait ? Dis-moi, Blanche. Je suis ton mari. Si tu as fait autre chose, tu dois me le dire. J'exige que tu me le dises. C'est mon devoir de te protéger…

– Me protéger ? De quoi ? Tu viens de me dire que le Ritz ne pouvait plus me protéger. Et peut-être que je ne veux plus que tu me protèges… peut-être que j'en ai assez que tu me traites comme une enfant.

– Parce que tu te comportes comme une enfant !

– Non, ce n'est pas vrai. »

Elle répond calmement, d'un ton assuré – et d'une voix qu'il n'a pas l'habitude d'entendre chez sa femme. Une voix qui met fin à la colère de Claude. Blanche parle d'une voix posée, sérieuse. Et son regard, habituellement si doux, s'est durci, un regard qui signifie *ne me sous-estime pas.* Claude n'avait encore jamais vu ces yeux-là.

« Blanche, bien sûr que si – les crises de nerfs, l'alcool, le temps que tu passes à t'amuser avec Lily pendant que j'essaie de continuer à diriger cet endroit…

– À continuer à lécher les bottes des nazis, à leur faire des courbettes ? »

Claude tressaille. Mais il ne laissera pas sa femme le juger, cette femme qui vient juste de jeter un verre de champagne à la tête d'un nazi.

« C'est mon *boulot*, Blanche. Tu sembles avoir oublié que si tu as pu vivre au cours de cette période d'occupation en ayant assez à manger, un lit moelleux où dormir, c'est grâce à mon travail. Tu n'as aucune idée des tâches qui m'incombent chaque jour.

– Pourquoi n'essaies-tu pas de me l'expliquer ?

– Parce que... tu n'es pas...

– Tu ne me fais pas confiance, hein, Claude ? »

Blanche, au lieu d'avoir l'air désespérée, paraît amusée – a-t-elle l'œil de nouveau pétillant ?

« Eh bien, Blanche, compte tenu de... tes habitudes...

– Tu veux que je t'en raconte une bien bonne ? Moi non plus, je ne te fais pas confiance. »

Claude n'en croit pas ses oreilles. Toute sa vie, il a été la personne la plus digne de confiance qu'il connaisse. D'autres l'ont d'ailleurs dit. C'est le trait le plus marquant de sa personnalité et il a appris à l'accepter, et à cesser de souhaiter être remarquable pour d'autres raisons, à l'instar d'un gars comme Martin. Alors, comment son épouse pourrait-elle ne pas lui accorder sa confiance ? Depuis le début de leur mariage, qui n'a cessé d'être ponctué de mots pareils à des missiles, des mots qui faisaient toujours mouche, c'est la chose la plus blessante qu'elle lui ait dite.

« Je n'ai plus eu confiance en toi depuis la première fois où tu as pris une maîtresse », continue-t-elle, si froidement que les mots lui paraissent coupants – ce ne sont plus des missiles mais des couteaux. « Mais c'est maintenant, surtout, que je ne te fais plus confiance, au vu de la manière dont tu te comportes avec *tes hôtes.* Et d'ailleurs, peut-être que c'est toi qui vas me dénoncer et me livrer aux Allemands.

– Blanche ! Comment peux-tu dire une chose pareille ? Je n'ai rien fait de déshonorant. Tu ne sais rien de ce que j'ai fait, ces dernières années...

– Et toi, tu ne sais rien de ce que je suis vraiment capable de...

– Comme de lancer ton verre à la tête d'un nazi ? C'est *très* courageux, Blanche. *Complètement* idiot. Sans compter que c'est extrêmement égoïste.

– Égoïste ? » Elle rit, avec amertume, d'un rire jaune perturbant. « Oh ça, c'est la meilleure. *Toi*, tu m'accuses *moi* d'être égoïste ? Et tes maîtresses ? Il y en a eu tellement qu'il m'est impossible d'en faire le compte. Sans parler de toutes ces fois, encore maintenant et malgré les horreurs de la guerre, où tu disparais furtivement.

– Ça n'a rien à voir, c'est… »

Claude doit s'asseoir. Comment en est-on arrivé là si vite ? On était passé de Blanche en pleurs qui lui avouait ses frasques imprudentes à de vieilles rancœurs aux prétextes éculés, comme si, depuis quatre ans, rien ne leur était arrivé.

Quand, en fait, tellement de choses leur étaient arrivées.

Blanche poursuit, toujours en restant étonnamment calme. Il se demande si elle n'a pas raison – si, en effet, il n'a aucune idée de ce dont elle est capable. « Tu dis que tu t'inquiètes pour moi, que tu fais tout pour que je ne sois pas en danger, que je dois rester assise ici, sans rien faire pendant que le monde tourne à l'envers, que tout est sens dessus dessous. Pendant que des gens *meurent*. Tu ne te demandes pas ce que ça veut dire pour moi, de rester assise et de *regarder*. Tu me laisses seule, tu pars en courant chaque fois que le téléphone sonne. Alors, que crois-tu que je pense de moi ? Je pense que je ne te suffis pas. Et, de toute façon, je ne t'ai jamais suffi, non ?

– Blanche, pourquoi faut-il reparler de tout ça ? Je t'ai choisie… tu es mon épouse. Je t'ai suffisamment respectée pour te sauver des griffes de cet homme. Je t'ai suffisamment aimée pour t'épouser, ce que n'aurait jamais fait cette canaille, ce vaurien.

– Mais après ? Tu n'as pas su quoi faire de moi, n'est-ce pas ? dit-elle en ricanant.

– Si tu étais une femme française… si seulement nous…

– Si seulement quoi ? »

Blanche baisse les yeux sur ses mains posées sur ses genoux, ayant soudain peur de ce qui va suivre.

« Si seulement nous avions un enfant », répond Claude, amer, exprimant ce manque à voix haute pour la première fois. « Pourquoi n'avons-nous pas d'enfants, Blanche ? » Il prend sur lui pour pouvoir entendre la vérité. « Qu'est-ce qui n'allait pas ?

– Un jour, je suis allée voir un médecin. » Elle frissonne. Comme si elle se rappelait la pièce froide, stérile, et ses bassins en forme de haricots en émail. Être touchée, fouillée par un étranger – Claude, lui aussi, frissonne. « C'était mon utérus. J'ai oublié… c'était il y a si longtemps.

– Mais pourquoi ne m'en as-tu rien dit, Blanche ? Pourquoi ? »

Claude vient s'asseoir à côté d'elle, mais se retient de la prendre dans ses bras – s'il le fait, il est certain de s'effondrer. Il doit se raccrocher à sa colère, sa droiture, car c'est la seule chose qui va lui donner des forces. Ce n'est pas l'amour, certainement pas. D'ailleurs, ça jamais été le cas, n'est-ce pas ?

La colère, utilisée à bon escient, est parfois nécessaire. C'est ce qui lui a permis de faire ce qu'il a fait tout au long de ces dernières années. Sa colère contre les Allemands, mais aussi contre les Français qui ont cédé et les ont laissé entrer. Sa colère contre son épouse.

Sa colère contre les secrets de son épouse.

« Je ne sais pas, Claude. On ne parlait jamais de ces choses-là, non ? Nous pouvions parler de Paris. Nous pouvions évoquer ma tendance à trop boire, ton indifférence à mon égard. Nous pouvions parler pendant des jours entiers de tous ces sujets-là ! Et du Ritz, évidemment, toujours le Ritz – de *ça* nous pouvions parler, ta véritable maîtresse, le Ritz. Mais nous ne pouvions jamais parler de nous, n'est-ce pas ? Des choses importantes ?

– Je ne sais pas. » Claude s'effondre, la tête dans les mains. La journée a vraiment été longue. Ces derniers temps, von Stülpnagel est particulièrement exigeant. « Blanche, tu n'as aucune idée de ce que je sacrifie tous les jours…

– As-tu fait autant de sacrifices que *moi* ? »

Enfin. Il a surgi dans la pièce sans même prendre la peine de s'annoncer, ce secret auquel ils n'ont jamais fait allusion pendant toutes ces années. Ils s'étaient mis d'accord, dès le tout début, pour ne pas en parler. Chacun avait ses raisons. Ce qui était fait était fait, il était inutile d'en parler.

Jusqu'à ce jour.

« Je ne t'ai jamais rien demandé, Blanche, dit Claude, immédiatement sur la défensive. Pas une seule fois, je n'ai dit…

– Dit quoi ? Que tu n'épouserais pas une *juive* ? »

Jew.

*Juif**.

Juden.

Le mot est incendiaire, quelle que soit la langue. Claude tressaille en l'entendant le prononcer à voix haute. Seuls les nazis emploient ce mot, à Paris tout le monde fait comme s'il n'existait pas. Et d'ailleurs, à Paris, tout le monde fait comme si eux, les nazis, n'existaient pas – pas plus qu'en tant que problème à résoudre en tout cas. Il en avait toujours été ainsi.

Même en 1923.

« Je m'appelle Blanche Ross », avait-elle dit, comme si elle prononçait ce nom pour la première fois. Alors, quand Claude Auzello, directeur adjoint de l'hôtel Claridge, avait demandé à cette charmante jeune femme américaine son passeport afin qu'il puisse vérifier son identité, elle avait hésité avant de le lui tendre, incapable de croiser son regard.

Et lui non plus n'avait pu croiser son regard, alors que l'étonnement et la déception s'étaient si rapidement affichés sur son visage qu'il n'avait pu s'en cacher. Blanche *Rubenstein*, et non Ross, avait-il lu sur le passeport. Et à la mention religion : *juive*.

Elle l'avait scruté avec inquiétude, prête à se défendre. Il avait vite effacé la consternation sur ses traits, se souvenant qu'elle n'était qu'une charmante Américaine qu'il avait l'intention de promener une fois ou deux dans Paris. Quelle importance, alors ? Lui-même n'avait pas de préjugés – de ça, Claude Auzello était certain. Certes, il avait appliqué la règle implicite des quotas au Claridge – pas trop de Juifs, afin que les autres clients ne se sentent pas mal à l'aise. Mais il en allait ainsi dans tous les hôtels chic de Paris. Et Claude ne s'était-il pas battu aux côtés de soldats juifs pendant la guerre ? N'en connaissait-il pas un certain nombre désormais ? Cet homme qui s'appelait Bloch, et qu'il rencontrait souvent au Louvre – on aurait dit que tous deux choisissaient les mêmes peintures à étudier aux mêmes moments, ils en avaient même ri et avaient un jour bu ensemble un verre de vin en discutant de l'utilisation des ombres par Raphaël. Et ce vieux fermier, Jacoby, qui vivait près de chez ses parents et avait une fille très jolie. Claude prenait toujours la peine de s'arrêter à leur étal sur le marché quand il allait dans le Sud. Non, Claude n'avait pas de préjugés.

D'ailleurs, en quoi la religion de cette jeune femme lui importait ? Ce n'était pas comme s'il allait épouser cette charmante actrice américaine.

Cette charmante Juive américaine.

Et quand ils s'étaient finalement mariés, c'est elle qui avait proposé de se faire faire un nouveau passeport (Claude désapprouvait l'expression « faux passeport »). « J'avais pensé changer de nom, de toute façon, Popsy. Tu sais comment ça se passe dans le milieu du cinéma. Ils font tous ça. » Il l'avait crue – et, en fait, il s'en était réjoui. Quand elle lui avait fièrement montré son nouveau passeport, l'œuvre de ce petit Turc, Greep, il lui avait donné une chaîne avec une croix en or qui avait appartenu à sa grand-mère et lui avait promis de l'aider à recevoir une éducation catholique.

Claude était aussi consciencieusement catholique que n'importe quel Français élevé par une mère dévote et un père indifférent à la religion. Il allait à la messe une fois par semaine, célébrait les fêtes religieuses et se confessait avant de communier. Et quand Blanche ne parla plus de se convertir, il en fut plus déçu qu'il ne l'aurait cru.

Le passeport avait été officiellement renouvelé, à maintes reprises. Mais Blanche n'avait porté la croix en or qu'après 1940. C'était un déguisement, rien de plus. Claude la voit maintenant pendre délicatement au cou fin et souple de sa femme. Visible, toujours visible, à l'intention de leurs hôtes allemands.

« Mais c'est bien que tu l'aies portée, finalement, dit Claude. Même si ce n'était que par coquetterie.

– *Coquetterie* ? » Blanche s'écarte de lui. « *Pauvre idiot*. Comme si tu ne savais toujours pas, Claude Auzello, que je le fais pour *toi*. Pour toi, ta carrière ici, au Ritz, cet hôtel auquel tu tiens tant ! La première fois que tu m'as amenée ici, j'ai tout de suite su ce qu'il fallait que je fasse. Je savais qu'une femme juive serait un handicap pour toi. Et je l'ai donc fait : j'ai changé de nom, abandonné ma religion, j'ai effacé mon passé, pas pour moi – je savais que je n'avais aucune chance de faire carrière dans le cinéma – mais pour *toi*.

– Non… » La vue de Claude se brouille, comme s'il avait reçu un coup sur la tête. « Ce n'est pas ce que tu as dit à l'époque. Tu as dit que tu y avais pensé avant même de venir en France.

– Y penser et le faire sont deux choses différentes. Si je ne t'avais pas rencontré – si je n'étais pas tombée amoureuse de toi, comme une idiote –, je serais toujours Blanche Rubenstein », dit-elle, avec amertume et en grimaçant… car elle se sent coupable.

Ce dont Claude se rend compte. Coupable de se cacher à la vue de tous, coupable d'avoir survécu alors que tant de Juifs sont morts.

Coupable de s'être mariée avec Claude.

« Quand je les vois se faire arrêter, je me déteste un peu plus chaque jour. » Ses mots sont comme des pierres tranchantes qui font voler en éclats la bulle dans laquelle il l'avait enfermée, pour sa sécurité, ici au Ritz. Sans parler de la grandeur d'âme dont il pensait avoir fait preuve – oui, il devait bien l'avouer – en l'épousant. « Et je te déteste tout autant.

– Oui, je… je comprends, répond Claude, d'une voix fatiguée.

– Si nous nous comprenons si bien, Claude, alors pourquoi avons-nous vécu aussi… aussi loin l'un de l'autre depuis toutes ces années ? »

Claude ne sait pas quoi répondre. Ils se font face, et le désespoir se lit dans les yeux de Blanche, un désespoir qu'il ressent aussi. Le désespoir mais aussi la méfiance. *Tous* leurs mensonges – ils s'y raccrochent avec une loyauté féroce, ils n'y renonceront pas. Pas même maintenant. Ces mensonges sont d'ailleurs peut-être le combustible qui pousse les Auzello à faire… ce qu'ils ont fait.

Et si c'étaient les derniers moments qu'ils partagaient ? À cause de ce qu'elle vient de lui raconter – il avait presque oublié, tant ils sont maintenant empêtrés dans leur déception réciproque. Mais oui, évidemment, Blanche a fait ce geste terrible. Un geste courageux mais complètement fou.

Le moment n'est-il pas venu de dire la vérité à son épouse ? Un moment placé sous le signe de la sincérité, de l'amour, avant qu'elle ne lui soit arrachée ?

Il prend une grande inspiration et se demande s'il ne s'apprête pas à accomplir l'acte le plus courageux de sa vie : décider d'être honnête avec celle qui est sa femme depuis vingt et un ans.

« Blanche. Toutes ces nuits au cours desquelles le téléphone sonnait, je n'ai pas fait ce que tu crois. »

Elle lève les sourcils d'un air interrogateur. Il aperçoit une petite marque rouge sur sa lèvre inférieure qu'il n'avait pas vue avant et se dit qu'elle a dû se mordre jusqu'au sang. La chair paraît si tendre, à vif, il se demande si Blanche a mal.

« Je n'allais pas retrouver une maîtresse. Je… je m'employais, à ma façon, à nous débarrasser d'eux. Les nazis. À les désorganiser. Je relayais des informations. Et, occasionnellement, j'ai aidé à transporter, parfois à cacher, des gens. Des Juifs… même ici. » Pourquoi a-t-il autant de mal avec ce mot ? Martin et lui ne disent jamais que ce sont des Juifs qu'ils cachent. Ils le savent, évidemment. Mais ils ne le disent jamais. Ils ne donnent jamais à ces gens anonymes des origines ou un passé. Et en fait, n'est-ce pas ce que les Allemands cherchent à faire, mais d'une manière tellement plus monstrueuse ? *Effacer* un peuple ? Éradiquer un peuple tout entier ? Lui et Martin, en vérité, ont réduit les Juifs à un problème auquel il fallait trouver une solution. Rien de plus.

« Claude, toi aussi tu fais partie d'un réseau de la Résistance ? »

Blanche se rassied près de lui et, il s'en étonne, lui prend la main.

« Oui… Quoi ? Que veux-tu dire par "toi aussi" ? » C'est à Claude maintenant de regarder son épouse d'un air surpris.

« Claude, toutes ces fois où tu pensais que j'étais ivre, quand je sortais avec Lily, "faire la bringue" comme tu dis si bien, je travaillais. Avec Lily et ses amis, des communistes et des étudiants, la plupart originaires d'autres pays. J'ai aidé des gens à passer les frontières. J'ai relayé des informations. Probablement pas de la même manière que toi – j'ai prétendu être quelqu'un d'autre, plusieurs fois. Je suis allée sur la côte normande. Dans les campagnes françaises. Je ne suis pas restée ici, au Ritz, ni même à Paris. »

Claude ne peut que regarder cette femme, si frêle, avec de grands yeux étonnés. Son sourire, sa voix, son comportement avaient toujours été plus grands, plus exceptionnels que son physique. Son épouse. Sa princesse, celle qui avait besoin d'être sauvée. Son problème, celui qu'il devait résoudre.

Sa Blanche… un soldat de la Résistance ?

« Mais quand Lily et Lorenzo… quand ils sont venus ici… ?

– C'était plus qu'une petite aventure pour moi », avoue Blanche, en relevant le menton d'un geste fier et touchant. « À ce moment-là, nous travaillions déjà ensemble depuis un bon bout de temps. Je leur fournissais des choses que je prenais ici – du linge, des cartes de rationnement, de la nourriture. Mais je ne voulais pas qu'ils viennent ici, à l'hôtel. J'essayais de ne pas mêler le Ritz à mes activités. La seule fois que j'ai vraiment fait quelque chose ici, c'était un soir, pendant une attaque aérienne – j'ai allumé les lampes dans les cuisines, pour les Alliés.

– C'était toi ? J'ai pensé…

– Oh, Claude. »

Blanche éclate de rire ; un rire qui, pour Claude qui n'en croit pas ses oreilles, résonne tristement, plein de regrets.

« Et donc, pendant tout ce temps, nous faisions la même chose. Nous défendions la même cause ? Et pendant tout ce temps, nous nous sommes écharpés.

– Et c'est foutrement dommage, non ? Car maintenant…

– … car maintenant, c'est trop tard. »

Claude pose la main de Blanche juste au-dessus de son cœur.

Il ne sait plus quoi faire de cette femme. Qui n'est pas une princesse, non, absolument pas. Qui n'a plus besoin d'être secourue, si tant est qu'elle en ait eu besoin un jour. Elle est faite de chair et de sang. Juifs. Et elle est beaucoup, beaucoup plus courageuse qu'il ne l'aurait jamais imaginé.

« Maintenant quoi, Claude ?

– Nous attendons. Je pourrais essayer de t'emmener loin d'ici mais Martin et moi avons échoué à accomplir nos missions récemment. Les nazis sont partout maintenant que la fin approche et ça ne s'est pas bien passé pour ceux que nous avons dernièrement tenté de sauver. Il est préférable que tu restes ici, je crois. Nous pouvons juste espérer que mon influence, le Ritz, tout ça fera une différence. Et donc cette nuit, comme tout le monde à Paris, nous attendons. »

Elle acquiesce, et ils restent dans la même position – elle a posé sa tête sur son épaule, la main de Claude dans les siennes – pendant longtemps, jusqu'à ce qu'ils s'allongent sur le lit car, cette nuit, ils restent entièrement habillés.

À un moment donné, Claude s'aperçoit qu'il s'est assoupi car il se réveille en sursaut. Il était pourtant certain de ne pas pouvoir fermer l'œil de la nuit. Mais les révélations, les émotions inhabituelles ont eu raison de sa résistance. Il ne bouge pas et entend sa femme respirer tranquillement. Elle aussi doit s'être endormie.

C'est alors que la mémoire lui revient : il se souvient qu'il a un revolver.

Il se lève sans faire de bruit et se dirige à pas de loup jusqu'à son bureau – les soldats allemands qui sont de garde ne lui accordent aucune attention. Arrivé là, il déverrouille l'un des tiroirs de sa table de travail, il vérifie que le barillet est plein : il l'est. Il l'a huilé et nettoyé tous les mois, bien qu'il n'ait jamais eu l'occasion de s'en servir. Mais ce serait ridicule de posséder une arme si elle n'était pas parfaitement entretenue.

Après l'avoir fourrée dans la poche de sa veste, il salue d'un signe de tête les soldats de garde en reprenant le chemin de sa suite. Il s'allonge sur le lit, tout doucement, et jette un coup d'œil à son épouse.

Blanche est allongée sur le dos, les yeux clos, les lèvres entrouvertes. Sa respiration est régulière et légère ; elle ne dort probablement pas profondément. Claude ne peut toujours pas imaginer cette femme accomplir des actes de bravoure comme ceux qu'elle a décrits. Mais il la croit. Il a besoin de la croire, il a besoin que son mariage ait un sens, qu'il signifie plus que ce qu'il pensait. Car en temps de guerre, un homme a besoin de se battre pour quelqu'un. Il avait eu le Ritz, c'est vrai. Et une épouse.

Mais, jusqu'à maintenant, il ne savait pas à quel point son épouse était remarquable, héroïque – à quel point elle lui était précieuse.

Son épouse, qui est *juive*.

Tout en ne la quittant pas des yeux, il pose son doigt sur la détente. En est-il capable ? Peut-il vraiment lui poser le canon sur la tempe et tirer ?

Frissonnant d'horreur, révulsé, il enfouit sa tête dans son oreiller, incapable malgré tout d'empêcher la vision des nazis fouillant l'hôtel pour la trouver. Blanche torturée ou violée, en rang avec d'autres devant un mur pour être fusillée. Ses *hôtes*. Ces gens auxquels il a fait des courbettes pendant ces quatre dernières années.

Comment peut-il laisser ça lui arriver ? Ne doit-il pas faire l'impossible ?

En glissant l'arme sous son oreiller, Claude ferme les yeux, chassant les images sadiques, monstrueuses qui continuent à l'assaillir bien qu'il secoue la tête dans tous les sens.

Ils survivent à cette nuit ; avec l'arme, qui n'a pas servi, sous l'oreiller de Claude. Au petit matin, il se douche, s'habille et cache son revolver dans du linge qui doit être lavé. Elle ne dit rien et se prépare pour se doucher, elle aussi. Elle a des cernes noirs sous les yeux ; son visage, sans maquillage, est pâle, et un bleu est maintenant apparu sur sa lèvre inférieure.

Elle est belle.

« Tu vois, je te l'avais dit. » Claude noue sa cravate de ses doigts tremblants. « Ça va aller, j'en suis sûr. Mais reste ici aujourd'hui, au cas où. Je t'en prie, Blanche. Ne sors pas.

– D'accord, Claude. »

Elle soutient son regard – avec bravoure. Car désormais, il n'y a rien de plus à dire que « Je t'aime ».

Les Auzello s'étreignent. Une étreinte qui pardonne, pleine de tendresse, de respect, et que ni l'un ni l'autre ne veulent briser.

Claude s'écarte doucement le premier. Il prend le linge à laver et laisse sa femme. Toute seule. Sans protecteur. Non, ce n'est pas vrai. Elle est au Ritz. Rien de mal ne peut lui arriver – c'est ce qu'il lui avait dit, il y a longtemps.

Deux heures plus tard, Frank Meier déboule dans le bureau de Claude, hors d'haleine.

« Ils l'ont emmenée, Claude. La Gestapo. Ils ont emmené Blanche. »

Et la seule chose à laquelle peut penser Claude, c'est l'occasion qu'il a eue la nuit dernière – la seule occasion – de la sauver de ce qui l'attendait. Mais il n'a pas pu ; il a été trop lâche. Il a été un mari – le genre de mari qu'elle a mérité tout au long de ces années. Le genre de mari qui ne supporte pas de faire du mal à son épouse.

Claude fonce dans leur suite mais, comme Frank le lui a dit, Blanche n'est plus là.

27

Blanche

Juin 1944

Lequel de ces salauds l'avait dénoncée ? Qui, au Ritz, avait dit, Oui, évidemment, elle est dans la suite trois cent vingt-cinq ? Est-ce celui qui, l'autre jour, lui a offert une rose fraîche ? À moins que ce ne soit l'une des femmes de chambre – Blanche en avait surpris une, la semaine précédente, qui avait prétendu être hongroise afin d'expliquer son accent bizarre, en train de fouiller dans sa garde-robe ? Serait-ce Astrid – devenue encore plus pitoyable qu'avant, les cheveux non coiffés, le rouge à lèvres qui débordait, comme si elle utilisait toujours son bâton de rouge juste avant de manger – qui ne souriait plus ?

Était-ce quelqu'un de proche ?

Tandis qu'on l'emmène, en passant par les portes de l'aile Vendôme, Blanche se redresse et tend le cou, malgré ses mains menottées dans le dos, pour regarder derrière elle, cherchant Claude. Mais il n'est pas là. Pourquoi ? se demande-t-elle. Qui lui dira qu'ils l'ont emmenée ? Que répondra-t-il ? Que fera-t-il, cet époux qui disait qu'il devait la protéger, à n'importe quel prix ?

Cet homme qui disait aussi qu'il devait protéger le Ritz ?

Et même au moment où elle est poussée à l'arrière d'un camion recouvert d'une bâche, avec d'autres femmes, toutes menottées elles aussi, Blanche se contorsionne pour jeter un dernier coup d'œil au Ritz tandis que le camion s'en éloigne. Elle aurait tant aimé voir Claude courir pour la rattraper – le besoin est si fort qu'il en devient physique. Ce vaillant homme qui, il y a si longtemps, était venu à sa rescousse, où est-il, maintenant ?

Mais elle se dit alors que si le regard qu'il lui a lancé quand il s'est arrêté sur le seuil de leur chambre avant de la laisser – un regard empli d'un amour si ardent, si mélancolique – est le dernier, il sera suffisant. Au moins, ils se sont retrouvés le temps d'une dernière nuit. Quand ils se sont enfin dit la vérité. Et qu'ils se sont enfin autorisés à évoquer leur secret. À le dévoiler clairement.

Après de longues années, elle l'avait finalement dit à voix haute.

Elle, Blanche Auzello, est juive.

*Le Juif et la France**

C'était l'automne 1941. La machine de propagande de l'armée allemande avait décidé d'organiser une exposition – comme s'ils s'étaient dit : organisons un spectacle, les enfants ! Mais c'était loin d'être un spectacle musical avec pour vedettes Judy Garland et Mickey Rooney. Claude et Blanche y étaient allés, car tous les nazis du Ritz ne cessaient de leur demander s'ils l'avaient vue. Et les Auzello savaient qu'ils n'avaient guère le choix – c'était de l'ordre d'une prestation à accomplir sur commande, un test décisif pour tous ceux qui travaillaient au Ritz.

Les Auzello firent donc leur devoir. On ne voyait pas d'étoiles jaunes dans les rues – pas encore. Ce serait pour plus tard. En apparence, Blanche était toujours la même que celle qu'elle était depuis à peu près vingt ans. Une catholique américaine, blonde, originaire de Cleveland, dans l'Ohio, mariée à un catholique français, originaire de Paris, en France.

Avant de sortir pour se rendre à cette exposition, tandis que Blanche enfonçait son aiguille à chapeau dans ses cheveux d'une main tremblante, elle se souvint qu'on lui avait dit un jour, maladroitement, quand elle était plus jeune, qu'elle n'avait pas l'air « trop juive ». C'était un producteur qui le lui avait dit. En guise de compliment.

Et Blanche avait pris cette remarque comme tel.

Mais, ce jour-là, se souvenir à quel point elle avait si facilement accepté ces propos, s'en était réjouie même, la rendit malade. Elle avait été tellement ravie alors de ne pas avoir l'air « trop juive ».

Ce jour-là, toutefois, Blanche sut que ce ne serait pas aussi facile que d'habitude – pas aussi facile qu'elle avait bien voulu le croire jusqu'à maintenant. Elle le comprit à l'instant même où ils furent accueillis au palais Berlitz, là où avait lieu l'exposition, par une immense peinture murale de quatre étages, représentant la caricature affreuse d'un Juif, le nez crochu, avec des yeux de fouine, des doigts recourbés autour d'une mappemonde. Le symbole du Juif cherchant à détruire le monde – et comme Claude le fit remarquer à voix basse, le message n'était guère subtil.

Blanche avait touché son nez – elle n'avait pu s'en empêcher –, sa main s'était levée malgré elle pour toucher ce fichu nez, comme pour vérifier qu'il n'avait pas triplé de volume, qu'il n'était pas devenu crochu.

Claude lui avait alors pris la main. Il avait tenu sa femme serrée tout contre lui pendant toute la visite de l'exposition, afin qu'elle ne s'effondre pas.

Les Auzello passèrent de salle en salle collés l'un à l'autre, tels des jumeaux siamois, comme si le sang de Claude, qui n'était pas juif, pouvait être transfusé et changer celui de Blanche, pour que, à l'intérieur aussi, elle soit « moins juive ». L'exposition expliquait – en allemand, sous-titré en français – à travers des photos, des illustrations, des mensonges éhontés, comment les Juifs voulaient envahir le monde, en effacer toute trace d'honnêteté et de politesse et tuer les chrétiens dans leur sommeil. Les Juifs étaient affreux, des créatures venimeuses, malades. Ils étaient responsables du communisme et du marxisme. Ils avaient souillé la culture française avec leurs œuvres d'art, leurs films et leur musique.

Ils étaient indignes de toute gentillesse, de toute dignité humaine. Ils ne méritaient pas de vivre.

Et tout ce que Blanche croyait avoir laissé derrière elle, à New York, quand elle était montée sur le paquebot à destination de la France, ressurgit brusquement, menaçant de lui faire perdre le souffle chaque fois qu'elle tentait de respirer. Les souvenirs la submergèrent, de vieilles photos, la robe blanche amidonnée avec un col rouge brodé qu'elle avait portée une fois pour la Pâque juive, la robe noire empesée avec des manches gigot qu'elle avait portée lors des funérailles de sa grand-mère, de même que l'énorme nœud en taffetas bleu dont se servait sa mère pour lui attacher les cheveux si serré qu'elle en avait des maux de tête – les traditions, la famille, les mêmes histoires souvent racontées, Maman et Papa et ses frères et sœurs, de vagues souvenirs de ses grands-parents, de tantes éloignées. Toutes ses pires peurs, tout ce qu'elle avait passé des années à essayer de laisser derrière elle. Pourquoi ? Blanche ne savait plus pourquoi, pas quand elle était confrontée à de telles calomnies à leur sujet. À son sujet.

Des mensonges sur des gens comme ses grands-parents, qui étaient venus d'Allemagne. Ils n'avaient jamais appris l'anglais et, en leur présence, toute la famille parlait allemand. Des gens gentils. D'honnêtes gens qui ne voulaient que le meilleur pour leurs enfants et petits-enfants. Étaient-ce là ces monstres qui étaient censés vouloir assassiner les chrétiens dans leur sommeil ? Le grand-père Rubenstein de Blanche aurait été incapable de faire du mal à une mouche – une anecdote lui revint soudain à l'esprit. Elle se souvint de la fois où une souris avait fait la sarabande dans la cuisine de l'appartement de son grand-père, le premier logement qu'ils avaient loué, avec sa grand-mère, en arrivant en Amérique, et qu'ils n'avaient jamais pu quitter malgré l'insistance des parents de Blanche. Le grand-père n'avait pas pu la tuer, bien que la grand-mère l'ait encouragé. Il avait alors attrapé son vieux haut-de-forme démodé depuis longtemps (pareil à celui de Lincoln) et qu'il refusait de renoncer à porter, et avait ramassé la souris avec, avant de la relâcher, en faisant très attention, dans la petite cour derrière l'immeuble, où un chat s'était empressé de la tuer. Le grand-père avait alors pleuré comme un enfant.

Le haut-de-forme était ce qu'il avait apporté de plus beau en Amérique en provenance du Vieux Monde. Dans l'album de photos de la famille Rubenstein, il y avait une photo de lui, jeune homme, portant déjà ce chapeau, le visage trop jeune et la tête trop petite. Mais il avait l'air si fier.

Ce visage, si jeune, plein d'espoir – c'est ce que vit Blanche en lisant les textes qui proclamaient que les Juifs incarnaient le mal, qu'ils étaient un fléau pour l'humanité.

Son propre visage, aussi – elle se vit soudain comme si elle était face à un miroir. Son visage tel qu'il était avant d'avoir eu envie de changer de vie, de changer pour une vie meilleure. N'était-ce pas ironique ? Elle, une Juive, dans un Paris occupé, côtoyant des Allemands à longueur de journée.

Et ce fut son visage – des yeux bruns, un joli petit nez, des cheveux bruns qu'elle avait commencé à teindre en blond il y a si longtemps déjà qu'elle n'en reconnaîtrait plus la nuance naturelle, ce fut son visage qu'elle vit sur les photos, dans les caricatures, dans les œuvres d'art exposées.

Comment reconnaître un Juif ? était-il écrit sur l'une des affiches.

Oui, comment ? Blanche, c'est certain, ne savait pas, même si l'affiche donnait les réponses : on reconnaît le Juif à ses cheveux gras, ses yeux de fouine, son nez crochu, ses mains pareilles à des serres.

Toutefois, certains autres traits de reconnaissance avaient été oubliés. *Comment reconnaître un Juif ?*

À ses battements de cœur terrifiés. À ses entrailles qui se liquéfiaient. Au soulagement tangible – qu'elle éprouvait réellement sous ses doigts, chaque fois qu'elle caressait son passeport, d'avoir effacé sa véritable identité des dizaines d'années auparavant. Et ce, pour des raisons qui lui semblaient maintenant ridicules : pour aider son époux à faire carrière ; pour échapper à un passé qui, rétrospectivement, n'était pas si affreux ; parce que c'était un jour pas comme les autres ; parce que, ce jour-là, le soleil brillait.

Parce que, parce que, parce que – peu importe, ce fut si facile alors. Blanche avait parlé à Frank Meier qui lui avait présenté Greep à qui il avait suffi de quelques griffonnages experts, d'une photo et de cinquante francs, pour effacer son passé et lui donner une nouvelle identité. Si facile qu'elle s'était demandé pourquoi tout le monde ne le faisait pas. Changer de nom, de nationalité, de religion – de date de naissance aussi – aussi facilement qu'une jeune femme délurée changeait de couleur de cheveux ou de marque de cigarettes (des gauloises à la place des Lucky Strike).

Mais au cours de cette exposition confrontée à tant de haine – c'était comme foncer dans un mur fait de barbelés, de clous rouillés, et d'être écorchée vive –, Blanche avait compris que ce n'était pas si facile, après tout.

Pas en visitant cette exposition qui lui rappelait, à chaque pas, l'existence de gens qui tenaient tellement à ce qu'on leur dise que leurs pires craintes et leurs préjugés étaient compréhensibles, sinon admirables, qu'ils croyaient chacun des mensonges qu'on leur racontait. Elle vit deux hommes rire devant une horrible caricature de l'ancien Premier ministre – il avait même été réélu à ce poste ! – Léon Blum, dessiné avec un nez de la taille d'une banane ; ils rirent à en avoir les larmes aux yeux.

Blanche entendit une mère raconter le plus sérieusement du monde à sa fille, qui ne devait pas avoir plus de neuf ou dix ans, que c'était vrai, en effet : les Juifs, parfois, mangeaient les petites filles comme elle, et que c'était donc bien que les nazis soient ici pour la sauver.

« Ce sont des bêtes », lâcha Claude entre ses dents en agrippant si fort le bras de sa femme qu'elle sut qu'elle aurait un bleu. « Ces nazis sont dépourvus de conscience. Une chose pareille n'arriverait jamais dans une France libre. »

Blanche jeta un coup d'œil en direction de la mère et de sa fille. « Tu crois vraiment ça, Claude ? » Après tout, il avait été le premier à lui parler des quotas imposés officieusement dans certains hôtels et restaurants. C'était lui qui lui avait parlé de l'*affaire Dreyfus**, et qui lui avait dit que ses parents avaient été contents quand cet homme innocent avait été déclaré coupable et emprisonné.

C'était lui qui n'avait pas essayé de la dissuader de changer de passeport, tout de suite après avoir commencé sa carrière au Ritz.

Le mari de Blanche ne répondit pas. Il épiait ce que la mère continuait à expliquer à sa fille, comme quoi c'était une bonne chose que les Allemands aient organisé cette exposition, car certains de leurs voisins ne partageaient pas leur point de vue mais, Dieu merci, eux aussi connaîtraient la vérité désormais, car une chose était certaine : les nazis ne mentaient pas.

Mais il agrippa le bras de sa femme encore plus fermement et lui dit à l'oreille : « Dieu merci, tu as été prévoyante. Tu as eu une bonne idée à l'époque. »

Il ne l'avait jamais remerciée. Il n'en avait jamais fait grand cas ; c'était naturel pour lui : une Juive américaine qui se prétend catholique afin d'épouser un Français. C'était l'une des pierres fondatrices du mariage des Auzello – une vérité aussi indispensable, bien que non dite, à l'histoire qu'ils se racontaient, que les circonstances dans lesquelles ils s'étaient rencontrés, que ce qu'elle portait ou que le souvenir du jour de leur mariage quand avait failli oublier l'alliance.

Quand tout serait fini, se dit-elle lorsqu'ils sortirent de l'exposition, elle partirait. Elle quitterait Claude, elle romprait ce mariage si utile – avec le temps, ce n'était plus que ça, rien qu'une excuse commode pour ne pas rentrer dans son pays – et elle repartirait à New York. Elle retrouverait sa famille qu'elle avait si facilement laissée derrière elle.

Elle reviendrait à cette religion qu'elle avait si facilement abandonnée.

Tandis que le camion s'éloigne de la place Vendôme et tourne rue de la Paix, Blanche arrête de penser au passé et commence à se rendre vraiment compte de ce qui se passe. Elle n'est plus spectatrice, elle n'est pas une actrice.

Elle ne joue plus à l'épouse sophistiquée, elle n'est pas *parisienne**. Elle n'est plus Blanche Ross Auzello.

Elle est enfin, de nouveau… Blanche Rubenstein.

Comment reconnaître un Juif ?

C'est quelqu'un qui est jeté à l'arrière d'un camion nazi, les mains menottées dans le dos, avec le canon d'une arme pointé sur la tempe.

28

Claude

Juin 1944

Claude descend l'escalier en courant, le passeport de Blanche à la main. Elle l'a oublié, et la seule pensée claire de Claude est qu'elle en a maintenant besoin pour prouver qu'elle est Blanche Ross Auzello, catholique. Il traverse l'entrée de l'hôtel toujours en courant, brandissant le passeport, criant comme un fou : « Elle l'a oublié ! Elle a oublié son passeport ! Blanche… elle l'a oublié ! »

Il prend soudain conscience que tous les Allemands postés dans l'aile Vendôme le regardent, l'air amusé. Là où va sa femme, un passeport n'est pas nécessaire.

Malgré tout, il tournoie sur lui-même, cherchant du regard un visage moins hostile – c'est là qu'il voit von Stülpnagel descendre le grand escalier, rajustant sa chemise dans son pantalon.

« Que se passe-t-il ? »

Claude entend un bruit sec et se rend compte qu'un soldat allemand pointe son arme sur lui mais n'a pas le temps de s'en soucier. En fait, il tend juste la main pour repousser l'arme, comme s'il ne s'agissait que de chasser une mouche.

Blanche est partie. Blanche est partie – ce sont les seuls mots qui comptent, qui résonnent dans sa tête comme des coups de marteau, il n'entend rien d'autre.

« Ma femme, Herr von Stülpnagel ! » Claude Auzello, sans aucune dignité, se jette sur cet homme, ce nazi. Sans plus de honte ni de fierté. Depuis des mois, il a servi ces porcs – ce n'est sûrement pas pour rien ? Ils ne vont sans doute pas l'oublier et l'aider, n'est-ce pas ? « Ma femme, Blanche, ils l'ont emmenée ! Elle a oublié son passeport ! » Claude brandit le précieux carnet en cuir sous le nez de von Stülpnagel.

« Herr Auzello, je vous en prie. » Von Stülpnagel repousse Claude, mais fait signe aux autres officiers de retourner à leur poste. Le soldat range son arme dans son étui et s'éloigne.

« Herr von Stülpnagel, je vous en supplie. Je sais qu'elle a agi de manière inconsidérée. Elle m'a tout raconté. Mais elle est ma femme ! Elle est la femme du directeur du Ritz ! Elle est idiote, certes, imprudente, certes. Impulsive. Mais elle n'a rien fait de grave, rien qui justifie d'être arrêtée.

– Ce n'est pas moi qui en ai décidé ainsi, Herr Auzello. » Von Stülpnagel paraît las et se laisse tomber sur une petite chaise couverte de dorures, bien trop fragile, bien trop élégante pour cet Allemand dans son uniforme vert-de-gris. « Je ne fais pas partie de la Gestapo. Je me suis contenté de leur dire où la trouver quand ils sont venus la chercher.

– Vous... C'est vous qui leur avez dit ?

– Je n'avais pas le choix. J'obéis aux ordres venus d'en haut, vous le savez – vous êtes un soldat, vous aussi. J'ai essayé... j'ai essayé de leur dire de laisser tomber. » Ses épaules de soldat s'affaissent, et Claude voit poindre une lueur d'espoir. Après tout, peut-être que ce nazi a une âme. « Mais elle a commis un crime grave contre le Reich. Elle a profané l'uniforme d'un lieutenant – elle lui a manqué de respect en public. Nous ne pouvons pas accepter ça. Tolérer de pareils agissements donnerait aux Parisiens une fausse idée de ce qui se passe, surtout en ce moment. Même Frau Auzello du Ritz ne peut rester impunie. »

Claude tombe à genoux. Il n'a jamais supplié comme il le fait en cet instant mais, pour Blanche, il n'hésite pas.

« Je vous en supplie, s'il vous plaît. Intervenez auprès de la Gestapo, demandez-leur de la relâcher. Je l'éloignerai d'ici, je vous le promets. Je l'emmènerai à l'étranger, où elle ne sera plus une menace, où elle pourra vivre tranquillement jusqu'à ce que…

– Jusqu'à ce que quoi ? »

Von Stülpnagel enlève ses lunettes, se frotte l'arête du nez, les remet, sans jamais quitter Claude des yeux. Le mettant au défi de terminer sa phrase.

« Peu importe… je ne sais pas ce que je voulais dire… mais laissez-moi l'emmener, je vous le promets. Elle ne fera plus rien qui puisse manquer de respect au Reich.

– Je vous l'ai dit, ça ne dépend pas de moi, Herr Auzello. Même si je le voulais – et je ne dis pas que c'est le cas –, la Gestapo ne m'écouterait pas. Ils obéissent directement aux ordres du Führer, et non à l'armée.

– Dites-moi au moins où ils l'ont emmenée ?

– Je ne sais pas. À Drancy, peut-être. À Fresnes ? Elle peut tout aussi bien être dans l'une des petites prisons parisiennes, j'imagine. Mais ça m'étonnerait. Je suis désolé, Herr Auzello. J'ai une femme, moi aussi. Je ne l'ai pas vue depuis des mois, et il n'est guère probable que je la voie bientôt. Toutes les permissions ont été suspendues jusqu'à nouvel ordre. Et donc je comprends, mais je ne peux rien faire. »

Et, à la grande surprise de Claude, l'homme a l'air sincèrement désolé. En fait, il a même l'air malheureux, toujours affalé sur sa chaise, ployant sous le poids de trop de responsabilités, de cette haine collective qui vient d'en haut.

Von Stülpnagel finit par se lever, l'air épuisé. « J'aimerais qu'on me serve maintenant mon déjeuner, le même menu que d'habitude, dans mon bureau, Herr Auzello. Et je vous en prie, prenez la peine de vérifier qu'il sera chaud cette fois. Hier, c'était froid. » Il scrute Claude, hésite, et pose ses mains sur ses épaules. « Nous ne pouvons pas renoncer à notre poste, n'est-ce pas ? Nous ne pouvons rien faire d'autre que continuer à travailler. Ce serait de la folie, ce serait dangereux de croire que nous pouvons faire plus que ça, Herr Auzello. Vous comprenez ? »

Claude hoche la tête, mais il serre les poings. Sa vision se brouille et il ne voit plus que des points rouges. De colère, sa tête bourdonne – la colère, dont le rouge est la couleur.

Rouge – la couleur de fond des drapeaux avec les croix gammées qui pendent des plafonds et recouvrent les tapisseries anciennes.

Mais s'il y a bien une chose qui caractérise Claude, c'est la discipline. Il se souvient, juste à temps, de tout, de sa formation, du devoir à accomplir, de ses responsabilités.

Sa femme, aux mains de ces créatures.

« Bien sûr. Je serai ravi de préparer votre déjeuner, Herr von Stülpnagel. Et… merci. » Il ne sait pas vraiment pour quoi il remercie cet Allemand – peut-être pour lui avoir laissé entrevoir un soupçon d'humanité quand il en avait le plus besoin. « S'il vous plaît, je vous en prie, pourriez-vous vous assurer que la personne qui garde Blanche prisonnière reçoive ce document ? » dit-il en lui tendant le passeport.

Von Stülpnagel le prend et grimpe l'escalier à pas lents pour retourner à son bureau. Claude comprend qu'il ne doit pas prendre trop au sérieux la gentillesse inattendue du général, mais il ne peut malgré tout s'en empêcher. Ses yeux se remplissent de larmes et, pendant un court instant, il se sent un peu moins seul face à la terreur à laquelle il est confronté.

Il lui faut pourtant passer devant des soldats allemands – ces mêmes soldats dont il s'occupe depuis quatre ans maintenant –, traverser la grande galerie et retourner à son bureau, où il doit au moins essayer de continuer à faire son travail, accomplir son devoir, comme von Stülpnagel le lui a conseillé.

Cependant, pour la première fois, le Ritz lui paraît factice, comme ces gâteaux en carton recouverts d'un glaçage qu'on utilise pour décorer les vitrines des pâtisseries. Beau à l'extérieur, mais vide à l'intérieur.

Claude ne parvient pas à se concentrer sur son travail. Il décroche le téléphone, mourant d'envie de parler à Martin, qui pourrait avoir une idée, il est si malin – mais il se souvient que tous les téléphones sont sur écoute. Et il a beau réfléchir, il ne connaît pas le vocabulaire codé à utiliser dans un cas pareil.

Finalement, il repense au revolver. Dans le tiroir fermé à clé où se trouvent aussi la ciguë, l'insecticide et la soude. Il ouvre le tiroir, passe en revue son contenu, si tentant. Une goutte de soude dans le thé de von Stülpnagel. De la ciguë dans la soupe de Speidel. Et pourquoi s'arrêter là ? Ciguë pour tout le monde ! Un banquet empoisonné. Il trouverait certainement des alliés en cuisine qui seraient plus qu'heureux de préparer un festin pareil pour leurs hôtes allemands.

Ou bien quelque chose de plus discret, peut-être ? De plus personnel, un corps-à-corps intime avec l'un des soldats allemands choisi au hasard, un grandiose final où il lui tirerait une balle dans la tête. Il serait arrêté et retrouverait Blanche, où qu'elle soit. Ils seraient ensemble, en prison…

… Mais il ne pourrait alors plus l'aider, n'est-ce pas ?

Bien que sûr que non, Claude, espèce d'imbécile. Cesse de penser comme le ferait un amant emporté par la passion. C'est fini ce temps-là. Maintenant, c'est le moment de réfléchir calmement, d'avoir les idées claires.

Ses mains tremblent – tout son corps tremble, comme sous le coup d'un violent séisme. Claude ferme alors la porte de son bureau, s'assied, se prend la tête dans les mains et essaie de penser. En vain.

Il reste ainsi toute la journée, redoutant de retourner dans leur suite.

Sachant que Blanche ne sera plus là pour l'accueillir.

29

Blanche

Juin 1944

Elle n'est pas la seule, beaucoup d'autres femmes, elles aussi menottées, sont ballottées dans ce camion qui roule dans les rues pavées de Paris. L'une d'entre elles demande au soldat au fusil pointé dans leur direction où on les emmène. Il ne répond pas, c'est l'une des autres femmes qui répond à sa place :

« Tu verras. Fresnes. La succursale de l'enfer.

– Te gêne pas, parle », dit finalement le soldat, d'un ton bon enfant. Il sort une cigarette de sa poche, l'allume, et lance l'allumette fumante en direction de l'une des femmes, loin de lui. « Ce sera la dernière fois. Alors pourquoi ne pas en profiter ? »

Toutes se taisent.

Il fait chaud, ce jour-là. Fait-il vraiment chaud ? Nous sommes en juin, c'est l'été. La veille encore, Blanche marchait dans les rues de Paris, avec Lily, vêtue d'une robe à manches courtes. Des rues gaiement bordées de jardinières, ou ornées de lierre d'un vert éclatant, d'où provenait le chant des oiseaux. Il doit donc faire chaud, pense Blanche et, pourtant, elle est frigorifiée, elle tremble tellement qu'elle craint d'être malade.

« Arrête », lui intime sèchement la femme à côté d'elle.

Secouées comme des sacs de pommes de terre, les femmes restent silencieuses, seuls quelques sanglots se font entendre. Bientôt, le camion traverse des villes de banlieue, ternes, dénuées de charme, avant d'arriver devant une grille – flanquée de gardiens – qui s'ouvre pour le laisser passer. Il finit par s'arrêter devant une forteresse grise. On les fait alors descendre du véhicule, avec autant de brutalité qu'on les y avait fait monter. Des soldats armés les escortent à l'intérieur du bâtiment où elles sont parquées dans une pièce sans fenêtre, déjà bondée de prisonnières, certaines sont choquées, d'autres carrément terrorisées. Là, les soldats sont encore plus nombreux. Des officiers aussi. Qui les surveillent, prêts à tirer.

Blanche fouille la foule des yeux, se hausse sur la pointe des pieds, se faufile parmi les autres femmes, elle cherche…

« Lily ! » Elle ne peut pas s'empêcher de foncer droit sur son amie, se frayant un chemin à coups d'épaule, les mains toujours menottées.

« Lily ! » Blanche est si soulagée de la voir vivante qu'elle en oublie tout ce qu'on lui a appris. En prison, il ne faut jamais – *au grand jamais* – trahir un autre membre de la Résistance en le reconnaissant.

Blanche gâche tout. Comme elle l'a fait la veille. Elle manque d'air, essaie de s'éloigner de Lily, trébuche, espérant que personne ne l'ait entendue. Mais c'est alors qu'elle entend son propre nom, doucement prononcé à voix basse : « Blanche. »

Lily est si pâle. Blanche s'attend à voir de la haine dans ses yeux, de la déception, du dégoût face à tant d'imprudence. Au lieu de ça, elle y devine une étrange douceur étonnée, presque de la joie. Presque comme si Lily était heureuse d'avoir été reconnue. Mais non, c'est impossible… et, avant que Blanche puisse le lui demander, une voix allemande aboie : « La communiste Lily Kharmayeff ! »

Blanche regarde Lily avancer d'un pas assuré, provocateur, le menton fièrement levé, les mains menottées derrière le dos, et dont le regard, avant qu'elle sorte, s'attarde sur elle, Blanche. Qui reconnaît ce regard – un regard de gratitude.

Empli d'amour.

Et Blanche est maintenant seule – bien qu'elle soit entourée de femmes qui hurlent –, submergée par sa propre peur et la culpabilité. Elle se sent coupable de ce qu'elle a fait – ce qu'elle s'est fait, ce qu'elle a fait à Lily. À Claude, qui doit probablement être hors de lui maintenant.

« Blanche Auzello ! » C'est à son tour d'être emmenée et jetée dans une autre pièce où on lui donne de quoi se changer – une blouse en laine rêche et des sabots en bois en guise de chaussures. Tous ses vêtements, ses bijoux, sa croix en or, la chaîne qu'on lui arrache, et qui n'était pas grand-chose après tout, lui sont confisqués. Sauf son passeport… elle ferme les yeux et se souvient qu'elle l'a laissé au Ritz.

En aura-t-elle besoin ici ? Est-ce important ? Aucun moyen de le savoir. Elle ne peut qu'attendre.

« Pourquoi je suis ici ? » Bien qu'elle sache parfaitement pourquoi elle est là, elle a besoin de poser la question dans le vide – car il n'y a personne, pas d'autre *présence humaine*, rien que des visages allemands impassibles, sans âme.

Personne ne lui répond.

Elle est ensuite jetée dans une cellule. Un seau. Un lit de camp. Trois souris pour lui tenir compagnie.

La nuit tombe. Elle a dû s'endormir, car soudain elle voit un prêtre que l'on fait entrer dans sa cellule, et elle en est sidérée. Sidérée de se rendre compte que ces imbéciles d'Allemands n'ont toujours rien deviné.

Ils n'ont toujours pas deviné qu'elle est juive.

Ils doivent donc avoir son passeport. Peut-être que Claude le leur a apporté ? Cette idée lui redonne de l'espoir pour la première fois depuis ce matin quand ils ont frappé à sa porte.

Le prêtre catholique – un vieil homme, l'un de ces prêtres bien nourris et très contents d'eux-mêmes – prononce son nom et la bénit d'un air suffisant. Mais à la vue des souris et du seau, le dégoût se lit sur son visage, et il reste debout, craignant de toute évidence de s'asseoir sur un lit de camp infesté de poux. Il commence à lui poser des questions :

« D'où venez-vous aux États-Unis, mon enfant ?

– Cleveland.

– Quel culte suiviez-vous, si ce n'est pas indiscret ?

– Notre-Dame-de-je-ne-sais-quoi. Ça fait si longtemps, mon père.

– Je vois. Voulez-vous communier ? Mais vous devrez d'abord vous confesser. »

Blanche secoue la tête. « Je suis désolée, mon père, vous êtes peut-être bon. Mais vous pouvez aussi bien vous dépêcher d'aller tout raconter aux nazis. Ce sera pour une autre fois. »

Il soupire, la bénit de nouveau, et s'en va.

Blanche reste enfermée seule dans sa cellule deux jours encore. Elle se dit presque qu'ils l'ont oubliée, qu'ils ont fait une erreur, qu'ils vont changer d'avis et la libérer, qu'elle va rentrer chez elle – retrouver Claude. On lui donne du pain mal cuit plein de vers, qu'elle recrache. Du gruau plein de vers, qu'elle recrache tout autant. Et quand elle a tellement faim qu'elle finit par avaler la soupe, elle aussi pleine de vers, elle vomit aussitôt. Et cette nuit-là, il lui faut dormir avec le sol recouvert d'une flaque de vomi.

Au moins, ça éloigne les souris.

Au bout de deux jours, enfin, ils viennent la trouver. Le bruit métallique des bottes – qu'elle a entendues arpenter le couloir jour et nuit, et qui, cette fois, s'arrêtent devant sa cellule. On introduit une clé dans la serrure. On pousse Blanche du bout d'un fusil, et elle marche, avec assurance, là où on lui dit d'aller. Car, maintenant elle en est sûre, ils vont la libérer, ils vont lui dire que c'était une erreur, ils vont envoyer chercher Claude pour qu'il vienne et la ramène.

Car elle est madame Auzello du Ritz.

On la conduit dans une pièce dans laquelle un officier est assis derrière un bureau, un dossier ouvert devant lui. Un dossier avec une photo de Lily – l'air égaré, ses cheveux plus longs lui barrant le visage, paraissant plus jeune – attachée par un trombone.

« Donc, racontez-nous, madame Auzello. Comment vous, qui venez du Ritz – nous connaissons votre mari, il a été on ne peut plus courtois avec nos officiers qui résident là-bas, très serviable –, vous êtes-vous retrouvée à fréquenter cette sale putain de juive communiste Lily Kharmayeff ?

– Pardon ? Je… je croyais que j'étais ici parce que…

– Oui, oui. Vous vous êtes comportée de manière imprudente chez Maxim's. Nous savons tout ça. Mais ce qui nous intéresse le plus, c'est votre relation avec cette pute juive. Comment vous êtes-vous rencontrées ?

– Sur un bateau. Il y a longtemps. »

Dans une autre vie. Quand elle avait fui Claude, comme une enfant, une enfant capricieuse. Lily l'avait remarquée au bar, elle avait deviné sa tristesse, son besoin – mais aussi peut-être quelque chose de courageux, d'honnête – et était venue vers elle. Elles avaient bu, se souvient Blanche. Elles avaient ri. Elles avaient même dansé.

« Que faisiez-vous sur ce bateau ? D'où veniez-vous ?

– Du Maroc. Où j'avais passé des vacances. Je retournais en France. Au Ritz.

– Que faisait-elle sur ce bateau ?

– Je ne sais pas.

– Nous avons retracé toutes ses activités, depuis l'Espagne jusqu'à aujourd'hui. C'est une communiste, une traîtresse, elle a tué des Allemands. Savez-vous combien elle en a tué ? »

Blanche secoue la tête. *Elle ne lui avait pas posé de questions.*

« Treize. Elle a tué treize de nos soldats. »

Blanche a envie de crier : « Hourra. » Elle a envie de dire : « Seulement treize ? » Blanche a envie de dire : « Bravo ! » Mais elle n'ose pas.

« Donc c'est simple. Dites-nous juste que Lily est juive et qu'elle appartient à un réseau de résistance – oui, nous savons tout de vos activités, mais nous serons indulgents avec vous et nous vous laisserons partir. Après tout, vous êtes la célèbre madame Auzello. Votre résidence est la nôtre depuis plusieurs années. Nous ne voulons pas vous faire de mal – ce ne serait pas bon pour notre image.

– Je ne sais pas », répond-elle, en disant la vérité, pour une fois. « Elle ne m'a jamais rien dit. Nous n'en avons jamais parlé. » Et Blanche lui en est reconnaissante – si reconnaissante. Car ici, en prison, elle comprend qu'elle n'est pas vraiment l'actrice qu'elle croyait être. Que dira-t-elle quand les nazis lui demanderont si *elle* est juive ?

Blanche Rubenstein Auzello n'en a pas la moindre idée.

Et il est donc heureux qu'ils ne lui posent pas la question. Tout au moins pas encore.

Elle retourne dans sa cellule en pensant qu'elle s'en est sortie, que ce n'était pas si terrible – rien à voir avec les horreurs que lui avait décrites Lily, celles que Robert avait dû endurer –, et donc le pire est derrière elle, pense-t-elle encore, avant de comprendre que ce n'est que le début. Le début de longues journées qu'elle passe seule. Des journées auxquelles succèdent, sans qu'elle s'en rende compte, des nuits au cours desquelles elle est malade – la fièvre, la dysenterie, de mystérieuses éruptions cutanées qu'irrite sa blouse en laine rêche. Des cris qui résonnent dans les couloirs, des cris de femmes. Il n'y a pas d'hommes dans cette section de la prison – à Fresnes les hommes et les femmes sont séparés. Des cris de rébellion qui sont vite étouffés.

Depuis combien de jours est-elle là ? Elle en a perdu le compte. Elle essaie de se repérer en fonction de son cycle menstruel quand, sans protection d'aucune sorte, elle ne peut rien faire d'autre que laisser le sang couler le long de ses jambes. Ça n'arrive qu'une seule fois.

Peu de temps après, un soldat vient dans sa cellule. Il arbore un air détaché, alors elle pense qu'il est là pour l'emmener se faire de nouveau interroger. Au lieu de quoi, il referme la porte derrière lui et commence à déboutonner son pantalon, avec un sourire suffisant. Elle se recroqueville contre le mur, essaie de crier mais aucun son ne sort de sa bouche. Elle est si faible qu'elle n'offre pas plus de résistance au soldat qu'une feuille desséchée se froissant au contact de ses mains. C'est vite fini – elle est si fragile, prête à se casser, la douleur lui brouille la vue –, Dieu merci, il a fini presque aussitôt après l'avoir pénétrée.

Pendant tout ce temps, elle garde les yeux fermés et ne

peut donc pas voir ceux du soldat, pourtant si bleus, tandis qu'il grimace, grogne, transpire et pousse autant qu'il peut – tandis qu'il commet cet acte affreux, invasif, un *viol*. Bon sang, Blanche, ne les laisse pas te voler ton vocabulaire en même temps que ton âme. Si elle ne regarde pas, elle n'aura pas de mémoire visuelle, pas d'images de ce qui lui arrive. Alors, si elle sort d'ici, peut-être oubliera-t-elle ce qui s'est passé. Et, si elle oublie, elle n'aura pas à le raconter à Claude.

Qui, elle le sait, ne pourra pas le supporter. Il n'est pas aussi solide qu'elle.

L'interrogatoire, c'est presque tous les jours. On la traîne hors de sa cellule, on la conduit jusqu'à un officier qui parcourt toujours le même dossier avec la même photo de Lily. Certains jours, elle est accusée d'avoir caché des fugitifs – « connus pour être juifs » – au Ritz. On lui montre alors des photos de gens qu'elle n'a jamais vus. Des gens comme elle. D'autres fois, elle est accusée, à tort, d'avoir tué un officier allemand, d'avoir fait sauter un pont – tout est là, dans son dossier.

Mais chaque fois, ils en reviennent à Lily.

« Dites-le-nous. Dites-nous que Lily Kharmayeff est juive. Et vous pourrez rentrer chez vous. »

Certaines fois, ses ravisseurs se montrent charmants avec elle ; ils lui proposent alors de s'asseoir, lui offrent un thé, une pâtisserie – sans vers à l'intérieur – qu'elle dévore comme un animal, honteuse mais trop affamée pour se retenir. Ils rient et lui posent des questions, avec un intérêt sincère, sur ses célèbres amis du Ritz – ils sont particulièrement fascinés par « l'écrivain Hemingway » –, et elle comprend qu'ils essaient de la briser, de la faire flancher en lui rappelant tout ce qui lui manque, tout ce qu'elle ne reverra peut-être jamais. Ils lui font comprendre qu'il suffit d'une fichue pâtisserie pour qu'elle s'humilie devant eux. Ces interrogatoires-là sont les plus cruels, en fait, car ils la font replonger dans les souvenirs de sa vie d'avant, quand elle était sous le charme de von Dincklage, qu'elle s'inquiétait pour Friedrich, qu'elle essayait de remonter le moral d'Astrid en lui offrant un nouveau chapeau. Quand elle croyait que ces gens-là étaient des êtres humains qui méritaient ses rires, son soutien.

Pendant tout ce temps, Blanche n'est jamais accusée d'aucun des méfaits qu'elle a commis contre eux, elle n'est jamais confrontée à ses mensonges, et elle comprend alors qu'ils ne sont pas très intelligents, ces Allemands. Mais l'intelligence n'est pas requise quand le mal est votre allié.

« Je peux vous faire condamner à mort quand je veux », répète-t-on souvent à Blanche, chaque fois par un Allemand dont les mots essaient de la faire tomber dans le piège de la trahison. « Tout ce dont j'ai besoin, c'est d'un soupçon de vérité. Dites-moi, cette Lily, elle est juive, non ? Une Juive russe, une espionne ? Une pute juive ?

– Je ne sais pas, je ne sais pas », répète Blanche.

Certaines fois, une étincelle se rallume, une étincelle qu'elle croyait éteinte pour toujours, et elle est prête à rejeter la tête en arrière pour leur cracher au visage des mots qui ne sont pas les siens, les mots d'une autre Blanche. Elle est prête à leur dire que la nourriture est pourrie, que leur hospitalité n'est en rien comparable à celle du Ritz. Elle se délecte de son audace. Mais ça ne dure jamais longtemps, c'est impossible. Pas ici.

D'autres fois, en se souvenant, elle se fait du mal, allongée seule la nuit en essayant de ne pas entendre les bruits autour d'elle – elle n'est pas la seule femme violée par les soldats. La porte d'une cellule s'ouvre, se ferme, des grognements, des gémissements, le silence, la porte s'ouvre de nouveau. Et, en vérité, pour quoi d'autre que pour le plaisir des soldats sont-elles là, elle et les autres prisonnières ? Le plaisir de torturer, de punir, de briser, de violer. Mais comment peuvent-ils y trouver du plaisir, alors que les prisonnières sont squelettiques, que leurs cheveux tombent par poignées que les souris emportent pour y faire leur nid, quand leurs intestins se liquéfient et qu'elles sont couvertes de poux ? Blanche se le demande.

Allongée sur son lit de camp au milieu de ce cauchemar, Blanche se punit encore plus en pensant au Ritz.

Elle pense à la salle de bains, dans leur suite, plus grande que cette cellule, dix fois plus grande. Les baignoires au Ritz sont suffisamment larges pour y contenir une armée entière. Elle se souvient de l'histoire que lui a racontée Claude à propos du roi Édouard VII qui était resté coincé dans sa baignoire ; son ami César Ritz avait alors fait enlever toutes les baignoires existantes pour en installer de plus grandes, de celles qui convenaient à un roi.

Elle se rappelle combien il est facile de décrocher un téléphone pour qu'on vous apporte ce dont vous avez besoin, à toute heure du jour. Elle se souvient aussi de ces choses qui la remplissaient de bonheur – quand recevoir une nouvelle robe, un nouveau bracelet ou encore un bouquet de fleurs particulièrement sophistiqué, la faisait danser de joie pendant plusieurs jours. Quand ces *choses-là* importaient – quand sa vie n'était remplie que de *choses* qu'elle amassait, qu'elle mettait de côté.

Avant qu'elle ne commence à s'intéresser à des *gens* pour les sauver.

« Alors, peut-être que, maintenant, tu vas me voir au Ritz. Je vais vivre là – avec toi », lui avait dit Lily, ce jour-là. Et Blanche avait pensé qu'elle l'avait sauvée, elle aussi. Mais Claude n'aurait pas aimé ça – peu importe ce à quoi elle pense, elle en revient toujours à Claude.

Cet homme-là. *Son* homme. Qui avait rugi comme un lion face à J'Ali. Qui lui avait fait croire qu'elle méritait qu'on se batte pour elle. Qui avait fait en sorte qu'il lui soit facile – en vivant au Ritz ! – d'oublier d'où elle venait.

Qui l'avait blessée aussi. Mais Blanche ne se rappelle plus pourquoi elle avait pu un jour être en colère contre lui. Qu'est-ce que le sexe, après tout ? Rien, comparé à l'amour. Et Claude aime Blanche, il n'y a pas à en douter. Après cette dernière nuit qu'ils ont passée ensemble, elle en est sûre.

Parfois, quand Claude la regarde, il a l'air stupéfait, puis il devient sérieux, comme si ses sentiments l'embarrassaient, comme si rien, dans sa petite vie bien comme il faut, ne l'avait préparé à rencontrer une femme comme elle.

Comme si rien ne l'avait préparée, elle, à rencontrer un homme comme lui. Elle voit clairement qui il est maintenant, ce qu'elle n'avait pas pu faire jusqu'à ce que la guerre les éloigne encore plus l'un de l'autre, avant de les réunir à nouveau. Elle voit son intelligence, son caractère étonnamment passionné qui se révèle quand elle s'y attend le moins. Son sens du devoir. L'amour qu'il porte à son pays. Son courage, tout au long de ces dernières années, tandis qu'il s'efforçait de plaire aux Allemands tout en sapant leur pouvoir, juste sous leur nez.

Blanche n'a pas eu grand-chose à faire pour décevoir Claude, tant sa vie manquait de sens, de but. Et Claude n'a pas eu de mal à la décevoir non plus : tellement français, tellement chauvin. Car, honnêtement, ils n'ont pas su quoi faire l'un de l'autre après leur coup de foudre. Chacun a brossé un portrait de l'autre à grands coups de pinceau pour ressembler à ce qu'il souhaitait – et laissé le Ritz les séduire et les distraire. Il était donc facile, à cette époque, d'oublier qu'ils avaient peut-être besoin de compter l'un sur l'autre, de se faire confiance et de s'aimer.

Allongée dans sa cellule, seule, terrifiée, une seule chose apparaît clairement à Blanche désormais.

S'il lui est permis de vivre, elle ne quittera plus jamais Claude.

30

Claude

Juillet 1944

Marie-Louise Ritz, dans un effort touchant pour essayer d'apaiser Claude, a décidé de l'inviter tous les soirs dans sa suite. Le voir retourner dans ses appartements de l'hôtel, où il restera seul, l'inquiète. Elle l'invite donc, et Claude, toujours poli à l'excès, même à cette époque, accepte. Ils prennent le thé – bien que, prévenante, elle pense aussi à lui proposer une boisson plus forte.

Et elle lui raconte des histoires.

Des histoires d'un autre temps. Le présent est trop pénible pour qu'on s'y attarde, elle trouve donc de plus en plus souvent refuge dans le passé qui fut le sien. Elle raconte des histoires sur Marcel Proust et sa chambre aux murs recouverts de liège, chez lui, dans son appartement. Il avait demandé qu'on le conduise au Ritz avant de mourir, mais comme ce ne fut pas possible, il avait alors commandé une dernière bière provenant du bar de l'hôtel et, alors que quelqu'un était en route pour la lui livrer – car, bien évidemment, le Ritz prenait soin de ses pairs –, il s'était éteint.

Elle lui parle de son mari – César Ritz en personne –, lui explique qu'elle pense que le surmenage l'a tué. Parfois, elle raconte des anecdotes sur son plus jeune fils, celui qu'elle a perdu, mais seulement à l'époque où il était enfant, et non du temps où il était devenu ce jeune homme perturbé qui s'est suicidé – d'après les dires de Frank Meier.

Elle lui raconte l'époque où elle était jeune mariée et qu'elle ne connaissait pas encore les fastes du Ritz, mais qu'elle pouvait déjà voir le projet prendre forme dans le regard fébrile de son époux. Elle lui raconte comment ils en obtinrent ensemble le financement – elle ne peut toujours pas prononcer le nom des Rothschild sans froncer le nez de dégoût – et le plaisir qu'elle eut à parcourir le monde pour se procurer les magnifiques objets anciens, tableaux, tapisseries, meubles qui serviraient à décorer l'hôtel.

Et Claude voyait le Ritz à travers ses yeux à elle. Ce grand hôtel, ce lieu saint, ce Taj Mahal est, en toute simplicité, le foyer d'une femme. Et il réfléchit, s'étonne que Blanche et lui n'aient jamais eu de véritable foyer ; ils avaient toujours été heureux de vivre comme des nomades – privilégiés, certes, mais néanmoins itinérants.

S'ils avaient eu une maison à eux, le même lit tous les soirs, une seule adresse au lieu de deux – si elle avait eu à s'occuper d'un foyer, à le décorer, à faire la cuisine, le ménage pour s'occuper –, Blanche, son épouse, serait-elle encore là, avec lui ? Aurait-il pu la garder en sécurité quelque part – n'importe où – ailleurs qu'au Ritz ? À une époque, on aurait pu croire qu'il s'agissait de l'abri le plus sûr au monde. À une époque, Claude y avait consacré plus de temps, d'énergie – d'amour aussi – qu'à sa femme.

Mais après cette dernière nuit passée ensemble, après que Blanche lui a dit ce qu'elle avait fait pour lui, pour Paris – pour la France, même –, quand il l'avait finalement vue comme les autres – Lily, Pearl – la voyaient, courageuse, généreuse, donnant et prenant à peine – Claude ne peut plus penser au Ritz de la même façon. L'hôtel n'est plus que l'une des nombreuses victimes de la guerre. Il repense à cette dernière scène, les derniers mots pleins de tendresse échangés avec son épouse, cette femme qu'il venait seulement de découvrir vraiment, juste avant que les Allemands l'embarquent. Comme ils embarquaient tout le monde.

Si on ne partait pas avant.

« Claude, j'aimerais vous parler », lui dit un jour Frank Meier – tous les jours avaient commencé à se confondre depuis que Blanche était partie. Claude, qui maîtrisait tous les calendriers, les emplois du temps – le maître du temps, pas moins, le rassemblant, l'organisant, le divisant pour en tirer le meilleur parti –, a soudain du mal à savoir quel jour de la semaine on est.

Il ne dort pas beaucoup. La nuit, il ne quitte pas des yeux l'oreiller à côté de lui – des visions de ce que Blanche doit endurer lui traversent l'esprit et le tourmentent. Si elle est toujours vivante.

Au cours de toutes ces années passées au Ritz, Frank et lui ont rarement eu de véritables conversations. Frank règne si bien sur son domaine que Claude ne s'en est jamais mêlé. À part pour commander de l'alcool, s'assurer que les verres ne manquent pas, acheter ou faire raccommoder les serviettes de table et les nappes, fournir suffisamment de citrons et de limes (les citrons verts n'étaient plus qu'un souvenir, désormais, Claude n'avait pu s'en procurer depuis des mois, au grand dam des Allemands), Claude se rendait rarement au bar. Blanche y passait suffisamment de temps pour deux. Et il pensait que ce n'était pas judicieux d'être vu en train de boire avec les clients – lui, si convenable, si sérieux, aurait baissé dans leur estime, celle des clients mais aussi du personnel.

Et il est donc légèrement surpris – la surprise, comme toute émotion qui n'est ni la peur ni la terreur, se fait rare ces jours-ci – quand il voit Frank sortir de derrière son bar, juste après que le complot visant à assassiner Hitler a été déjoué. De ça, Claude ne peut qu'être au courant, un complot dans lequel « leurs » officiers allemands avaient été embringués, y compris von Stülpnagel. Qui lui-même avait disparu avant que Claude ait pu avoir un autre aperçu de son humanité. Ce von Stülpnagel avait été, étonnamment, l'un des nombreux officiers allemands qui se retrouvaient tous les jours au bar en prétendant boire à la santé du Reich, alors qu'en réalité ils préparaient l'assassinat d'Hitler. Prouvant que tous les nazis, malgré leurs uniformes, ne se ressemblaient pas.

Claude, même s'il feignait de ne pas le remarquer – parfois, il pense que, ces jours-ci, son travail ne consiste en rien d'autre que feindre de ne rien voir –, savait que l'idée de ce complot avait éclos dans le bar du Ritz, sous le nez de Frank, qui devait probablement avoir joué le rôle de « boîte aux lettres », cette expression utilisée par les espions, croit savoir Claude – une personne qui reçoit et passe des informations en sachant parfaitement de quoi et de qui il s'agit.

« Regardez-la », dit Frank depuis le seuil du bar. Il montre, d'un signe de tête, une élégante baronne française, blonde, assise avec l'un des officiers allemands nouvellement arrivés – ils étaient si nombreux à avoir débarqué à Paris ces dernières semaines, depuis l'invasion des Alliés et que le complot contre Hitler avait été déjoué –, que Claude ne les comptait plus. La baronne, attifée d'une robe noire en soie aux poignets bordés de fourrure, avec d'énormes bagues et bracelets en diamants recouvrant ses gants de satin noir, joue avec le pied de son verre de champagne en jetant des regards « langoureux », pour ne pas dire plus, à l'officier allemand.

« Eh bien quoi ? » demande Claude d'un air dégoûté – dégoûté par certaines femmes françaises. Bien sûr, les femmes qui ont tenu compagnie aux Allemands pendant toutes ces années ne l'ont pas toutes fait dans leur intérêt personnel, ni pour leur propre plaisir. Il connaît une femme qui a trois enfants malades et dont le mari n'est jamais revenu depuis le début de la guerre. Elle n'a plus jamais eu de nouvelles de lui, elle ne sait toujours pas s'il est dans un camp ou mort. Et quand les Allemands avaient frappé à sa porte, la menaçant de confisquer le peu qu'elle possédait encore, elle avait saisi l'occasion de pouvoir nourrir et soigner ses enfants.

Claude ne peut pas – et il ne le fera pas – juger une femme comme elle, d'autant plus qu'elle a la décence d'avoir honte et d'être discrète. Mais cette baronne, c'est différent. C'est une opportuniste qui ne pense qu'à elle, qui a dîné tous les soirs avec des Allemands, au Ritz, chez Maxim's ou encore chez Lipp, s'affichant avec eux en public.

« La baronne est désespérée, mais essaie de ne pas le montrer, dit Frank, amusé. Elle a tout misé sur la victoire des Allemands et, maintenant que les Alliés sont en route, elle veut que ce *Boche** l'emmène en Allemagne avec lui. C'est bien vu – les Allemands seront plus indulgents avec elle que ne le seront les Français, croyez-moi –, mais ce gars-là est loin de vouloir l'emmener là-bas et de lui présenter sa femme. Peu importe le nombre de diamants qu'elle a proposé de lui offrir.

– J'espère qu'ils vont se dépêcher de déguerpir.

– Ils vont déguerpir. Mais Paris est leur plus gros butin, et ils ne vont pas y renoncer aussi facilement. Venez avec moi, Claude. »

Frank monte l'escalier, suivi de Claude, jusqu'à la suite de Chanel. Il sort une clé de sa poche et la glisse dans la serrure.

« Attendez… comment se fait-il que vous ayez la clé ?

– Elle me l'a donnée », répond Frank en souriant, ce qu'il ne fait pas souvent, et l'effet en est perturbant. Il sourit d'un sourire timide pour un homme de sa carrure. « Coco et moi, nous avons un passif.

– *Mon Dieu* !* »

Claude ne sait pas quoi dire d'autre face à cette bribe d'information. Et, immédiatement, bien qu'il s'efforce de chasser les images qui lui traversent l'esprit, il les visualise tous les deux au lit, Chanel si mince, si sèche et impérieuse, et Frank si costaud, si bourru.

Les deux hommes entrent dans la suite de Chanel, au décor Art déco monochrome ou presque – essentiellement des teintes de brun et de crème. Elle a quelques très beaux tableaux accrochés aux murs, sinon l'endroit est plutôt impersonnel – même si Claude reconnaît que cette femme a suffisamment de personnalité pour compenser. Frank ferme la porte derrière eux.

« Frank, c'est toi ? » Chanel émerge de la salle de bains les bras chargés de serviettes de toilette qu'elle range dans une malle. Sa femme de chambre s'affaire dans tous les sens mais malgré tout s'arrête, les salue d'une révérence et sort après que Chanel le lui a signifié d'un signe de tête dédaigneux.

Claude ne dit pas un mot, il ne sait pas pourquoi il est là. Il a l'impression d'être un intrus.

« Vous partez, Mademoiselle ?

– Oui, pendant quelque temps. L'atmosphère devient irrespirable ici, à Paris, je trouve.

– Elle se sauve avec Spatz, dans les Alpes », l'interrompt Frank, ce qui lui vaut un regard perçant de la part de Chanel. « Elle fuit devant les Alliés, les Parisiens, qui pourraient peut-être ne pas faire preuve d'indulgence à son égard, à l'instar des deux types qui l'ont enlevée. N'est-ce pas, Coco ?

– On peut dire ça comme ça », se contente de répondre Chanel, avant d'ouvrir l'une de ses penderies dans laquelle se trouve un coffre dont elle débloque la serrure.

Elle en retire quelques bijoux pour les cacher dans une autre de ses malles.

« Mais avant de partir, elle... »

Le staccato d'une fusillade à l'extérieur de l'hôtel l'interrompt ; tous les trois se ruent à la fenêtre – une réaction imprudente, pensera Claude plus tard, car ils ne savaient pas d'où provenaient exactement les tirs. Au coin de la rue Cambon, trois soldats nazis sont debout face à un mur, un corps recroquevillé devant eux. Une petite foule qui s'était rassemblée commence lentement à s'éloigner. Le corps, lui, ne bouge pas. Claude ne peut pas voir, de là où il est, si c'est un corps jeune ou vieux, celui d'un homme ou d'une femme, mais il sait que c'est un civil français en moins.

Ils s'éloignent de la fenêtre en même temps, sans faire de commentaire. Tous ont déjà assisté à ce genre de scène ; pourtant, c'est la première fois que Claude en est témoin en regardant par l'une des fenêtres du Ritz. Cet hôtel ne peut désormais plus les protéger, ni des horreurs de la guerre ni des horreurs des représailles qui auront lieu quand les Allemands seront partis. Et qui, parmi eux, sera épargné ? Même Chanel ne peut y compter.

Claude a aidé son pays du mieux qu'il a pu, il le

pense sincèrement. Il se serait battu jusqu'à la mort pour défendre son pays si on ne lui avait pas donné l'ordre, en cette journée noire de 1940, de baisser les bras et de renoncer. Il avait alors trouvé d'autres moyens de se battre, tout en protégeant l'un des symboles de la culture et du bon goût français – et en protégeant aussi tous ceux qui travaillent pour lui.

Mais serait-ce assez pour étancher la soif de sang – qui se fait déjà sentir – des gens, une fois qu'ils seront de nouveau libres de penser et d'agir ?

« Je pars, moi aussi, Claude », dit Frank en allumant une gauloise. Il inhale la fumée. « Il le faut. Ça commence à chauffer – vous le savez mieux que personne.

– Oui. » À l'hôtel, tout le monde est au courant pour Blanche mais personne n'en parle. Tous détournent le regard quand ils croisent Claude. Et chaque fois qu'il fait son travail, chaque fois qu'il s'adresse à un nazi – « Oui, bien sûr, Herr Enreich, je veillerai à ce que votre dîner privé avec telle actrice vous soit servi à vingt et une heures précises. » « Herr Steinmetz, votre nouvel uniforme vient juste d'arriver de chez le tailleur. Voulez-vous que je le fasse monter dans votre chambre ? », « En quoi puis-je vous aider, Herr Machin, Herr Truc ? » –, Claude sait qu'ils gardent Blanche prisonnière, qu'ils ont donné l'ordre de l'arrêter, et il ne peut rien faire contre ça. Si ce n'est continuer à les servir, à les satisfaire, en priant pour que ça lui soit utile.

Il ne lui restait plus qu'à tomber à genoux et à prier la Vierge Marie pour que Blanche soit vivante et lui revienne.

« Je suis donc sur le point de partir, poursuit Frank, pour de bon.

– Pourquoi me prévenir ? Pourquoi ne pas partir sans rien dire ?

– Eh bien, Claude. Vous avez été très correct avec moi et je pense que vous méritez une explication.

– Au sujet de l'argent ?

– Pardon ? » Frank, pour la première fois depuis qu'ils se connaissent, est déstabilisé. Il en laisse tomber sa cigarette mais la ramasse avant qu'elle puisse laisser une marque de brûlure sur la moquette couleur crème.

Chanel, qui continue à s'affairer au milieu de ses tiroirs et de ses penderies, laisse échapper un sifflement.

« L'argent que vous avez pris dans la caisse. L'argent qui revient de droit à madame Ritz.

– Qui vous en a parlé ? Blanche ?

– Non. Quoi ? Blanche ? »

Claude se rend compte que Blanche en a toujours su plus que lui sur le fonctionnement interne du Ritz, les secrets, les chuchotements – la vérité.

« Oui, Blanche.

– Non, elle ne m'a rien dit. Mais c'était inutile. Je compte chaque sou qui entre et sort de cet hôtel. Ce que je ne sais pas, c'est l'usage que vous faisiez de cet argent.

– Et je ne vous le dirai pas. C'est préférable pour vous.

– Vous ne pouvez pas rembourser, n'est-ce pas ? »

Frank secoue la tête, soupire.

« Très bien. Dans d'autres circonstances, j'aurais dû vous virer.

– C'est l'une des raisons pour lesquelles je pars – pour vous épargner d'avoir à le faire, pour m'épargner moi.

– Parfait. Partez. Et ne me dites pas où.

– Je ne dirai rien. Mais j'ai pensé que vous aimeriez être au courant pour Blanche. »

Claude sursaute – ces mots lui redonnent soudain espoir. Évidemment, il avait demandé des nouvelles de Blanche à Frank à plusieurs reprises déjà. Il avait frappé à toutes les portes, aussi bien du côté de la place Vendôme que du côté de la rue Cambon. Il avait coincé toutes les femmes de chambre, tous les garçons d'étage. Mais personne ne savait rien. Tout au moins, c'est ce qu'ils disaient tous.

« Vous savez quelque chose ? Comment est-ce possible ? Vous l'avez vue ? »

Frank jette un coup d'œil à Chanel, qui fronce les sourcils, les mains pleines de lingerie vaporeuse que Claude s'efforce de ne pas remarquer. Puis, après avoir balancé cette lingerie dans une malle, elle s'assied, clairement perturbée. Claude a presque envie de s'excuser pour le dérangement.

Elle croise les bras, ses coudes pointus saillant de part et d'autre de son corps frêle. Rien, chez elle, n'exprime la douceur, remarque Claude. Son nez, son menton, ses chevilles, ses longs doigts maigres. Ses yeux étroits qui ne laissent entrevoir qu'un éclat aiguisé.

« Blanche a été emmenée à Fresnes, dit-elle enfin – même ses mots sont tranchants. Spatz me l'a dit. »

Avalant difficilement sa salive tant il a la gorge sèche, Claude hoche la tête. Il s'en doutait. Il n'a jamais pensé qu'elle ait pu être emmenée dans l'une des petites prisons parisiennes ; sinon, il l'aurait déjà retrouvée.

Mais, soudain, il comprend.

Fresnes.

Fresnes – en dehors de Paris, à environ quinze kilomètres au sud – est la dernière étape avant les camps. Une fois que vous êtes arrivé là, votre sort est réglé. Pas une seule fois, pendant toutes ces années de l'Occupation, il n'a entendu parler de quelqu'un qui, après être allé à Fresnes, en serait revenu vivant.

« Elle y est toujours ?

– Oui. »

Chanel tire sur sa cigarette, rejette la fumée, le regarde comme s'il était une bête de foire, un animal dont le comportement la déconcerte. Il pense que cette femme ne sait pas à quoi ressemble l'amour. Qu'elle ne l'a jamais connu, qu'elle ne peut pas comprendre.

« Merci mon Dieu, quoi qu'il en soit, murmure-t-il d'une voix tremblante. Est-elle… comment va-t-elle ?

– Je n'en sais rien et ça ne me regarde pas. »

Elle écrase sa cigarette dans un cendrier et se lève.

Frank, qui n'avait pas quitté Chanel des yeux, la défiant de le décevoir, marmonne : « Une fois que les gens sont enfermés dans cette prison, il est impossible d'en savoir plus. Elle et Lily ont toutes deux été emmenées là-bas. Je suppose que désormais vous savez ce qu'elles faisaient ? Et donc, Blanche est fichée à la Gestapo. Von Stülpnagel ne vous l'a pas dit ?

– Non. »

Aucun des officiers l'ayant remplacé ne le lui a dit – car, évidemment, Claude a posé la question à chacun d'entre eux. On ne lui a répondu que par des haussements d'épaules ou on a prétendu ne rien savoir. Claude se demande si quelqu'un sait quelque chose parmi tous ces officiers du Troisième Reich qui s'effondre sous leurs propres yeux. Il les voit courir dans tous les sens, se méfiant tous les uns des autres, les télégrammes entre Berlin et Paris se faisant de plus en plus nombreux. Mais qu'importe tout ça, tant que Blanche n'est pas là ?

« Je dois l'avouer, je suis surprise », dit Chanel par-dessus son épaule, tandis qu'elle se penche pour fermer l'une de ses valises. « Je ne pensais pas que Blanche avait ça en elle.

– Quoi ? Le courage ? L'honnêteté ? L'honneur ? »

Claude fonce sur Chanel et la secoue presque. « Plus française, plus patriote que vous ?

– Calmez-vous, Claude. » Chanel le regarde en plissant les yeux, amusée. « Je l'admire, si vous voulez le savoir. Ça n'a pas dû être facile pour elle pendant toutes ces années d'être juive. J'imagine et, d'une certaine manière, je comprends pourquoi elle a fait ce qu'elle a fait. Même si je pense que c'est lamentablement imprudent et stupide.

– Vous saviez, pour Blanche ? » Claude regarde Frank, incrédule. « Frank, c'est vous qui lui avez dit ?

– Non. Ce n'est pas Frank, déclare Chanel. Je suis tout simplement très maligne. Au contraire de nos amis allemands.

– Avez-vous… c'est vous qui l'avez dénoncée ? Je jure sur le drapeau français que si c'est le cas, je… je…

– Ne dites pas de bêtises. » Offensée, Chanel s'est raidie. « Personne ne l'a dénoncée, Claude. Presque tout le monde l'a reconnue, ce jour-là chez Maxim's. Tout le monde a vu ce qu'elle a fait. Et ils savaient où elle habitait.

– Vous avez profité des lois de Vichy, cependant, n'est-ce pas ? Vous avez essayé de reprendre le contrôle de votre marque de parfum en dépouillant vos associés juifs. Vous n'aimez pas les Juifs, Mademoiselle. C'est bien connu. »

Chanel hausse les épaules. « Je suis une femme d'affaires, que dire de plus. Mais je ne suis pas en affaires avec votre femme, Claude. Je l'apprécie plutôt bien, en fait – notre petite combattante. C'est amusant.

– Claude. » Frank intervient tout en jetant un coup d'œil à la pendule. « Il faut que vous sachiez que… la Gestapo… ils sont venus chercher Greep, hier. »

Claude le regarde, d'abord sans comprendre, puis se rend compte de ce que cela signifie.

« Oh. » Les mots lui manquent aujourd'hui, dirait-on. Mais peut-être qu'il n'y a tout simplement pas de mots pour décrire l'horreur. Les mots qu'on utilise – *Occupation, occupants, arrestations, rafles, disparitions* – ne peuvent absolument pas décrire la réalité.

« Ils sont venus chercher Greep », répète-t-il, comprenant enfin ce que lui dit Frank. Et donc, à l'heure qu'il est, ils doivent savoir, comme Chanel, que Blanche est juive – car il y a tout à parier que Greep a avoué le rôle qu'il avait joué dans toute cette histoire. Claude ne s'était pas réellement rendu compte à quel point il avait espéré que Blanche serait capable de continuer à cacher son secret, jusqu'à cet instant – quand une toute petite étincelle, infinitésimale mais essentielle, paraît s'échapper de son corps. Il la voit s'envoler, disparaître au loin, s'éteindre peu à peu à chaque battement de cœur.

« Mais il s'est suicidé. Ce sacré petit Turc – il a sauté d'un immeuble avant qu'ils puissent l'attraper. » Frank rit, avec une pointe d'admiration, et Claude rattrape la dernière petite luciole – lueur d'espoir – qui battait des ailes au loin, referme sa main dessus d'un coup sec, et la tient là de nouveau. Une faible lueur, vacillante. Mais c'est tout ce qui lui reste.

« Je dois donc partir, avant que les nazis viennent me chercher *moi*, car je n'aurais pas les couilles de faire ce qu'a fait Greep. » Frank se lève, enlève sa veste blanche – immaculée, comme elle l'a toujours été. Comment a-t-il pu passer tout son temps derrière le bar avec des liqueurs de toutes les couleurs – la chartreuse et l'absinthe vertes, la Suze jaune et la grenadine d'un rouge rubis – sans jamais en verser une goutte sur lui ? Claude s'est toujours posé la question. Et, bien que Frank et lui n'aient jamais été proches, il ne veut pas que Frank parte. Il ne veut même pas que Chanel parte – il n'est pourtant pas son ami, non, d'autant plus qu'elle est dangereuse et méprisable.

C'est juste que, récemment, trop de gens sont partis en le laissant seul.

Même Martin. Lui aussi a disparu depuis l'arrivée des Alliés. Le nombre de leurs transactions s'était réduit au minimum ; la situation était trop chaotique et la plupart de leurs contacts n'étaient plus à leurs postes. Mais Claude aurait quand même aimé lui dire au revoir avant qu'il… parte ? Ou qu'on soit venu le chercher ? Claude ne le saurait probablement jamais, et peut-être était-ce mieux ainsi.

Alors qu'il dit maintenant au revoir à Frank, les deux hommes s'embrassent, même si Frank, en bon Autrichien, n'aime guère les embrassades à la française. Mais la guerre – l'Occupation – la terreur – la tragédie, une fois de plus les mots ne peuvent exprimer, décrire, ce qu'il en est, quoi que ce soit, c'est ce qui pousse les hommes à se comporter comme ils n'auraient jamais pensé un jour le faire.

Frank se tourne ensuite vers Chanel, qui est debout, les bras le long du corps, si raide, si circonspecte, si dangereuse, et le regarde. « Adieu, Coco. On s'est bien amusés fut un temps, non ?

– Prends soin de toi, Frank », dit-elle d'une voix qui, à la grande surprise de Claude, est capable d'être douce, empreinte de mélancolie. « Où que tu ailles.

– Toi aussi. Si tu veux un conseil, débarrasse-toi de ce nazi le plus vite possible.

– C'est certainement un bon conseil, j'en suis sûre. Mais le cœur ne veut pas écouter les bons conseils. »

Frank rit, embrasse Chanel sur les joues, puis s'en va. Claude se tourne vers elle, la salue d'une révérence, se souvenant des contraintes inhérentes à son rôle de directeur du Ritz.

« Nous garderons votre suite telle qu'elle est dans l'attente de votre retour, Mademoiselle.

– Merci. Je reviendrai, bien évidemment – je ne pourrai jamais abandonner mon affaire. Pour le moment, je pense qu'il est préférable que je prenne quelques vacances. Ne vous inquiétez pas, je paierai ma note.

– Je n'ai jamais pensé qu'il pourrait en être autrement. Et… merci de m'avoir donné des informations sur ma femme. Pouvez-vous faire quelque chose pour elle… Est-ce que von Dincklage ? Je vous en serais, bien évidemment, redevable à jamais. »

Chanel secoue la tête. « Spatz n'a pas ce genre d'influence, Claude. Je lui ai déjà demandé. »

Claude ne se fait pas suffisamment confiance pour ajouter quoi que ce soit. Il ne peut que la saluer, une fois encore d'une révérence, la laissant préparer ses bagages. Avant de sortir, toutefois, il jette un dernier coup d'œil par la fenêtre. Le corps n'est plus là, emporté par quelqu'un, peut-être un proche ? Un nazi ? Qui sait ? Il ne voit aucune trace de sang sur le mur ou la chaussée. Il doit pourtant bien y en avoir.

La guerre est usante, semble-t-il à Claude en cet instant. Il n'y a rien à y gagner, rien à y perdre. Hormis…

Peut-être que cette guerre a finalement apporté certaines choses à Claude Auzello. La compassion, par exemple. Il n'a jamais pensé être un homme froid, mais il a toujours su qu'à une époque il était plus enclin à écouter sa tête que son cœur. Sauf quand il avait rencontré Blanche, c'est le seul moment où il a permis à la passion de dicter ses actions, jusqu'à maintenant – maintenant que la guerre a amplifié le lien entre ses émotions et sa réaction au monde. C'est donc la raison pour laquelle il est si touché par les mots de Chanel – au point qu'il aurait presque envie de les encadrer.

Cette guerre lui a aussi dessillé les yeux, maintenant que Blanche est partie, il a enfin compris : le mariage ne se définit pas en fonction de ce qu'on espère y gagner, mais par ce qu'on est prêt à sacrifier. Et Blanche a sacrifié tout ce qu'elle était pour lui – tout son passé. Et Claude, qu'a-t-il sacrifié pour elle ?

Rien. Mais si Dieu le veut et qu'elle revient, ça changera.

Avec un brusque « *Au revoir** », suivi d'un « et que Dieu vous bénisse » à peine murmuré, Claude laisse Coco Chanel et regagne son bureau.

31

Blanche

Le 24 août 1944

Blanche ne connaît pas les noms des Allemands qui, jour après jour, la traînent hors de sa minuscule cellule en passant devant celles, emplies d'ombres, de toutes les autres prisonnières – qui ne croiseront pas son regard au cas où elle ne reviendrait pas. C'est un truc que vous apprenez très vite : ne pas s'attacher.

La seule chose à laquelle elle pense, c'est la douleur : son épaule gauche la fait souffrir – démise au cours d'un interrogatoire, se dit-elle. Elle ne sait plus. Elle se souvient seulement de s'être évanouie quand le nazi qui l'interrogeait l'a cognée contre le mur en ciment. Quand elle était revenue à elle, elle ne pouvait plus bouger l'épaule normalement – elle essaie parfois de lever son bras plus haut que son torse, mais la douleur est si violente – celle d'un javelot lui transperçant les muscles – qu'elle hurle.

La seule chose à laquelle elle pense, c'est la faim, omniprésente, comme faisant partie d'elle-même, à l'instar des poux qui avaient établi leur camp sur sa tête, ou encore de la saleté sous ses ongles. Parfois, en plaquant sa blouse de laine rêche contre son corps, elle sent ses côtes qui ressortent à travers le tissu et pense alors : « Je suis enfin suffisamment maigre pour cette salope de Chanel. » Et elle a presque envie de rire ; alors elle essaie – rire comme elle en avait l'habitude. Mais elle a oublié comment faire.

La seule chose à laquelle elle pense, c'est survivre. Parfois, quand elle ne trouve pas le sommeil, elle se torture toute seule – comme si les nazis ne suffisaient pas – en se souvenant de choses qu'elle a dites à Claude par le passé, les violentes disputes, les pleurnicheries. Les fois où elle a menacé de le quitter. Les fois où elle l'avait quitté.

Mais elle était toujours revenue – sinon, il était allé la chercher.

Elle ne l'a pas vu depuis des mois. La cherche-t-il au moins ? Elle ne sait rien de ce qui se passe en dehors de cette horrible prison où résonnent les pleurs des femmes déjà perdues sans qu'elles s'en rendent compte. Celles qui ne pleurent pas, car elles savent que les larmes ne les sauveront pas.

Et le bruit métallique des bottes – ces bottes qui vont et viennent, martelant le sol. La peur incessante qu'elles s'arrêtent devant la porte de votre cellule. Vous attendez l'inéluctable. Pourtant, vous vous illusionnez, parfois, en vous disant : « Pas aujourd'hui. Peut-être qu'aujourd'hui ils sont trop occupés. Peut-être qu'aujourd'hui les Américains vont arriver. »

Jusqu'au jour où ils ne sont pas trop occupés. Le bruit, familier, tant redouté, suivi d'un silence. Le déclic, une véritable torture, de la clé dans la serrure, le verrou qui tourne. Un autre bruit de bottes, et elle, immobile, les mains coincées sous les aisselles – s'il lui restait assez de chair à cet endroit si tendre entre le haut du bras et la poitrine, il serait couvert d'hématomes. Alors elle se met debout, elle est sur pied, des pieds sur lesquels elle ne peut plus compter pour avancer, et on la traîne donc dans le couloir. Pour la première fois, elle remarque le sol creusé par les pieds de tant d'autres prisonnières traînées de force elles aussi.

Elle est maintenant dans le bureau d'un autre nazi sans nom – deux nazis, en fait – et, cette fois, pour la première fois, elle a le canon d'une arme pointé sur sa tempe.

« Dénoncez-la, Frau Auzello. À quoi vous jouez ? Vous pourriez être libre. Vous pourriez rentrer au Ritz. Vous pourriez boire du champagne et manger des escargots ce soir, prendre un bain chaud. Cette fille, c'est quoi pour vous ?

– Je ne sais pas si Lily est juive », répond-elle d'une voix faible.

Combien de fois devra-t-elle le répéter ?

« D'accord, vous avez gagné. »

Elle lève la tête, le regarde – refoule l'espoir qui fleurit dans sa poitrine. « C'est-à-dire ?

– Vous avez gagné. Nous oublierons cette Lily. On n'en parle plus.

– Vous… Je. »

Comment remercie-t-on un Allemand ? Blanche est incapable d'articuler un mot.

« Oui. Nous allons plutôt nous occuper de votre mari. Si vous ne voulez pas dénoncer votre amie, nous arrêterons votre mari. Le très estimé Claude Auzello, directeur du Ritz. Nous trouverons quelqu'un pour le remplacer. Nous trouverons des raisons de l'accuser… il a déjà fait de la prison. Nous dirons avoir découvert que c'était lui, le responsable, quand la lumière est restée allumée dans les cuisines le soir de l'attaque aérienne.

– Mais non ! Vous ne pouvez pas… C'est *moi* qui ai allumé ! C'est moi !

– C'est ce que vous dites. Mais comme vous ne lâchez pas un mot sur votre amie, comment voulez-vous que nous puissions vous croire ? Je pense qu'il est préférable que nous arrêtions votre mari. »

Et l'homme attrape le téléphone.

En cet instant, quelque chose se brise à l'intérieur de Blanche – toutes ces années à faire semblant, à se cacher, s'effondrent comme un iceberg se détachant d'un glacier, balayant tout sur son passage, des couches et des couches de glace dérivant sur l'eau, provoquant un raz-de-marée dans un bruit assourdissant. Son cœur bat si fort – un cœur si affaibli par la malnutrition qu'elle pense qu'elle va tomber raide morte avant d'avoir pu dévoiler la vérité et sauver Claude. Elle passe alors sa langue sur ses lèvres desséchées, parcheminées, et crie – ou plutôt laisse échapper un bruit sourd, rauque, car elle n'a plus la force de crier : « C'est *moi* ! *C'est moi qui suis juive !* Pas Lily. Oubliez Lily… Vous voulez une Juive ? Eh bien, vous en avez une, c'est moi ! Blanche Rubenstein ! Alors, laissez-le tranquille, laissez Claude tranquille ! » Elle pleure, essuie des larmes qui ne coulent pas, tant elle est déshydratée. « C'est moi qui suis juive – n'arrêtez pas Claude, je vous en prie ! » Elle tombe à genoux, suppliant.

Les deux Allemands échangent des regards étonnés, haussent les sourcils. L'un des deux sourit, l'autre aussi puis, et elle en est horrifiée, ils éclatent de rire.

« Pourquoi mentez-vous ? Vous êtes madame Auzello du Ritz. Les Français n'aiment pas les Juifs. Surtout au Ritz. Avez-vous déjà vu des Juifs au Ritz ? » Il pouffe de rire.

« Mais c'est vrai ! Je le jure – mon nom de jeune fille est Blanche Rubenstein, pas Ross. Mon passeport… c'est un faux. Je ne suis pas originaire de Cleveland ; je viens de l'Upper East Side à Manhattan ! »

Et elle se met à rire elle aussi, c'est contagieux. Elle rit, parce qu'elle se souvient comme ce fut facile. Pour Claude, elle avait effacé son passé.

Et pour Claude, elle se réclame de nouveau de son passé.

« Vous n'avez rien compris », dit-elle. Elle lève les yeux, espérant lire sur le visage de l'Allemand quelque chose qu'elle reconnaîtrait – de la pitié, de l'humanité. Même de la haine – elle s'en contenterait. « Je suis juive ! Je suis… je suis Blanche Rubenstein !

– Vous êtes Blanche Ross Auzello, catholique. » L'autre officier referme brusquement son passeport. « C'est ridicule. Vous essayez de couvrir votre amie juive. J'en ai assez. » L'officier la soulève pour la remettre sur pied, appuyant toujours son arme sur sa tempe, et le *clic* du cran de sûreté résonne dans sa tête. Elle sait alors, elle en est certaine, qu'elle va mourir.

« Ne faites pas de mal à Claude », dit-elle doucement, sans fermer les yeux. Car même si elle ne veut pas voir la soif du mal, la joie sur leurs visages si laids, elle ne veut pas qu'ils devinent sa peur.

Son corps est secoué de tremblements, elle essaie d'avaler mais n'a pas de salive. Il ne reste rien, absolument rien de Blanche Rubenstein.

Blanche Auzello.

Puis soudain, l'arme s'éloigne. Venu de dehors, un vacarme se fait entendre – le bruit de bottes qui courent, des crissements de freins, des grondements de moteur, des cris. Ses tortionnaires se regardent et, pour la première fois depuis 1940, Blanche voit la confusion, la peur dans des yeux allemands.

Ils la laissent seule et elle se traîne jusqu'à la fenêtre. Elle voit alors le chaos qui règne à l'extérieur : des nazis partout, ces uniformes vert-de-gris qui sortent des bâtiments et courent dans tous les sens – c'est presque comique.

Des papiers volent dans les airs tels des flocons de neige. En levant les yeux, elle comprend qu'on jette des tas de papiers par les fenêtres, certains en train de brûler, projetant des étincelles orange, semblables à des lucioles.

« *Amerikaner ! Amerikaner !* »

Les Américains !

Blanche s'agrippe au rebord de la fenêtre, essayant de jeter un coup d'œil à travers les barreaux, et elle veut désespérément croire à ce qu'elle voit, à ce qu'elle entend, mais n'y parvient pas. Pas encore.

« *Amerikaner !* »

Les Américains – ils doivent donc être là. Mon Dieu, Paris est enfin hors de danger.

Mais attendez… Là-bas ! Dans l'ombre entre deux bâtiments, elle la voit. Elle *la* voit, Lily, elle est là, elle porte une robe bleue, celle dans laquelle Blanche l'a vue pour la dernière fois, un bleu passé, comme un ciel d'été décoloré. Blanche ne voit pas les détails, seulement la robe bleue, mais c'est Lily, ça ne peut être qu'elle ! Lily qui court, qui vole – Lily qui s'enfuit, et Blanche veut l'appeler, Blanche veut qu'elle revienne la chercher. Mais Lily doit fuir en courant. Il faut qu'elle saisisse l'occasion.

Blanche doit lui donner l'occasion de s'en sortir. Car c'est à cause d'elle si Lily a été arrêtée.

« Toi ! »

L'un des *Boches** est de retour dans la pièce. Il attrape Blanche et la traîne derrière lui en montant un escalier, avant de traverser un couloir. Alors, pour la première fois depuis des mois, elle est dehors ; mais la lumière est trop vive, c'est trop grand, il n'y a pas de plafond, pas de murs, elle est exposée, elle ne parvient pas à remplir ses poumons d'air frais. Elle suffoque, elle s'agite dans tous les sens, comme un poisson hors de l'eau.

« Toi », répète l'officier allemand, la coinçant le long d'un mur de brique taché de sang. Et le canon de son arme est pointé sur la tempe de Blanche.

« Je suis juive, murmure de nouveau Blanche. Je suis juive.

– Laisse-la. » Elle reconnaît la voix d'un officier l'ayant déjà interrogée et qui passe devant elle, les bras chargés de dossiers et de papiers. « Laisse-la. Cette salope est folle, elle raconte des conneries. Laisse les Américains s'en occuper. Des Juifs au Ritz ? Elle est bien bonne, celle-là ! »

Ils sont tous partis. Ils ont disparu. Seul un nuage de poussière témoigne de leur présence passée.

Non. Non, ce n'est pas vrai. On voit partout des signes de leur présence passée – l'araignée noire du drapeau nazi qui pend aux fenêtres, tous ces papiers qui brûlent. Les taches de sang pourpres – presque noires – sur les murs devant lesquels les pelotons d'exécution ont fait leur travail. Des taches de sang au sol. Des taches de sang partout.

Des gens – à moins que ce ne soit plus que des fantômes – partout aussi. Quelques étoiles jaunes sur les uniformes de prisonniers à rayures – des jeunes filles qui, un jour, furent belles et qu'on avait gardées ici pour le plaisir des officiers au lieu de les envoyer dans les camps. Mais, ici à Fresnes, la plupart des prisonniers ne portent pas d'étoile jaune. Les étoiles jaunes ne sont plus en France depuis longtemps, ni nulle part ailleurs sans doute. À moins qu'il y ait des étoiles jaunes comme elle, cachées, mais à la vue de tous, forcées de regarder les horreurs en silence. Un silence qui protège tout autant qu'il rend honteux.

Les prisonniers sortent en titubant des bâtiments, tels des somnambules. Ils clignent des yeux sous la lumière du soleil. Certains se traînent à genoux, trop faibles pour marcher.

Blanche fait partie de ces somnambules. Elle avance de quelques pas, en vacillant, vers l'endroit où elle a aperçu la robe bleue. Elle fouille du regard les visages couverts d'hématomes, cabossés, squelettiques, et cherche Lily.

Puis elle cherche quelqu'un d'autre. Même s'il est à quinze kilomètres de là, au Ritz.

« *Claude ! Claude !* »

« Auzello ? »

Blanche cesse de s'agiter, de tourner sur elle-même, désorientée. Il y a quelqu'un, par terre, à ses pieds. Quelqu'un qui, un jour, a été un homme mais à qui il manque désormais un bras – le moignon à nu, comme un bâton noir flétri –, les yeux qui lui sortent de la tête, la bouche tuméfiée, il peut à peine parler. On lui a rasé la tête, mais quelques touffes de cheveux ont recommencé à pousser – des cheveux noirs, drus. Il est recroquevillé sur le sol avec, de toute évidence, les jambes brisées – désarticulées comme celles d'une marionnette. Il est à peine vivant, et Blanche devine qu'il va bientôt mourir.

Elle se baisse et l'entoure de ses bras. « Qu'avez-vous dit ?

– Claude Auzello ? » Il doit faire une pause, il respire avec peine et Blanche n'entend pas ce qu'il dit. « Êtes-vous… Blanche ? » L'homme a la fièvre, il est brûlant. « Il est… très courageux.

– Qui ? demande-t-elle d'une voix pressante. Vous parlez de Claude Auzello ? »

Mais l'homme est maintenant inconscient, peut-être mort. Et Blanche ne peut que le laisser là, pour que quelqu'un d'autre l'enterre. Il faut qu'elle se sauve d'ici avant que les nazis reviennent.

Les prisonniers pouvant encore tenir debout se regardent et la confusion se lit dans leurs yeux rouges, larmoyants.

Pour la première fois depuis longtemps, il n'y a personne pour leur dire ce qu'ils doivent faire.

Sans un mot, ils avancent en se traînant vers la sortie aux grilles grandes ouvertes, devant lesquelles on voit des traces fraîches de pneus sur le gravier. Une femme tombe à côté de Blanche qui ne peut pas l'aider, elle ne peut que l'enjamber.

Elle s'arrête une seule fois pour se débarrasser de ses sabots en bois qui sont si grands qu'elle peut à peine avancer. Et se retourne pour chercher des yeux, une toute dernière fois, la robe bleue. Lily.

Mais Lily est partie. Blanche se dit qu'elle s'est sauvée loin d'ici, qu'elle est hors de danger, ou qu'elle se cache quelque part, qu'elle les regarde partir tous, et s'assure que les Allemands ne reviendront pas. Et qu'elle va revenir la chercher, plus tard. Blanche ne peut que se dire ça.

Car elle doit continuer à avancer. Elle doit rentrer à la maison. Au Ritz.

Et retrouver Claude.

32

Claude

Le 24 août 1944

« Monsieur Auzello, un appel pour vous. »

Claude hoche la tête, tempérant la lueur d'espoir que ces mots ont fait naître. Depuis des mois, chaque appel n'est qu'une désillusion. Il n'a aucune raison de croire qu'aujourd'hui sera différent des autres jours.

Mais ça l'est. L'hôtel, les rues ne sont plus les mêmes, l'air aussi a changé – et, si vous prétendez être un peu médium, vous pourrez peut-être même y deviner des vibrations. Si vous êtes quelqu'un comme sa Blanchette.

« Je prends. » Claude suit le portier – François, qui est tout nouveau au Ritz, très jeune ; il était encore à l'école le jour où les *Boches** étaient arrivés – et traverse l'entrée au sol de marbre poli, jusqu'à son bureau où se trouve le téléphone. Un téléphone qui, il le sait très bien, est sur écoute.

Ses hôtes, aujourd'hui, ont d'autres chats à fouetter, dirait-on. Il vient de se passer quelque chose. Plusieurs officiers sont partis la veille au soir sans payer leurs notes. « Mettez-les sur le compte de Vichy », ont-ils aboyé. Et Claude leur a répondu, en leur faisant des courbettes, qu'il n'y manquerait pas, même si le gouvernement de Vichy n'avait pas un sou – ou plus exactement un mark – à lui.

C'est comme si le jour du jugement dernier était arrivé. Car si les Américains sont aux abords de Paris, comme le laisse entendre la rumeur, l'heure de vérité a sonné pour les *Boches**. Mais Claude ne peut s'empêcher de penser que l'heure de vérité va sonner aussi pour tous ceux qui ont survécu.

Il attrape le téléphone, prêt à le coller à son oreille. Prêt à écouter des banalités – peut-être un poissonnier qui veut lui vendre sa dernière pêche.

Peut-être aussi quelque chose d'horrible.

« Allô ? Claude Auzello, j'écoute. »

La voix au téléphone n'est pas celle qu'il espère entendre. Il ne la reconnaît pas ; c'est une voix étrangère – qui le remplit à la fois de peur et d'espoir.

Claude entend alors le nom de Blanche.

Il pousse un cri en la voyant. Une abstraction, la vision, horrible, d'une femme effondrée contre une clôture en bois défoncée, au bord d'une route.

Dès que Chanel lui avait appris que Blanche avait été emmenée à Fresnes, Claude y était allé, à de nombreuses reprises. Chaque fois, il apportait de la nourriture, du vin, des pâtisseries, du chocolat – « Un petit cadeau de la part du Ritz », déclarait-il, retirant d'un geste flamboyant la serviette blanche en tissu qui enveloppait ces mets délicats. Chaque fois, on s'empressait de lui arracher le panier des mains.

Chaque fois, on le renvoyait non seulement sans qu'il puisse voir Blanche mais sans même qu'il puisse savoir si elle était encore là.

Et donc, malgré le chaos qui régnait partout – des coups de feu, un tank américain sur une route transversale, des civils qui couraient dans tous les sens, ne sachant pas exactement quoi faire : se réjouir, se cacher, se battre ? –, dès qu'il eut raccroché le téléphone, Claude sauta dans l'une des camionnettes de livraison du Ritz et fonça comme un fou jusqu'à la périphérie de Paris. Blanche avait réussi à atteindre l'une des maisons à environ un kilomètre de la prison, lui avait-on raconté. Mais elle ne pouvait pas faire un pas de plus.

Ce n'est pas elle, ça ne peut pas être elle. Ça ne peut pas être sa Blanchette.

Cette femme pèse vingt kilos de moins que Blanche. Ses cheveux sont gris, clairsemés. Sa peau est tirée sur les os de son visage. Elle respire avec difficulté. En voyant une dent cassée dans sa bouche entrouverte, Claude est sur le point de faire demi-tour. Ses mains – autrefois si élégantes, aux ongles manucurés peints en rouge – tremblent, les ongles cassés. Elle ne fait aucun effort pour cesser de trembler. Ses pieds nus sont sales et en sang.

Mais ses yeux… ses yeux ressemblent à ceux de Blanche.

« Blanche ! » Il court vers elle, craignant de l'embrasser tant elle paraît fragile. Et quand il passe un bras autour de ses épaules pour l'aider à monter dans la camionnette, elle pousse un cri de douleur. « Qu'est-ce qu'ils t'ont fait, mon amour ? » Il ne peut s'empêcher de poser la question même s'il ne veut pas savoir.

Blanche secoue la tête et ferme les yeux dès qu'elle est installée sur le siège du passager.

Claude serre les dents à chaque nid-de-poule, à chaque coup de klaxon, car le danger rôde toujours – on voit des Allemands abandonnés par leurs régiments, acculés. On dit que les routes ont été minées par les résistants. Et il reste encore des poches de combats, au cœur même de Paris.

Il s'entend parler comme il n'a jamais parlé avant, racontant des ragots, n'importe quoi pouvant rompre le silence, faire taire la peur, assourdir la respiration irrégulière de Blanche – « Von Dincklage est parti, Chanel est de retour, désespérée. Et sans personne pour la protéger ». Claude a très envie d'entendre la voix de Blanche. Il espère tellement l'entendre qu'il ferait n'importe quoi – se mettre à chanter une aria, lui raconter qu'il a lui-même tiré sur Hitler – juste pour qu'elle parle, ne serait-ce qu'une fois. Juste pour qu'elle prononce son nom. « Et Arletty aussi… son amant allemand est parti. On raconte que les civils français qui… qui ont collaboré, comme on dit, sont enfermés dans les prisons que les Allemands viennent de quitter. Je pense que les Américains vont libérer Paris demain. Presque tous les Allemands résidant au Ritz sont partis, il ne reste plus que quelques sbires. Toutefois, nous devons encore être prudents. Pendant quelque temps. Et ensuite, mon amour, nous ferons la fête ! Paris sera en fête comme il ne l'a encore jamais été ! »

Elle n'ouvre pas les yeux pour autant, ne dit rien. Une fois de plus, Claude ne trouve pas les mots adéquats, et il retombe donc dans un silence désespéré. Autrefois, il avait pensé que le français était la langue la plus parfaite au monde, cette langue avec laquelle il avait conquis Blanche. Elle avait l'habitude de dire qu'elle était tombée amoureuse de lui à cause de son accent. Mais la guerre avait aussi fait voler en éclats cette illusion. Car la guerre, quelle que soit la langue, n'a aucun sens.

Ils arrivent finalement place Vendôme. Les camions et les tanks nazis sont partis, bien que les drapeaux avec la croix gammée pendent toujours au-dessus des grandes portes. Mais ils sont chez eux. Et son cœur se gonfle de joie.

Les Auzello sont de retour au Ritz.

Quand Claude porte Blanche pour monter les marches,

il aperçoit le personnel au complet rassemblé dans l'entrée. Blanche lève la tête et les voit aussi. Elle s'agite, essaie de prendre de grandes inspirations sans y parvenir – retrouver son souffle est trop douloureux, elle se tient les côtes d'une main –, et dit d'une voix rauque : « Laisse-moi mettre pied à terre, s'il te plaît. »

Il obéit, même s'il est persuadé qu'elle va tomber.

« À partir d'aujourd'hui, nous entrerons toujours par la place Vendôme », murmure-t-elle. Ses yeux, au milieu de son visage émacié, brillent. Pleins de courage.

En la voyant, le personnel est horrifié et ne peut le cacher. Marie-Louise elle-même a les larmes aux yeux tandis qu'elle s'empresse auprès de Blanche. Claude soutient sa femme pour lui faire traverser la galerie – la Galerie des Rêves, comme on l'appelait autrefois, mais les vitrines sont vides désormais, en partant, les nazis ont pillé tous les rêves – jusqu'à l'aile Cambon, avant de prendre l'ascenseur de service. Il lui est impossible de monter l'escalier avec Blanche dans ses bras.

« Cher Claude », dit Marie-Louise à voix basse, après qu'il a porté sa femme – elle ne pèse rien – jusque dans leur suite et qu'il l'a tendrement allongée sur leur lit. « Cher Claude. Chère Blanche. » Madame Ritz pleure ; les larmes creusent des sillons sur son visage lourdement poudré. « Que ça puisse se passer ici. À Paris. Dans la demeure de mon époux. » Elle secoue la tête et sort de la chambre, pressant la main de Claude en signe de sympathie.

« Mon amour », dit-il en regardant son épouse, si frêle, si fragile. « Je voulais juste te mettre à l'abri du danger, murmure-t-il. Je voulais juste nous mettre tous à l'abri du danger.

– C'est plutôt raté, tu t'es plutôt mal débrouillé sur ce coup-là », dit-elle en riant.

Son rire ressemble à du verre écrasé par une botte nazie. Claude l'arrête, il ne supporte pas ce bruit, même s'il ne peut s'empêcher de l'admirer – il ne peut s'empêcher d'admirer qu'elle puisse rire de tout ça, de ce qu'elle a enduré. « Je ne te mérite pas Blanche. Je ne mérite pas ce que tu as fait pour Paris… pour moi.

– Plus jamais de mensonges, Claude. » Et maintenant, elle pleure, elle ne rit plus. Claude grimpe doucement sur le lit, se blottissant contre elle, indifférent à la saleté, aux poux, à l'odeur. « Plus jamais de mensonges entre nous. Je leur ai dit – j'ai dit à ces foutus nazis que j'étais juive.

– C'est la raison pour laquelle ils… ? »

Claude ne peut se résoudre à prononcer le verbe *torturer*.

« Non ça, c'était avant. Mais ils ne m'ont pas crue, Claude. Ils n'ont pas cru qu'il pouvait y avoir une Juive, ici, au Ritz.

– Nous ne le cacherons plus, promet Claude. Rien que la vérité, désormais, mon amour. »

Elle reste si longtemps sans bouger qu'il pense qu'elle s'est endormie – il doit écouter bien attentivement pour s'assurer qu'elle respire, mal, mais calmement. « Je te promets de te protéger contre tout danger, chuchote-t-il. Pour le restant de ma vie. Je suis prêt à tout sacrifier pour te protéger. »

Et Claude ne sait pas si ces deux promesses – dire la vérité et la protéger contre tout danger – peuvent être tenues, même en temps de paix. La seule chose qu'il sait, c'est qu'il doit au moins essayer.

Et encore une chose.

Plus personne n'aura à montrer à Claude Auzello à quel point sa femme est courageuse. Il le verra chaque matin, chaque soir. Dans chacune de leurs conversations, dans chaque petite chose qu'elle lui livrera d'elle – chaque sourire, chaque froncement de sourcils, chaque pleur, chaque rire.

Mais jamais il ne sera digne d'elle.

Le Ritz

Le 25 août 1944

« J*e suis venu libérer le Ritz* », *pavoise-t-il en sautant de sa Jeep, atterrissant sur ses deux jambes bien droites, tels deux épais troncs d'arbres, les mains sur les hanches. Sa barbe est plus longue et broussailleuse – et plus blanche – que la dernière fois où il a été vu au Ritz.*

Toutefois, le Ritz le reconnaît. Hemingway en personne – venu libérer le Ritz !

Claude Auzello, debout à l'entrée du côté de la place Vendôme, réprime un sourire. Le Ritz a déjà été libéré. Le dernier Allemand est parti la veille au soir et, dès qu'il est sorti – hargneux, crachant des obscénités –, le personnel au complet a applaudi et éclaté en sanglots. Tous ont fait le tour de l'hôtel d'un pas conquérant, semblable à celui des soldats, décrochant tous les drapeaux à croix gammée. Ils ont ensuite fait la fête dans la Suite impériale, sautant sur le lit dans lequel Göring avait dormi, s'affublant des robes de chambre ornées de plumes de marabout et dansant au son du gramophone qu'il avait réquisitionné – bizarre à quel point les Allemands aimaient écouter chanter les Andrew Sisters, et plus particulièrement "Bei Mir Bist du Schön". *Au moins dix des femmes de chambre et garçons d'étage s'étaient assis dans la gigantesque baignoire (après l'avoir récurée, bien évidemment) et avaient bu le bon champagne que monsieur Claude avait réussi à cacher aux Allemands en le gardant dans un entrepôt sur la rive gauche de la Seine.*

Hemingway sort un pistolet de l'étui qu'il porte en bandoulière sur sa large poitrine – un pistolet allemand à la vue duquel plusieurs membres du personnel ne peuvent s'empêcher de sursauter, effrayés. Il arbore un uniforme de l'armée américaine, et il est accompagné de quatre de ses compatriotes.

Il monte quatre à quatre les marches de l'entrée place Vendôme, et Claude Auzello le salue d'une inclinaison du buste.

« Je suis ici pour libérer le bar du Ritz, annonce Hemingway en regardant derrière lui. Suivez-moi, les gars ! » Et, le pistolet à la main, il dévale en courant la Grande Galerie en souriant de toutes ses dents très blanches d'Américain. Il a l'air en bonne santé, bien nourri – il jubile.

Surgissant dans l'aile Cambon, Hemingway passe en trombe la porte du bar et annonce : « J'ai réussi ! Le Ritz a été libéré par les Alliés ! À boire pour tout le monde ! »

Et bientôt le bar se remplit de visages familiers, des Américains et des Anglais – tous couverts de poussière, en uniforme, mais tous remarquablement bien nourris et excités. Robert Capa, Lee Miller, des correspondants de guerre. Picasso est de retour, lui aussi, après avoir passé la période de l'Occupation terré dans son appartement (au contraire de Gertrude Stein et de son amie Alice, qui ont fui à la campagne). George Scheuer, l'adjoint de Frank Meier – devenu barman en chef maintenant que Frank est parti – est si occupé à faire sauter les bouchons de champagne que, pendant un temps, on pourrait croire entendre des coups de feu à l'intérieur même de l'hôtel. Mais personne ne s'en inquiète – tout le monde continue à boire, à rire, à se taper dans le dos.

Et puis…

« Salut, les gars. » C'est Marlene Dietrich en personne qui se fraye un chemin jusqu'à Hemingway. « Papa », ronronne-t-elle. Il se jette à genoux et s'incline devant elle. Elle est vêtue d'un uniforme de l'armée américaine parfaitement ajusté à sa silhouette. Ses cheveux blonds, coupés court comme ceux d'un petit page, brillent et elle est soigneusement maquillée. On dirait qu'elle sort tout juste d'un plateau de tournage. Mais, d'après la rumeur, elle descend tout juste d'un camion de l'armée, dans lequel elle est arrivée à Paris accompagnée de soldats américains.

« La Chleuh ! Longue vie à la Chleuh ! » Pendant quelques secondes, tout le monde retient son souffle, avant de se rappeler que c'est le surnom dont Hemingway a affublé la chanteuse. Alors, tous applaudissent, tandis qu'ils s'étreignent et échangent un baiser passionné.

« Tu as besoin de te raser », le sermonne-t-elle avec cet accent allemand qui est bien le seul que tous sont encore prêts à supporter. « Mais d'abord, buvons. »

Et la fête continue. Et chacun pense, veut croire, qu'elle ne cessera jamais.

Maintenant que les Allemands ont enfin quitté le Ritz, place Vendôme.

33

Blanche

Septembre 1944

« Blanche, hé, Blanche ! »

Quand Blanche, pour la première fois depuis son retour, s'aventure dans le bar, elle est accueillie par des applaudissements. Déstabilisée, elle avance alors d'un pas mal assuré et s'apprête à s'installer à sa table habituelle. La voir est une joie mais aussi un choc. Hemingway essaie, sans vraiment y parvenir, de cacher son inquiétude.

Il tire sa chaise avec une gentillesse déconcertante pour un homme à la carrure aussi imposante et lui offre un verre. Il entreprend alors de lui raconter ses aventures et comment il a suivi l'armée en France, après s'être ennuyé à Londres en attendant l'invasion par les Alliés. Blanche écoute, hoche la tête, comme on attend qu'elle le fasse. Pour autant, elle constate qu'il ne pose aucune question sur les absents, comme « son bon copain » Frank Meier. Comme Greep. Comme son cireur de chaussures préféré, Jacques. Comme l'homme qui avait l'habitude de le raser, Victor.

Dietrich – mince, blonde, en pantalon, ce que Claude désapprouve – chante ses chansons les plus célèbres, entourée d'une bande d'admirateurs. Blanche hume le parfum de la rose, une seule, comme toujours, dans le petit vase posé sur sa table par Claude, ce cher Claude, qui continue à avoir peur dès qu'il ne l'a plus sous les yeux. Aussi, pour une fois, il est heureux de la voir passer la journée au bar, buvant martini sur martini. Des martinis, dont elle se dit qu'ils ne pourront probablement pas brouiller ses pensées, ni effacer sa mémoire ; pour autant, elle ne veut pas se priver d'essayer.

Ernest avale le sien cul sec. Elle remarque, et ce n'est pas la première fois, que ses mains sont aussi larges et tannées qu'un gant de base-ball.

« Regarde, Blanche. » Il caresse l'immense ceinture en cuir noir qui sangle son gros ventre. « Je l'ai prise à un nazi. Je l'appelle ma ceinture chleuh. »

En y jetant un coup d'œil, elle se met à trembler, c'est plus fort qu'elle. Elle attrape alors son verre à deux mains et parvient à le porter à ses lèvres sans trop en renverser. Il ne se rend compte de rien – on est entre amis, des amis qui partagent leur ébriété.

« Hé, qu'est devenue ton amie ? Cette petite Russe ou je ne sais quoi ? »

Blanche le regarde attentivement. Son visage aux traits fins, bien que large, respire la bonne santé, le bon temps. Les privilèges. L'ignorance.

Blanche hausse les épaules – ce haussement d'épaules si pratique, mis au point pour des moments pareils – et change rapidement de sujet en lui demandant des nouvelles de sa situation conjugale compliquée.

« Oh, Martha arrive bientôt, mais Mary est ici. Il faut donc que je m'assure que Martha séjourne dans un autre hôtel. »

Il montre du doigt une jeune femme aux cheveux bruns, coupés court, assise près de Marlene. Ses vêtements sont banals, elle manque d'élégance et semble regarder Dietrich avec jalousie. Tout le monde sait que Dietrich et Hemingway entretiennent depuis toujours une relation passionnée, et le premier soir où Dietrich est revenue au Ritz, elle a passé la nuit avec l'écrivain après l'avoir rasé devant tout le monde – Capa a immortalisé l'instant en prenant une photo qui a déjà été publiée dans tous les journaux.

C'est le genre d'histoires qui, à une époque, remplissaient les journées de Blanche. Elle se levait tous les matins impatiente d'en apprendre d'autres. Mais maintenant, tout ça lui semble sans intérêt. Et injuste – tous ces gens qui ont vécu « merveilleusement » la guerre peuvent penser à l'amour, aux infidélités, peuvent jouer très sérieusement à ces petits jeux-là. À l'intérieur d'eux, ils ont encore de la place pour ça – leurs estomacs ne sont pas remplis de haine et de culpabilité.

« Mary est reporter, elle aussi. Nous nous sommes rencontrés à Londres. Martha est furieuse contre moi. Mais moi, je suis furieux contre elle. Elle a débarqué en Normandie en même temps que les soldats. » Finalement, une ombre passe sur son visage, mais rien de plus que la manifestation d'une irritation, celle d'un petit garçon pour qui les choses ne se sont pas passées comme il le voulait. « C'est elle, une foutue bonne femme, qui a débarqué avec les premiers soldats qui ont mis un pied sur le sol français, alors que mes papiers étaient bloqués et que je ne pouvais pas débarquer. Ça me tue, Blanche, ça me tue. Je n'ai jamais connu une telle tragédie. »

Blanche lui demande de lui servir un autre martini, en priant pour ne pas le lui jeter à la tête, agacée par ses vantardises. D'ailleurs, si elle le faisait, que se passerait-il ? Que peut-il donc désormais vraiment arriver à Blanche dont elle aurait à se soucier, dont elle aurait à avoir peur ?

Ils sont tous comme ça, ces Américains, ces Anglais, tous

ceux qui ont passé la guerre de l'autre côté de la Manche – trop joyeux, trop bruyants, trop foutrement heureux. Et Blanche aimerait tant être comme eux – mon Dieu, elle aimerait tant ! Elle avait pensé – elle avait *su* –, durant toutes ces longues semaines à Fresnes, que si elle pouvait revenir au Ritz, tout serait comme avant. Et donc, tous les matins, elle s'habille comme avant – elle s'est même acheté une robe neuve chez Chanel qui, en lui jetant un coup d'œil, lui a dit : « J'aime ce que tu as fait à tes cheveux, Blanche. »

Blanche avait tendu à la vendeuse une somme exorbitante d'argent américain. Un jour, une enveloppe à son nom était apparue, glissée sous la porte de leur suite – elle avait reconnu l'écriture de Frank Meier. À l'intérieur, elle avait trouvé plusieurs centaines de dollars, mais pas de petit mot. Elle s'était attendue à ce que Claude exige qu'elle rende cet argent à madame Ritz mais, étonnamment, il n'en avait rien fait.

« Et je vois que toi tu as toujours tes cheveux, salope », avait rétorqué Blanche.

Car Coco n'avait pas été arrêtée avec les autres femmes qui avaient eu un amant allemand, et ses cheveux n'avaient pas été rasés comme ç'avait été le cas pour les autres et personne ne savait pourquoi. Qu'elle ait distribué des flacons de Chanel n° 5 à tous les militaires américains pour offrir à leurs petites amies quand ils rentreraient avait sûrement dû jouer en sa faveur. Ils s'étaient tous tellement entichés d'elle qu'ils ne laisseraient aucun des tribunaux civils assoiffés de vengeance toucher à un cheveu de sa mauvaise petite tête.

Mais, à la grande surprise de Blanche, Coco avait refusé d'être payée et avait dit à la vendeuse d'emballer la robe.

Avec cet argent, et grâce à une baronne française, qui paraissait avoir exagérément à cœur d'aider certains de ceux qui étaient de retour au Ritz (apparemment, son amant allemand ne l'avait pas emmenée de l'autre côté du Rhin, et elle s'inquiétait pour son avenir immédiat), Blanche avait trouvé des bas en nylon au marché noir. Elle était aussi allée chez le coiffeur – non que la jeune fille, choquée, ait pu faire grand-chose avec ses cheveux clairsemés, à part teindre ce qui en restait et suggérer à Blanche de s'acheter de nouveaux chapeaux. Blanche se parfume, se maquille, porte des colliers de perles et la couturière du Ritz a repris toutes ses robes car elle flotte dedans désormais. Mais tout ça n'est qu'un déguisement, la personne qui se reflète dans le miroir est quelqu'un d'autre, ce n'est pas Blanche. Pourtant, chaque matin, elle sort de leur suite d'un pas assuré, après avoir enfilé une robe coûteuse, comme avant, tout en se souvenant de la blouse de laine sale et des sabots en bois de Fresnes.

Toutefois, elle se voit comme de loin ; elle se voit comme elle était *avant*, quand elle descendait des verres, l'un après l'autre, avec les gars au bar, en riant bruyamment, en racontant des ragots. Puis elle atterrit de nouveau, comme un ballon dégonflé, et elle reprend sa place dans le corps brisé qui est désormais le sien : cette épaule qui refuse de guérir, les maux de tête, cette douleur au côté chaque fois qu'elle fait un mouvement brusque, le souffle court, les tremblements qu'elle ne peut pas contrôler, sa nervosité – le moindre bruit la fait sursauter, et elle en attrape une suée. Parfois, elle se fait même pipi dessus – et elle se demande alors s'il lui reste un tant soit peu de dignité.

Mais elle essaie ; elle essaie vraiment ! Elle boit, elle accompagne Dietrich qui chante « Lily Marleen » et qualifie Blanche de « bon petit soldat ». Elle flâne dans les rues de Paris comme elle avait l'habitude de le faire avant, en essayant de retrouver la magie de ses lieux de prédilection – les Galeries Lafayette, la brasserie Lipp, les boutiques qui viennent de rouvrir avenue Montaigne (même si elles n'ont que peu de choses à vendre).

Parfois, elle passe devant chez Maxim's. Elle ne peut s'en empêcher. Mais elle n'y remettra jamais les pieds.

Elle cherche le Paris dont elle était tombée amoureuse, mais c'est difficile. Les murs, les immeubles sont criblés de trous de balles, des vitres et des lampadaires sont cassés, les barricades en fil de fer barbelé sont encore visibles là où des résistants, aidés par des civils, avaient décidé d'arrêter eux-mêmes les soldats allemands en déroute avant l'arrivée des Alliés. Les panneaux de signalisation dans les rues sont encore en allemand et en français, même si quelqu'un a pris l'initiative de recouvrir de peinture les mots allemands. Les musées, comme le Louvre, ne sont plus que de vastes échos, vides, du passé – trop de peintures et de sculptures manquent, pillées par l'occupant. Qui sait si elles seront un jour rendues à la France ?

Comme tous ceux qui ont disparu et ne reviendront jamais.

Les Parisiens ont perdu du poids ; ils marchent dans Paris vêtus de robes et de vestes reprisées qui furent à la mode cinq ans auparavant – et d'ailleurs, qui sait quelle est maintenant la mode ? – et leurs chaussures ont encore des semelles en bois. Les pommes de terre et les poireaux semblent être les seuls légumes disponibles sur les maigres étals du marché, tandis qu'on trouve des fleurs à profusion. À la place des affreuses fanfares militaires allemandes avec leurs tubas dans le jardin du Luxembourg, ce sont maintenant les Américains, avec leurs gros trombones rutilants, qui jouent du swing – Glenn Miller, Benny Goodman – et les jeunes gens dansent sur cette musique en riant – ils sont libres et se comportent comme il se doit, ce qui, en soi, est un miracle.

Les comédiens français qui sont restés et ont diverti les Allemands pendant l'Occupation, comme Maurice Chevalier, ont tous pris leurs précautions et ont quitté Paris, tout au moins pour le moment.

Quelques soldats sont toujours là, mais leur vue ne provoque plus ni peur ni ressentiment. Il y a maintenant les libérateurs – les Américains dans leurs uniformes kaki, avec leurs grands sourires aux dents blanches ; les Anglais, dans une version légèrement plus sombre, le sourire moins spontané. Et des soldats français aussi – qui sont arrivés en défilant triomphalement, menés par le général Leclerc, aux côtés des Alliés. Les citoyens parisiens les avaient applaudis, même s'ils savaient que, sans les Angliches et les Amerloques, l'armée française serait encore en Afrique du Nord. Les soldats français sont brunis par le soleil, on dirait qu'ils reviennent de vacances. Ce n'est pas de leur faute, bien sûr, mais celle du gouvernement qui leur avait ordonné de cesser les combats en 1940. Pourtant, quand les Parisiens voient défiler les uniformes français, leur soulagement est teinté de honte.

Blanche marche au hasard dans ces rues étranges bien que familières, avec la permission de son époux – Claude pense que c'est bon pour elle de s'éloigner du Ritz de temps en temps. Il s'inquiète, il a compris à quel point elle reste fragile, et elle lui en est reconnaissante, car il est important que quelqu'un, dans ce monde, se souvienne de ce qu'elle a vécu et lui permette d'en parler. Elle accepte, sans broncher, qu'il s'inquiète et lui fasse des recommandations : « Blanchette, ne sors que pendant la journée. Je veux que tu sois ici quand la nuit tombe », « Ne t'éloigne pas trop aujourd'hui, mon amour, tu as l'air fatiguée », « Comment va ton épaule, aujourd'hui, Blanche ? Veux-tu que je prenne rendez-vous avec une masseuse ? Ne crois-tu pas que tu ferais mieux de rester au lit aujourd'hui, ma chérie ? ».

Comme une enfant, Blanche acquiesce en hochant la tête, elle accepte ses attentions, aussi étouffantes soient-elles. On devine une tendresse surprenante entre ces deux-là ; ils s'en rendent compte mais n'en parlent pas. Un sentiment tout neuf et fragile qui bourgeonne, comme une nouvelle pousse sur un arbre meurtri. Ces dernières années, ils ont tous deux tellement souffert, chacun à sa manière. Ils sont maintenant un couple d'âge mûr, mais ils sont pleins de respect et d'attention l'un envers l'autre. Parfois, Blanche est timide en présence de Claude, comme une jeune mariée.

Chaque jour, il lui fait livrer des fleurs. Mais jamais de violettes. Car elle en attend, de la part de quelqu'un d'autre. Elle attend en vain.

Élise est toujours là. Elle est aux petits soins pour Blanche et passe son temps à lui préparer à manger des choses nourrissantes, délicieuses. Même si Blanche ne peut guère avaler et garder que de la soupe.

« J'ai fait des recherches, Blanche », lui dit Claude un soir tandis qu'ils sont assis tranquillement dans leur appartement. Depuis peu, ils y passent plus de nuits qu'autrefois. Car Blanche crie dans son sommeil. Et elle n'a vraiment pas envie que les clients du Ritz l'entendent, n'est-ce pas ? « Il n'y a plus aucune archive à Fresnes, évidemment – les nazis ont tout brûlé, comme tu l'as dit. Martin a disparu, lui aussi – je t'ai parlé de lui. J'ai demandé à tous ceux que je connaissais ayant pu avoir un lien avec la Résistance. Mais personne ne sait ce qu'elle est devenue.

– Je pense qu'elle est morte. » C'est la première fois que Blanche exprime cette pensée à voix haute. « Je pense qu'elle est morte à cause de moi. » Jusqu'à maintenant, elle n'a pas encore pu pleurer Lily. Depuis qu'elle est rentrée, elle ne ressent plus rien. Rien ne l'émeut – ni la vue de deux amoureux enlacés à la terrasse d'un café, ni celle de chatons qui viennent de naître, trouvés dans un grenier avec leur mère, pas même le son d'un accordéon sur les bords de Seine n'a été capable d'éveiller un sentiment amoureux, de joie ou de mélancolie, comme c'était le cas autrefois.

Claude prend la main de Blanche dans les siennes. Mais elle n'en tire aucun réconfort.

Blanche est assise dans une synagogue du Marais ; que ce lieu de culte juif soit vide lui brise le cœur. Elle ferme les yeux et essaie d'invoquer la musique, les chants de la synagogue de son enfance. Les parents de Blanche – des Juifs allemands – n'étaient pas des Juifs orthodoxes, les femmes s'asseyaient avec les hommes, le service se déroulait dans un mélange d'anglais et d'hébreu. Mais réformistes ou orthodoxes, certaines choses sont les mêmes – la Torah, les prières. Le sentiment d'être happé dans une mystique antique et toujours, *toujours*, cette sensation palpable de souffrance et d'attente. Les yeux fermés, Blanche essaie, désespérément, de retrouver son passé. Le passé qu'elle avait si radicalement effacé que même les nazis n'avaient pas pu croire qu'elle était juive.

Blanche espère vivement être émue par quelque chose, qu'une étincelle s'allume en elle – une connexion, un lien avec ses ancêtres, qui la rapprocherait un peu de ceux qu'on a embarqués, qui ne sont pas encore revenus et qui ne reviendront peut-être jamais.

Bien qu'elle reste assise là pendant une petite heure, rien ne se passe. Elle se sent juste ridicule. Ce n'est qu'après avoir quitté la synagogue, tandis qu'elle marche en direction de la Seine et passe devant un manège sur lequel elle voit des enfants – des enfants si jeunes qu'elle prie pour que, plus tard, ils ne se souviennent pas des horreurs de la guerre –, qu'elle peut pleurer. Car sur la veste d'une fillette, Blanche aperçoit les contours passés d'une étoile jaune – venant, de toute évidence, d'être décousue, car le tissu à cet endroit est plus foncé.

Alors, elle s'assied sur un banc et laisse ses larmes couler.

Pendant le dîner, ce soir-là, Blanche pleure enfin Lily.

« Je l'ai tuée, je le sais. » Les larmes inondent ses joues et atterrissent dans l'une des fameuses soupes crémeuses d'Élise auxquelles elle ne goûte pas.

« Non… Je pense que… tu ne peux pas savoir. Lily a tué des Allemands, Blanche. Elle a fait des choix, et elle savait qu'elle risquait sa vie.

– Mais si je n'avais pas fait un tel esclandre chez Maxim's… elle aurait peut-être pu s'en sortir.

– Tu ne peux pas passer le restant de tes jours à souffrir à cause de ça, mon amour. Je pense que… Peut-être est-il préférable que je quitte le Ritz ? » Il n'a d'abord pas l'air sûr de lui, puis finalement ponctue ses propos de hochements de tête : « Oui, je… je vais quitter mon poste au Ritz. Nous allons partir dans cette ferme dont nous parlions souvent, et où j'aurai tout le temps de m'occuper de toi. Alors, tu pourras peut-être oublier tout ça. Ou peut-être devrions-nous partir en Amérique ? Pour y rejoindre ta famille. Je pourrais certainement trouver un travail là-bas ?

– Non ! » Blanche laisse tomber sa cuillère dans la soupe, éclaboussant la nappe. « Non ! Je ne suis plus américaine. Pas après Fresnes. J'appartiens à la France – nos cicatrices sont les mêmes, celle de la France et les miennes. Tu ne comprends donc pas ? Je ne peux pas repartir.

– Mais…

– Claude. » Blanche soupire, hésite à parler, craignant la réponse de son mari. « Et si elle me cherche ?

– Oh, Blanche…

– Tu comprends, le Ritz est le seul endroit où elle sait qu'elle peut me trouver, si… quand elle reviendra. »

Le regard de Claude exprime une grande inquiétude. Et la cause n'en est pas Lily. Blanche voit alors son reflet dans les yeux de son époux – celui d'une victime brisée, déconnectée de la réalité.

Mais elle ne veut pas être vue comme ça – ni Lily ni elle ne méritent qu'on se souvienne d'elles comme des victimes. Et donc, séchant ses premières, et dernières, larmes pour Lily, Blanche lui raconte ses projets.

Quand elle avait repéré la veste de la petite fille sur le manège, elle s'était approchée pour mieux voir. Le petit groupe d'enfants qui jouaient dans le parc était accompagné de deux nonnes – il s'agissait d'enfants juifs, pâles après avoir été cachés pendant ces longues dernières années.

Blanche avait interpellé l'une des deux religieuses :

« Ma sœur ?

– Oui ?

– Qui sont… qui sont ces enfants ? »

Blanche avait souri à la frêle petite fille avec la marque de l'étoile jaune sur sa veste. La fillette avait mis un doigt dans sa bouche, se contentant de regarder Blanche, avant de dire finalement : « Votre robe est belle ! »

Blanche et la religieuse avaient ri, puis la religieuse avait attrapé Blanche par le bras avant de faire quelques pas à l'écart des enfants.

« Des orphelins, malheureusement. Ils ont été cachés à la campagne, on les a emmenés loin de Paris pendant que leurs parents étaient arrêtés. Des gens gentils, des catholiques, les ont cachés, ont pris soin d'eux, comme si c'étaient leurs propres enfants, et leur ont donné une éducation religieuse, afin qu'ils puissent passer pour des catholiques si jamais les nazis venaient les chercher.

– Que va-t-il leur arriver, maintenant ? Ils vont retourner dans leurs familles ? »

Mais avant même que la nonne réponde, Blanche connaissait la réponse.

« Ils n'ont plus de famille. Leurs parents, leurs frères et sœurs, ils ont tous disparu.

– Mais ils ont sûrement de la famille en Amérique, ou dans d'autres pays – des tantes, des oncles, des rescapés, chez qui ils pourraient aller ?

– Oh, mais ce n'est pas ce que nous voulons. Ces petites âmes sont catholiques, désormais. Dieu les bénisse ! Ils sont tous baptisés. Nous allons les placer dans des foyers catholiques, évidemment. Ils sont si jeunes, ils ne se souviendront jamais qu'ils sont… ils ne se souviendront jamais de leur passé. »

La religieuse affichait un sourire radieux en regardant ces enfants dont elle était responsable ; des enfants à la peau jaunâtre, aux cheveux sombres – aux yeux emplis d'une grande tristesse et de beaucoup de patience dès qu'ils cessaient de jouer.

Comment reconnaître un Juif ?

Blanche ne le savait que trop bien.

« Ma sœur, vous seriez étonnée à quel point ils se souviendront. Croyez-moi. Ce n'est pas facile d'oublier. » Blanche avait ouvert son sac et donné à la religieuse le reste de l'argent qu'elle avait trouvé sous sa porte. « Nom de Dieu, ma sœur !... Euh, excusez-moi... Achetez-leur de nouveaux manteaux. Sans traces d'étoiles jaunes. »

« Claude », dit-elle, maintenant excitée, peut-être même heureuse pour la première fois depuis si longtemps. « Claude, j'ai une idée. Une manière de, eh bien, peut-être de me racheter. Je voudrais aider des orphelins juifs à trouver des familles juives. Certains ont été élevés dans la tradition catholique, pour qu'ils ne sachent jamais d'où ils viennent ou qui ils sont. J'aimerais faire quelque chose pour eux. »

Elle sourit à son époux, de l'autre côté de la table – son époux qui la regarde, plein d'admiration et non de pitié. Elle ne veut plus jamais lire la pitié dans ses yeux, seulement de l'admiration.

« Tout ce que tu as sacrifié pour moi, pour Paris, et maintenant tu veux... » commence-t-il. Mais Blanche l'interrompt en secouant la tête.

« Oh, Popsy, n'en fais pas toute une histoire. » Elle attrape sa cuillère, affamée – une autre surprise. « Sur le moment, à l'époque, ça ne m'avait pas paru si important. En fait, ce n'était pas entièrement vrai. Mais en faisant ça maintenant... si j'aide ces enfants, si je les rends à leurs familles, même s'il faut aller loin, j'aurai l'impression de retrouver ma religion. Tu es d'accord, n'est-ce pas ? » Elle le regarde, nerveuse ; elle ne sait jamais quand le catholicisme de Claude va ressurgir.

« Si je suis d'accord ? Je vais t'aider, Blanchette. Nous pourrons trouver de l'argent, lever des fonds, ici au Ritz. Et puis, nous connaissons des avocats, car je pense que légalement, tout ça est compliqué. Je suis tout simplement touché que tu me demandes de l'aide.

– Bon sang, à qui demander si ce n'est à mon époux ? Tu es un homme bon, Claude Auzello. Même si tu fais parfois de ton mieux pour le cacher. »

Les Auzello se sourient. Ils connaissent enfin la vérité de l'autre. Elle est si fière de lui, de ce qu'il a fait pendant la guerre, protéger le Ritz et tous ses employés, tout en trouvant un moyen de résister aux Allemands, qui étaient ses hôtes. Ses ravisseurs. Blanche ne connaît personne d'autre ayant eu un rôle aussi difficile – aussi particulier – à jouer, pendant toute cette période.

Blanche sait aussi qu'il est fier d'elle. Parfois, il peut à peine la regarder dans les yeux quand il parle de ce qu'elle a fait. Il lui en est reconnaissant, même s'il ne devrait pas. Ils sont tous les deux si courageux, les Auzello-Rubenstein.

Finalement, au bout de vingt et un ans de mariage, ils forment un couple que personne, même un homme français, aussi volage soit-il, ne pourra détruire.

34

Claude

Automne 1945

Quand les bateaux du premier contingent d'Américains arrivent en vue des côtes françaises, le lendemain du 8 mai 1945, tout le monde est sous le choc. Comme c'est le cas pour Blanche et Claude.

« Blanche ! Tu es vivante ! » Foxy Sondheim pousse des cris perçants tout en se débarrassant de son manchon et se jette dans les bras de Blanche.

« La dernière fois que j'ai vérifié, je l'étais », rétorque Blanche, perplexe – elle regarde Claude en levant les sourcils en même temps que Foxy fond en larmes.

« Mais Winchell… Walter Winchell, dans l'une de ses chroniques, l'année dernière ou l'année d'avant, a écrit que tu avais été fusillée par les nazis ! Nous avons tous pensé, en Amérique, que tu étais morte ! Nous avons même organisé une veillée funèbre pour toi au Ritz à New York !

– Vraiment ? » Un grand sourire éclaire le visage de Blanche.

Elle entraîne Foxy au bar et Claude leur apporte une bouteille de champagne. Foxy est grande, c'est une créatrice de mode new-yorkaise qui comptait parmi les fidèles du Ritz place Vendôme avant la guerre, et elle fait partie d'un groupe récemment envoyé en France par le ministère américain des Affaires étrangères. Et Claude, bien sûr, tient à rappeler à ces Américains et ces Anglais qui sont de retour que le Ritz est toujours un lieu où l'on fait des affaires.

« J'ai servi de sujet à la chronique de Winchell !? T'entends ça, Popsy ? »

Blanche est sincèrement ravie et demande à Foxy de répéter l'anecdote pour ceux qui ne l'auraient pas entendue la première fois. Puis, elle commence à lui parler de ce qu'elle fait pour les orphelins : « Je peux te mettre sur la liste des bienfaiteurs pour, disons… cinq cents dollars ? Il faut que ce soit des dollars, Foxy, ne sois pas si radine ! » Et Foxy éclate de rire, alors que Claude les laisse partager des souvenirs et rattraper le temps perdu.

Toutefois, Foxy ira plus tard le rejoindre pour lui dire à quel point l'apparence de Blanche l'a choquée.

« Que lui est-il arrivé, Claude ? Que lui est-il vraiment arrivé pendant la guerre ?

– Nous sommes tellement heureux que vous soyez de retour, madame Sondheim, rétorque Claude. Comment est votre suite ? C'est la même que celle où vous séjourniez avant, j'espère ? Nous allons bien, ne vous inquiétez pas pour Blanche. C'est une survivante.

– C'est le moins qu'on puisse dire. » Foxy lui tend la laisse de son chien, qu'il prend avec un sourire résigné. « Comme la tour Eiffel ! »

Oui, pense fièrement Claude. Blanche a triomphé, elle est courageuse et tellement précieuse. Elle est tout ce que Paris est, ou devrait être – une beauté inaltérée par ces années sombres, une âme droite, invaincue, qui n'a pas été brisée. Oui, il s'est passé des choses affreuses. Mais Paris et Blanche survivront. On écoutera de nouveau de la musique dans Paris, les bateaux-mouches remplis de touristes et non de soldats descendront et remonteront la Seine, les vitrines cassées seront remplacées par d'autres, au verre encore plus étincelant qu'avant, les jardins piétinés par les bottes ferrées seront replantés.

Mais ce sera… compliqué.

Claude s'en rend compte au moment où les trains dont descendent des passagers qui ne sont plus des gens mais des squelettes commencent à arriver. Ils reviennent d'Allemagne, en ce début d'automne 1945. Mais aussi de Pologne. D'Autriche. D'endroits appelés Bergen-Belsen, Auschwitz, Dachau. Des squelettes pouvant à peine marcher, avec des numéros tatoués sur l'avant-bras. Claude les voit tituber dans Paris, clignant des yeux, stupéfaits d'être vivants. Stupéfaits de revoir la tour Eiffel, les Tuileries, l'Arc de triomphe – émus aux larmes d'être de retour. Et Claude comprend que ceux qui ont survécu à l'Occupation ne sont pas si héroïques – ce qu'il a fait n'était pas si courageux, ni si extraordinaire, finalement. Même ce qu'a enduré Blanche n'est en rien comparable à ce qu'ont vu, entendu, vécu ces survivants. Lui, comme tout le monde, ne peut que regarder ailleurs quand il croise l'un d'eux – assis dans un café, vêtu de plusieurs couches de vêtements quelle que soit la température ; assis sur des bancs dans les jardins, le visage tourné vers le soleil, les yeux fermés, avalant de grandes bouffées d'air frais, aspirant la vie, essayant de rassasier leurs corps de cet air frais, d'emmagasiner du vivant.

Qu'a été l'Occupation, comparée aux atrocités endurées par ses pauvres âmes ? En repensant à combien il était énervé quand les Allemands étaient au Ritz et qu'il devait les servir, leur faire des courbettes, Claude a honte. Il a tellement honte qu'il fait le vœu de ne jamais en reparler, et de ne jamais évoquer ce qu'il a fait avec Martin. Il agit donc comme tous les autres citoyens français. En effet, comme s'ils s'étaient tous retrouvés à l'Opéra, d'un commun accord, pour un grand rassemblement visant à prendre conjointement une décision, les Parisiens ont décidé de jeter le voile sur toutes ces années passées. Contrairement à ce qui s'était passé à la fin de la Grande Guerre, Claude se rend compte que personne n'aura envie de partager ses faits de guerre. Ce privilège est laissé aux Alliés qui ont combattu l'ennemi et ont libéré les Français.

Pour les Français, la situation est compliquée, un immense imbroglio, difficile à démêler, de revendications, de justifications de gens de tout bord. On parle de courage mais aussi de collaboration. De rébellion mais aussi d'acceptation. Des gens avaient souffert, mais beaucoup avaient échappé à la souffrance.

Que pouvait donc faire Paris, à part continuer à vivre, à penser à l'avenir ? À tirer fierté d'un passé lointain, héroïque – et à envisager un avenir qui ne repose pas trop sur la fierté nationale. En un sens, c'est ce qui soude les Parisiens entre eux, après que les tribunaux civils en ont terminé avec les procès et que les squelettes sont redevenus, du moins en apparence, des personnes : un consensus tacite, selon lequel il est préférable de ne pas se pencher sur ces années de guerre mais plutôt de penser à l'avenir.

Comme le fait Blanche en se consacrant aux orphelins. Elle vend les vêtements qu'elle ne peut plus porter, ses robes haute couture, pour collecter des fonds. Plusieurs Juifs influents créent des comités pour s'occuper des orphelinats de guerre, et des tensions se créent entre les communautés catholique et juive. Mais si tout le monde était d'accord, Paris ne serait plus Paris, n'est-ce pas ? Et donc Blanche collecte des fonds et s'oppose aux bonnes sœurs et aux curés, et tout ça la rend heureuse, l'occupe.

L'empêche de trop penser à Lily.

La plupart des anciens habitués du Ritz, ceux qui sont revenus, sont désormais en route pour couvrir les procès de Nuremberg. Et quand ces procès se concluent par dix exécutions et un suicide (leur vieil ami Göring), Claude secoue la tête tristement : « Nous venons de perdre onze bons clients du Ritz », dit-il. Et les éclats de rire qui accueillent cette petite blague sont très gratifiants.

Au Ritz, toujours à la tête de ses employés, Claude ne se sent pas vieillir. Au Ritz, baignée de cette lumière rose abricot si flatteuse, Blanche n'a pas l'air d'avoir le double de son âge.

Au Ritz, tout redeviendra comme avant. Car le Ritz est fait pour ça. Pour vous faire oublier ce que vous venez de voir, quoi que ce soit, avant de vous faire bénéficier de son opulence. Le Ritz vous soulagera, vous distraira, vous procurera le meilleur des champagnes pour diluer votre bile, mettra à votre disposition les serviettes de toilette les plus douces qui soient pour absorber votre désespoir.

Faire la part des choses. Retrouver un équilibre. Claude a toujours cru être capable de mesurer la valeur exacte de chaque aspect de sa vie. Le travail, la religion, le repos, les amis, la famille, l'éducation, l'activité physique. L'amour. La dévotion. Dans sa tête, il avait construit une balance, avec d'un côté le Ritz et de l'autre Blanche, et chaque plateau était égal, symétrique : la balance ne penchait ni d'un côté ni de l'autre.

Mais quand Blanche avait été embarquée par la Gestapo, il avait compris qu'il n'avait pas correctement évalué le poids de son épouse, finalement. Les plateaux étaient déséquilibrés : il avait trop chargé celui du Ritz.

Il ne fera plus jamais cette erreur. Il accomplira son devoir. Il continuera à respecter les valeurs qui étaient celles de César Ritz, en assurera l'héritage. Il ira à la messe, il continuera à se promener dans Paris le soir, à aimer certaines vues sur l'Arc de triomphe, à préférer certains cafés et jardins à d'autres. Il pleurera sans honte en entendant *La Marseillaise*.

Mais Blanche seule fera battre son cœur.

Lily

Blanche est morte.

Le temps a passé depuis ce jour-là, à la prison de Fresnes. Le jour où Blanche m'a appelée par mon nom – j'étais si heureuse de l'entendre. Si heureuse de m'être fait une amie qui ne me renierait pas, même si mon sort devait en être scellé.

Heifer ne m'aurait pas appelée par mon nom. Lorenzo ne m'aurait pas regardée. Aucun d'entre eux ne m'aurait pleurée. Mais Blanche l'a fait, Blanche s'est précipitée vers moi, Blanche a appelé : « Lily ! » Et quand ils m'ont emmenée, je ne me suis pas sentie seule ni oubliée. Je n'aurais jamais pensé trouver de l'espoir dans la souffrance et le désespoir, je n'aurais jamais pensé trouver de la bienveillance en temps de guerre.

Mais ce fut le cas, grâce à Blanche.

J'ai d'abord suivi sa trace, quand elle et tous les autres ont quitté Fresnes, ce jour-là. J'ai gardé un œil sur Blanche, Claude et le Ritz. Je l'ai regardée essayer courageusement de se saisir de la vie à nouveau.

Et, pendant un temps, elle y parvint.

Puis soudain, Blanche et Claude ont vieilli. Blanche a pris du poids et a cessé de se teindre les cheveux. Claude s'est ratatiné, ses cheveux, devenus gris, se sont clairsemés.

Et ces deux-là, qui s'étaient battus, s'étaient fait enrager, qui avaient été emportés par une passion si violente et grisante qu'elle les avait aveuglés pendant des années, se comportèrent soudain comme un vieux couple, éprouvant l'un pour l'autre de la tendresse, de l'exaspération, mais toujours avec amour, une relation polie par les ans.

Blanche s'inquiétait de la charge de travail qui pesait sur Claude, et il fumait trop, sans compter qu'il était sans cesse aux petits soins pour elle. Elle se faisait du mouron en se rendant compte que Claude était mis à l'écart, considéré comme démodé, appartenant déjà au passé alors que le Ritz vivait une nouvelle ère et tendait à la modernité. Claude s'inquiétait car Blanche buvait trop, avait trop souvent des maux de tête, des sautes d'humeur, de plus en plus à mesure que les années passaient et que les souvenirs et la souffrance qui s'ensuivait se faisaient sentir – elle criait en allemand, disant des insanités, crachait par-dessus la rampe du grand escalier. Elle restait au lit pendant plusieurs jours de suite sans manger, dans le noir.

Et Claude était désespéré. Être incapable de combattre les démons de son épouse le rongeait. « Je dois l'aider », disait-il à voix basse afin que seuls Robert et moi – qui étions les seuls à l'écouter, il faut bien le dire – puissions l'entendre. « Je dois la protéger du danger, je dois la protéger. »

Oh, Claude.

Voir l'être aimé souffrir est bouleversant, c'est plus difficile à supporter que sa propre souffrance. L'amour est désespérant, l'amour est délicieux. L'amour fait peur, l'amour donne de l'espoir. L'amour est miséricordieux.

L'amour est colère.

Quand Claude prit officiellement sa retraite – contre sa volonté –, les Auzello reçurent un plateau d'argent avec le nombre d'années passées au service du Ritz gravé dessus. Ils firent leurs adieux à l'hôtel et Claude marcha jusqu'à la sortie en s'appuyant sur son épouse. Ils partirent en promettant de revenir bientôt boire un verre, prendre le thé ou même déjeuner. Mais ils ne tinrent pas leur promesse.

Car, aujourd'hui, quelques jours plus tard, Blanche est morte.

Et Claude aussi.

Un accident – c'est ce que tout le monde a dit. Un accident tragique, car connaissant Claude Auzello, il est impensable qu'il ait pu faire volontairement du mal à sa femme, sachant les épreuves qu'elle avait traversées pendant la guerre. Il devait être en train de nettoyer son arme quand le coup est parti par accident. Et, désespéré par la mort de sa femme, il avait retourné l'arme contre lui. En apprenant la nouvelle de leurs morts, c'est ce que tout le monde a dit. Tous ceux qui les avaient connus ont pleuré, prié et porté un toast à la mémoire des Auzello du Ritz, avant de s'en retourner à leurs occupations, à la nécessité de vivre.

Et très vite, Claude et Blanche Auzello ne seront plus que des souvenirs. Personne ne veut se rappeler les années de guerre, à part ce que l'on dit de Hemingway qui a raconté qu'il a libéré le Ritz, même si ce n'est pas vrai. Personne ne veut raconter l'histoire du directeur français du Ritz et de son épouse juive américaine, et comment ils ont vraiment sauvé le Ritz, l'hôtel de la place Vendôme.

Mais moi, si. J'aime cette histoire, c'est une belle histoire, même si je me pose des questions sur sa fin.

Quand Claude a mis son épouse au lit ce soir-là, à quoi pensait-il ?

Quand il l'a regardée sombrer dans un sommeil étonnamment paisible, sans les cris de terreur qu'elle ne pouvait plus contrôler, a-t-il pensé à la première fois où il l'avait rencontrée ?

Quand il a attrapé le revolver, le même que celui qu'il avait depuis la guerre, a-t-il seulement espéré la libérer de ses souffrances ? Était-ce la lassitude – aussi bien la sienne que celle de Blanche – qui a guidé sa main en un geste sûr quand il lui a mis un oreiller sur la tête avant de tirer ? Ou bien a-t-il agi par égoïsme, pour ne plus avoir à s'occuper d'elle, et ne plus la voir descendre là où il ne pouvait pas la suivre ?

À moins que ce ne fût par amour ?

Car je pense que Blanche se doutait de ce qui allait se passer avant d'aller se coucher ce soir-là. Je pense qu'elle savait ce que son mari allait faire – son mari désespéré, car on lui avait volé sa vie, son Ritz, sa dignité – et elle l'avait donc libéré. Car Blanche, après tout, savait très bien sauver.

Quel amour avait été le plus fort, ce soir-là : celui de Claude ou celui de Blanche ? À moins que ce ne fût leur amour à tous les deux – cet amour qui les liait solidement l'un à l'autre, et que la guerre et la souffrance avaient forgé – qui avait guidé la main de Claude et qui avait amené Blanche à s'allonger tranquillement, sereinement ?

Je vous ai raconté leur histoire.

À vous de décider.

Le 29 mai 1969, très tôt le matin, un voisin des Auzello, avenue Montaigne, a entendu un bruit qui lui a fait croire à un pneu qui éclate. Trois heures plus tard, il a entendu le même bruit. Peu de temps après, la femme de ménage est arrivée pour préparer le petit déjeuner.

Quand elle est entrée dans leur chambre pour les réveiller, elle a trouvé Blanche dans le lit, morte d'une blessure par balle, et Claude le revolver à la main, une blessure mortelle à la tête, allongé par terre, près d'elle.

C'était vingt-neuf ans après l'arrivée des Allemands au Ritz.

NOTE DE L'AUTEUR

Quand je réfléchis à un nouveau sujet de roman, je cherche plusieurs choses. Un protagoniste fascinant, une époque historique que je ne connais pas encore mais qui pique ma curiosité, et un décor qui peut être un personnage en soi – autant de sources d'inspiration. Mais parfois, je tombe tout simplement sur une très bonne histoire. Et c'est ce qui s'est passé pour *La Dame du Ritz.*

J'ai rencontré Blanche et Claude Auzello pour la première fois en lisant le livre *15, place Vendôme* de Tilar J. Mazzeo[1], dans lequel j'ai découvert le rôle qu'avait joué le Ritz sous l'Occupation allemande : un moment de l'histoire dont je ne connaissais rien ; et un décor, un lieu ayant l'étoffe d'un personnage.

Et c'est dans les pages de ce livre que j'ai trouvé matière à une super bonne histoire, mais avec beaucoup de blancs.

Le livre de Mazzeo m'a fait connaître les Auzello, leur passé, et leur vie en temps de guerre. Mais la nature même du livre ne leur permettait pas d'en être le centre ; leur histoire n'était qu'une histoire parmi tant d'autres s'étant déroulées au Ritz au cours des années de guerre. En terminant la lecture de ce docu-

1. *The Hotel of Place Vendôme – Life, Death and Betrayal at the Hôtel Ritz in Paris* a été publié en France sous le titre *15, place Vendôme. Le Ritz sous l'Occupation*, par la Librairie Vuibert, 2014 ; traduit de l'anglais (américain) par Anatole Muchnik.

ment, j'ai eu le sentiment qu'un roman, en attente, demandait à être écrit. Et, en effet, quand j'ai commencé à entreprendre des recherches sur Blanche, Claude et le Ritz, c'est une question qui revenait sans cesse dans les articles, sur les blogs et dans d'autres livres que je lisais : pourquoi personne n'avait encore écrit de roman sur ces deux-là ?

Alors, comment aurais-je pu résister ?

La plupart de mes romans précédents racontent l'histoire de gens sur lesquels on avait déjà beaucoup écrit. C'était le cas pour Anne Morrow Lindbergh, Truman Capote et Mary Pickford. Mais il n'y avait pas grand-chose sur Blanche et Claude Auzello. D'ailleurs, nous ne savons même pas leurs dates de naissance exactes. À part le livre mentionné plus haut, il existe certes une biographie succincte de Blanche, *Queen of the Ritz*, écrite par son neveu Samuel Marx. Mais bien qu'elle soit composée d'entretiens avec Blanche, menés par Marx longtemps après la guerre, cette biographie est frustrante. Il n'y est jamais question de la vraie personnalité de Blanche – ni de son couple, au-delà des disputes et des maîtresses de Claude. Rien n'y est développé, le contenu est superficiel, même quand Blanche parle de ses actes de bravoure pendant la guerre. Elle a tendance, au cours de ces entretiens, à chaque fois tourner les faits en dérision, même quand elle raconte son emprisonnement et la torture. Sa vraie personnalité reste un mystère.

J'ai aussi lu le livre de l'historien Stephen Watts, *Le Ritz. La vie intime du plus prestigieux hôtel du monde*[1], qui évoque le Ritz pendant la guerre, et qui inclut plusieurs interviews de Claude. (Le livre a été écrit en 1963.) Mais, là encore, quand on l'interroge sur ce qui s'est passé pendant la guerre et ses propres actes de bravoure, Claude semble avoir tiré un trait sur le passé. Ce qui est pour le moins frustrant.

J'aimerais donc préciser que *La Dame du Ritz*, plus que tous

1. Éditions de Trévise, 1968 ; traduit de l'anglais par Claude Brunel, (titre original : *The Ritz of Paris*, 1963).

mes autres romans, est « inspiré » de faits réels, avec des personnages ayant réellement existé, plutôt qu'il ne « repose » sur ces faits. En effet, avec si peu de détails reconnus – par exemple, Lily et J'Ali ne sont que cités dans le peu de choses écrites sur Blanche, je n'ai rien pu trouver d'autre sur eux – et si peu d'éléments sur les personnalités de Blanche et Claude, j'ai donc donné libre cours à mon imagination.

Nous savons que Blanche est arrivée pour la première fois à Paris dans les années 1920 avec son amie Pearl White, et qu'elle était la maîtresse d'un prince égyptien du nom de J'Ali. Nous savons aussi qu'elle s'est vite mariée avec Claude Auzello, directeur adjoint du Claridge, qui, peu de temps après, est devenu directeur du Ritz. Nous savons qu'elle a falsifié son passeport pour effacer ses origines juives. Nous savons qu'elle est entrée en résistance et a aidé plusieurs pilotes d'avion à échapper à l'ennemi, mais sans avoir plus de détails. Nous savons qu'elle a été arrêtée – probablement plus d'une fois, même si dans le livre je ne parle que d'une seule arrestation. Nous savons que *quelque chose* s'est passé chez Maxim's quand elle y est allée avec Lily pour fêter le Débarquement du 6 juin 1944. Nous connaissons les circonstances dans lesquelles elle a été libérée de la prison de Fresnes, au moment où était prévue son exécution quand les Alliés sont arrivés juste à temps. Nous savons que Lily a disparu.

Nous savons aussi que Claude a travaillé avec d'autres directeurs d'hôtel pour passer des messages via des fournisseurs en dehors des frontières françaises, et qu'un homme, Martin, était son contact.

Nous savons qu'en 1969, Claude a tué Blanche en commettant un meurtre-suicide.

Et c'est tout.

Pourquoi Blanche a-t-elle risqué sa vie quand elle aurait facilement pu attendre la fin de la guerre en vivant dans le luxe ? Quelles en ont été les conséquences, quand ses vieux copains – Hemingway, le duc et la duchesse de Windsor – sont revenus au Ritz après la guerre ? En quoi Blanche avait-elle changé ? Et Claude ? Dans les livres que j'ai mentionnés, ils ne paraissent pas avoir changé. La vie continue comme avant, comme si la guerre n'en avait été qu'une interruption mineure. Mais, étant donné leur fin, il est impossible de croire que ce fut le cas. Et, en tant que romancière, imaginer cette vérité, la vérité *émotionnelle* de personnes qui ont existé, est toujours motivant, et c'est ce qui guide mon imagination.

Encore une chose, pour les historiens de la Seconde Guerre mondiale : deux Stülpnagel ont séjourné au Ritz ; il y a d'abord eu Otto, puis son cousin Carl-Heinrich, qui a remplacé le premier quand il a été nommé à un autre poste. Carl-Heinrich est le Stülpnagel impliqué dans le complot visant à assassiner Hitler, complot fomenté au bar du Ritz. Dans ce roman, pour faciliter les choses, les deux Stülpnagel ne font qu'un.

J'ai su tout de suite que le Ritz deviendrait un personnage à part entière, ce qui m'enthousiasmait ; le nom de cet hôtel suffit à évoquer les intrigues et le glamour ! J'ai eu la chance d'y passer trois nuits à l'époque où je faisais mes recherches. Et si le Ritz a, bien évidemment, été merveilleusement rénové et modernisé depuis l'époque de Blanche et Claude, il était important pour moi d'avoir une idée exacte de l'agencement des lieux, du luxe, de l'atmosphère. Comme Blanche le dit, le Ritz vous pousse à vous tenir plus droite, à vous habiller avec élégance, à vous comporter comme vous ne le feriez jamais en dehors de ses murs.

Et puis, il y a Paris. Ma ville préférée au monde. Je cherchais depuis longtemps à raconter une histoire qui s'y déroulerait, afin de pouvoir lui déclarer ma flamme par écrit.

Je suis heureuse que Blanche et Claude aient croisé mon chemin et m'aient fourni cette histoire. *Leur* histoire – une super bonne histoire.

REMERCIEMENTS

Il faut toujours tout un village pour écrire un livre. Une fois de plus, je remercie ma brillante éditrice, Kate Miciak, qui n'a de cesse de me tarabuster pour chacun de mes livres et de m'inciter à devenir chaque fois un meilleur écrivain. Et sans la passion et le dévouement de Laura Langlie, le meilleur agent littéraire au monde, je n'aurais jamais fait carrière en tant qu'auteur.

C'est un luxe d'écrire en sachant que vous êtes épaulée par une formidable équipe, telle que l'équipe éditoriale de Penguin Random House. Je remercie chacune et chacun d'entre vous : Kara Welsh, Kim Hovey, Gina Wachtel, Sharon Propson, Jennifer Garza, Susan Corcoran, Quinne Rogers, Leigh Marchant, Allyson Pearl, Robbin Schiff, Benjamin Dreyer, Loren Noveck, Allison Schuster, Jesse Shuman, Alyssa Matesic et Gina Centrello. Je tiens à exprimer ma gratitude à toute la formidable équipe commerciale de Penguin Random House, avec ces représentants qui sont les lecteurs les plus passionnés au monde.

Merci à l'équipe de l'agence Authors Unbound.

Je remercie aussi François Grisor du Ritz à Paris de m'avoir fait visiter les coulisses et pour l'aide qu'il m'a apportée, ainsi qu'Anne Michel, mon éditrice en France, qui m'a permis d'avoir mes entrées au Ritz.

Je tiens aussi à exprimer tout mon amour à ma famille qui me soutient parfois même sans le savoir : Dennis Hauser, Alec

Hauser, Ben Hauser, Emily Curtis, Norman Miller, Mark et Stephanie Miller.

Et, enfin, comme toujours, je remercie les libraires et les lecteurs qui ne cessent de me demander de continuer à écrire. Grâce à vous, je continuerai.

DU MÊME AUTEUR

Aux Éditions Albin Michel

LES CYGNES DE LA CINQUIÈME AVENUE, 2017.

HOLLYWOOD BOULEVARD, 2018.

Composition Nord Compo
Impression en octobre 2020
Éditions Albin Michel
22, rue Huyghens, 75014 Paris
www.albin.michel.fr
ISBN : 978-2-226-44373-1
N° d'édition : 23617/01
Dépôt légal : novembre 2020
Imprimé au Canada chez Friesens